光文社古典新訳文庫

カラマーゾフの兄弟1

ドストエフスキー

亀山郁夫訳

kobunsha classics

光文社

Title : БРАТЬЯ КАРАМАЗОВЫ
1879-1880

Author : Ф.М.Достоевский

『カラマーゾフの兄弟　1』　目次

ドストエフスキー『カラマーゾフの兄弟』

エピローグ付、四部からなる長編小説

アンナ・グリゴーリエヴナ・ドストエフスカヤに捧ぐ

「はっきり言っておく。一粒の麦は、地に落ちて死ななければ、一粒のままである。だが、死ねば、多くの実を結ぶ」

（ヨハネの福音書、十二章二十四節）

著者より

わたしの主人公、アレクセイ・カラマーゾフの一代記を書きはじめるにあたって、あるとまどいを覚えている。それはほかでもない。アレクセイ・カラマーゾフをわたしの主人公と呼んでいるものの、彼がけっして偉大な人物ではないことはわたし自身よくわかっているので、たとえば、こんなたぐいの質問がかならず出てくると予想できるからである。

あなたがこの小説の主人公に選んだアレクセイ・カラマーゾフは、いったいどこが優れているのか？　どんな偉業をなしとげたというのか？　どういった人たちにどんなことで知られているのか？　一読者である自分が、なぜそんな人物の生涯に起こった事実の探究に暇をつぶさなくてはならないのか？

なかでも、最後の問いがもっとも致命的である。というのは、その問いに対して、わたしは次のように答えるしかすべがないからだ。「小説をお読みになれば、おのずからわかることですよ」と——。

しかし、読み終わったあとでもやはり答えが見つからない、主人公アレクセイ・カラマーゾフの優れた面に同意していただけないとしたら、どうするか。わたしがこんな言い方をするのは、残念ながら、そのことが前もって予想できるからだ。わたしにに言わせると彼はたしかにすぐれた人物なのだが、そのことを読者にしっかり証明できるのか、じつのところきわめて心もとない。要するに彼は、たぶん実践家ではあっても、あいまいでつかみどころのない実践家なのである。

もっとも今のご時世、人々に明快さを求めるほうが、かえっておかしいというべきなのだろう。ただひとつ、おそらくかなり確実な点といえば、彼が、変人といってもよいくらい風変わりな男だということである。しかし風変わりであったり変人であったりするというのは、たしかにそれで世間の注意を引くことはあっても、むしろ害になるほうが多い。とくに昨今の混乱をきわめる時代、だれもが個々のばらばらな部分をひとつにまとめ、何らかの普遍的な意義を探りあてようとやっきになっている時代はなおさらである。そもそも変人というのは、多くの場合、社会の一部分にして孤立した現象にすぎない。そうではないか？

もしもみなさんがこの最後のテーゼに同意せず、「いや、そんなことはない」とか、「かならずしもそうとはかぎらない」とでも答えてくれるなら、本書の主人公アレクセイ・カラマーゾフのもつ意義について、わたしとしてはきっと大いに励まされる思いがするだろう。なぜなら、変人は「かならずしも」部分であったり、孤立した現象とは限らないばかりか、むしろ変人こそが全体の核心をはらみ、同時代のほかの連中のほうが、なにか急な風の吹きまわしでしばしその変人から切り離されているといった事態が生じるからである……。

もっともわたしは、こんなくそ面白くもない曖昧模糊《あいまいもこ》とした説明にかまけず、序文なしでいきなり話をはじめてもよかったのだ。ひとは気に入れば、最後まできちんと読みとおしてくれるだろうから。

しかしここでひとつやっかいなのは、伝記はひとつなのに小説がふたつあるという点である。おまけに、肝心なのはふたつ目のほうときている。

第二の小説で描かれるのは、現に今、わたしたちの時代に生きている主人公の行動である。しかるに第一の小説は、すでに十三年も前に起こった出来事であり、これはもう小説というより、主人公の青春のひとコマを描いたものにすぎない。

しかしわたしからすると、この第一の小説ぬきですますわけにはどうしてもいかない。そんなことをすれば、第二の小説の大半がわからなくなってしまうからだ。そういうわけで、わたしが直面した最初のとまどいは、いよいよやっかいなものになってくる。もしもわたしが、つまり当の伝記作者であるわたしが、こんな地味でとらえどころのない主人公なら小説ひとつでも十分すぎるなどと考えるとしたら、ふたつの小説からなるこの一代記は、いったいどんなものにしあがるというのか。そもそもわたしのこういう厚かましい態度は、どう申し開きができるのか？

これらの問いに答えようにも、わたし自身混乱しているので、ここはいっさい解答なしで済ませることにする。むろん、勘のするどい読者は、そもそものはじまりからわたしがそういう腹づもりであったことをとっくに見抜いて、愚にもつかない御託《ごたく》をならべ、貴重な時間を費やしていることをいまいましく感じるばかりだったにちがいない。

それに対してなら、こんどははっきりと答えられる。わたしがこうして愚にもつかない御託を並べ、むざむざ貴重な時間を費やしたのは、第一に読者への礼儀を念頭に置いてのことであり、第二に「これでまあ、打つべき手は打った」という、ずるい考えから来ているのである。

そうは言っても、この小説が「全体として本質的な統一を保ちながら」おのずとふたつの話に分かれたことを、わたしは喜んでいるくらいだ。最初の話を読みおえた段階で、読者のみなさんはこれから先、第二部を読みはじめる価値がはたしてあるかどうか自分で決めることになる。

むろんだれにも、なんの義理もないのだから、最初の短い話の二ページ目で本をなげだし、二度と開かなくたってかまわない。しかし世の中には、公平な判断を誤らないため、何がなんでも終わりまで読み通そうとするデリケートな読者もいる。たとえばロシアの批評家というのは、押しなべてそういう連中である。というわけで、そういう読者が相手だと、こちらとしてもじつにやりやすい。だが彼らの律儀さや誠実さをありがたく受け止めるにしても、わたしとしてはやはり小説の最初のエピソードでこの話を放り出してもよいよう、ごくごく正当な口実をみなさんに提供しておく。

序文はこれでおしまいである。こんなもの余分だという意見にわたしは大賛成だが、書いてしまった以上は仕方がない、そのまま残しておくことにしよう。

では、さっそく本文にとりかかる。

第1部　第1編　ある家族の物語

1　フョードル・パーヴロヴィチ・カラマーゾフ

アレクセイ・カラマーゾフは、この郡の地主フョードル・カラマーゾフの三男として生まれた。父親のフョードルは、今からちょうど十三年前に悲劇的な謎の死をとげ、当時はかなり名の知られた人物だった（いや、今でも人々の噂にのぼることがある）。しかし、そのいきさつについてはいずれきちんとしたところでお話しすることにし、今はとりあえずこの「地主」（彼は生涯、自分の領地にはまったくといってよいほど居つかなかったが、このあたりではそう呼ばれていた）について、こう述べるにとどめよう。

つまり、一風変わった、ただしあちこちで頻繁に出くわすタイプ、ろくでもない女たらしであるばかりか分別がないタイプ、といって財産上のこまごました問題だけはじつに手際よく処理する能力に長《た》け、それ以外に能がなさそうな男だと——。事実、フョードルは、ほとんど無一文からなりあがった零細の地主で、よその家の食事にありつき、居候《いそうろう》としてうまく転がり込むことばかり考えてきたような男だった。そのくせ、いざ死んでみれば、現金でじつに十万ルーブルの金が手元に残されていたことがわかった。それでも彼は、この郡きっての分別のない非常識人のひとりとして一生をおし通したのである。

念のためにいっておくが、これは愚かさというのとは少しちがう。それどころかこういう非常識な手合いは、大半がなかなか頭も切れる抜け目のない連中で、ちなみにここでいう分別のなさというのは、なにかしら特別の、ロシア的なといってもよい資質なのだ。

彼は二度結婚し、三人の子どもをもうけた。長男のドミートリーは最初の妻とのあいだに生まれた子どもで、残りの二人、すなわちイワンとアレクセイは二度目の妻とのあいだに生まれた。フョードルの最初の妻は、かなりの資産家でこの土地の地主でもあった名門貴族ミウーソフ家の出身だった。持参金つきのうえに器量よし、おまけに利発な才女であるお嬢さんが(今の世代ではめずらしくないが、その昔にもすでに姿を現していた)、よりによってどうしてこんなろくでもない、当時まわりから「のらくら」とあだ名されていた男のもとに嫁ぐはめになったか、ここでくどくど説明するのはやめておく。

いわゆるロマンチックな気風の残る二世代前のことだが、わたしが知っていたある娘などは、何年ものあいだ、とある紳士に謎のような恋心をよせ、その気になればつつがなく結婚にこぎつけられたはずが、けっして越えられない壁があるように思いこみ、ある嵐の夜、断崖のように切り立った川岸からかなり深い急流に身を躍らせ、命を絶ってしまった。

それはもう身勝手というしかない気まぐれが原因で、娘にすれば、シェークスピアの女主人公オフェーリアにあやかりたい一心で事におよんだのだ。しかも、娘が前からめぼしをつけ、たいそう気に入っていた断崖が、かりに絶景と呼べるようなものではなくもっと散文的でのっぺりした岸であったなら、こうした自殺騒ぎなどとうてい起こらなかったはずである。

しかし、いまここに述べたことはまぎれもない実話であって、思うに最近二、三世代のロシアでは、こういうたぐいの、あるいはこれに似たような事件が少なからず起こってきた。同じように、フョードルの妻アデライーダがとった行動は、あきらかに他人の思想の受けうりであり、これまた、「囚われとなった思考のいらだち」の結果だった。

彼女にしてみれば、たぶん女性の自立を宣言し、社会的な制約や、親戚、家族の横暴に反旗をひるがえしたかったのだろう。そこで彼女は、たとえ一瞬にせよ、たんに居候の身にすぎないフォードルが、よりよい未来へ向かう過渡の時代に生きるこのうえなく勇敢でシニカルな男性のひとりであるという、おめでたい空想のとりこになった（そのじつ、彼は腹黒い道化でしかなかったが）。おまけに、事が駆け落ちで落着するという点も刺激的で、それがいたくアデライーダの興をそそったらしい。

他方フョードルは、自分が置かれている社会的立場からしても、こういううまみのある話には、待ってましたとばかりに飛びつく腹づもりだった。なぜなら彼は、たとえどんな手を使ってでも、出世がしたくてうずうずしていたからである。名門の貴族と縁をむすび、持参金をせしめるというのは、なんとも誘惑的な話だった。

で、二人の愛情についていえば、花嫁の側にも、またアデライーダの美貌にもかかわらず花婿のほうにも、それらしきものはまったく芽生えなかったらしい。というわけで、ちょいと色目を使われただけでどんな相手でもたちまちべたつく好色きわまりない男でとおしたフョードルからすれば、アデライーダとのこの出会いは、一生に一度かぎりの事件だったといえるだろう。ついでながら彼女は、性的な面で彼にいっさい感興を呼びおこさなかったただ一人の女性だった。

駆け落ちしたアデライーダはたちまち、自分がたんに夫を軽蔑しているだけで、それ以上なんの気持ちも持ちあわせていないことをさとった。こうして二人の結婚生活は、異例のスピードでひとつの決着をみるにいたった。彼女の実家はかなり早いうちにこの事件に見切りをつけ、駆け落ちした娘に財産まで分けてやったが、夫婦のあいだではこのうえもなく自堕落な生活と、いつ終わるとも知れない痴話喧嘩がはじまった。人の話だと、この若い妻はフョードルとは比べものにならないぐらい、品位と高潔さを発揮したという。

今では有名な話だが、このフョードルは、妻のアデライーダが約二万五千ルーブルの金を受けとるとそっくりそれを巻き上げてしまい、以来、彼女からすれば、その金はドブに捨てたも同然のものとなった。しかも彼は、これまた妻が持参金代わりにもらった小さな村と町なかにあるかなり立派な屋敷まで、なにやらそれらしい証書をこしらえ自分名義の財産にしてしまおうと、長いこと必死に努力していた。だからおそらく彼は、恥知らずなおどしやゆすりで妻の胸のうちにたえずかき立ててきた蔑《さげす》みや嫌悪の念だけでも、さらにはひたすら厄介払いしたいという妻の精神的疲労だけでも、横取りの目的を十二分に達していたようなものだった。ところが幸いアデライーダの家族が割って入り、横取りはなんとか食い止められた。

彼ら夫婦のあいだでは、つかみ合いの喧嘩もまれではなかったが、もれ聞く話では拳を振りあげるのはフョードルではなく、血気さかんで勇敢な、色が浅黒くて気が短い、並外れた腕力を授かったアデライーダのほうだったという。

　こうして、彼女はとうとう屋敷を捨て、三歳になる子どものミーチャ（ドミートリーの愛称）をフョードルの手に残したまま、ひどい貧乏で死にかけていた神学校出の教師と手に手をとって、夫のもとから逃げだすはめになった。するとフョードルは、たちまち自宅にハーレムを築いて飲めや歌えの大酒盛りをくりひろげたが、そのくせ合間合間には全県をほぼ隈《くま》なく渉《わた》りあるいて、自分を捨てたアデライーダのことを相手かまわず涙ながらにこぼしてまわった。おまけに彼は、夫として口にするのも恥さらしな夫婦生活の内輪話まで、滔々《とうとう》と弁じたてたものだった。要するに、寝取られ亭主というこっけいな役どころを人前で演じ、くわえてこまごました内輪話にどぎつい粉飾を混ぜてみせるのが、楽しく愉快でたまらないということだったらしい。

「しかしねえ、フョードルの旦那、そりゃあいろいろお辛いこともおありでしょうが、なんてったって地位は得られたんですし、それでご満足でしょうが」。皮肉好きな連中は、彼にそう言った。多くのものはこうもつけ足した。要するにあの男は、これまで人が見たこともない道化役を演じてみせるのが好きで、さらに相手の笑いを買いたい一心から、自分のこっけいな立場にわざと気づいていないふりをしているのだと。もっとも、彼はたんに無邪気であっただけなのかもしれない。

まもなく彼は、ついに逃げた女房の足どりを突き止めることができた。哀れな妻はペテルブルグにいて、神学校出の教師ともども首都に流れついてから、なんの気がねも無用とばかりに完全に自由な生活にひたった。フョードルはにわかに騒ぎだし、ペテルブルグへ向かう旅支度にかかったが、はたしてそれがなんのためかはむろん当人にもわからなかった。たしかにそのとき、彼はすぐにも出発しそうな勢いだった。ところがいざそう腹を決めると、彼はたちまち、旅立ちの前の元気づけに今日はとことん飲んでも悪くはあるまいという気持ちになった。

ペテルブルグにいる妻が死んだという知らせが彼女の実家に入ったのは、まさにそのときだった。彼女はどこぞの屋根裏部屋で急死したのだが、チフスで死んだという説もあれば飢え死にらしいという話もあった。酔ったまま妻の訃報に接したフョードルは通りに駆け出し、うれしさのあまり両手を天に差し出しながら、「今こそあなたはこの僕《しもべ》を安らかに去らせてくださいます」（ルカの福音書、二章二十九節）と叫びだしたという。しかしまた別の話では、まるで子どものように泣きじゃくるフョードルの姿は、一同の鼻つまみ者とはいえ、傍目《はため》にも見るに忍びないぐらいだったという。

どちらにしろ、大いにありそうな話である。ということはつまり、自分が解放されたのを喜ぶのと、解放してくれた妻をしのんで泣くのとは、同じことだったのだ。人間とはたいていの場合、それがどんな悪党でも、わたしたちが一概にこうと決めつけるよりはるかに素朴で純真である。わたしたち自身からしてそうではないか。

2 追い出された長男

こういう男がどんな養育者でどんな父親であったかは、むろん想像がつこうというものだ。父親である彼の身には、起こるべきことが起こった。つまり、アデライーダとのあいだにもうけたわが子を完全にほったらかしにしてしまったのである。それも、わが子に対する悪意や、寝取られた夫のなにがしかの恨《うら》みなどといった理由ではなく、たんに子どものことをはなから忘れさってしまったにすぎない。涙やら愚痴やらで人にうるさくつきまとい、かたやわが家を淫乱の巣に変えていたとき、三歳になる男の子ドミートリーの世話を引き受けたのが、カラマーゾフ家の忠実な下男グリゴーリーだった。もしもそのときグリゴーリーが面倒を見てやらなかったなら、この子はきっと肌着さえ替えてもらえなかったろう。しかも、あるまじきことに、最初のうちは母方の親類筋までが、この子のことを忘れはてたも同然だった。

子どもの祖父、すなわちアデライーダの父親にあたるミウーソフ氏は、当時すでにこの世になかった。ドミートリーの祖母にあたる残された妻は、モスクワに移ってからめっきり衰え、その姉妹も嫁に出ていたので、まる一年ものあいだドミートリーは下男グリゴーリーのもとに引きとられ、召使小屋で過ごすはめになった。しかし父親がかりにこの子どものことを思い出しても（じっさいその子の存在を忘れていたはずもない）、やっぱり自分のお楽しみの邪魔になるというので、すぐにも召使小屋に戻してしまったことだろう。

ところがそこへ、偶然パリから、死んだアデライーダのいとこにあたるピョートル・ミウーソフが戻ってきた。このミウーソフという男は、何年にもわたって外国に滞在し、当時はまだたいそう若かったが、一族のなかでは別格の人物だった。教養もあり、都会人かつ外国人風で、おまけに一生ヨーロッパ人になりすまし、最晩年は、一八四〇、五〇年代のリベラル派として聞こえた人間である。

立身の道をとおして彼は、ロシアにあっても外国にあっても、その時代のもっともリベラルな人々と数多く交わり、無政府主義者のプルードンやバクーニンとも個人的な交遊をもち、放浪生活が終わりに近づく頃には、一八四八年パリの二月革命の三日間をしきりに思い出しては、好んで人に話して聞かせるようになった。そして、自分もう一歩のところでバリケード戦に加わるところだったなどと、さも自慢げにほのめかすのだった。それは、彼の青春時代における、もっとも喜ばしい思い出のひとつだった。

ミウーソフは、農奴解放以前の比率でいうと、農奴およそ千人分にあたる独立した資産の持ち主だった。彼の所有になるすばらしい領地は、わたしたちの町の出口のところにあって、有名な修道院の敷地と境界を接していた。ミウーソフはまだかなり若い時期にこの遺産を引きつぐと、ただちに川の漁業権だか森の伐採権だか、わたしも詳しくはわからない権利関係のことで、この修道院を相手にいつ終わるともしれない訴訟に乗りだした。「教権派」と事をかまえることを、市民として文化的な義務とも心得ているらしかった。

ミウーソフはもちろんアデライーダのことをよく覚えていたし、かつては心に留めたこともあったほどだから、彼女の身の上に生じた一部始終を聞き、ドミートリーという子どもがひとり残されていることを知って、フョードルに対し若者らしい憤りと軽蔑の念を覚えながらも、あえてこの問題に首を突っこむことにした。こうして彼ははじめてフョードルと面識を得、開口一番、子どもの養育を引き受けたいと明言したのだった。

いかにもフョードルらしいと彼はその後、長く語り草にしたが、ドミートリーの件で話し合いがはじまったとき、父親はしばらく、いったいどこの子どもの話をしているのかまったく分からないといった顔をし、屋敷のどこかに幼い息子が住んでいることさえ怪しんでいる様子だったという。

ミウーソフの話にはかりに多少の誇張があったにしろ、何かしら真実に近いものが含まれていたにちがいない。じっさいフョードルは一生をとおして芝居を打ち、人前で急に何か思いがけない役どころを演じるのが好きだった。しかも大事な点は、ときとしてなんの必要もないのに、たとえば今度の場合のようにそれが自分の損になるとわかっていてなおかつ芝居を打つのである。もっともこういう性向というのは、べつにフョードルひとりに限られたものではなくて、非常に多くのきわめて知的な人々にもしばしば見うけられるものだ。ミウーソフは熱心に事を運び、（フョードルとともに）子どもの後見人にも任じられたほどだが、それは母親の死後、とにかく残された屋敷と土地があったからである。

ドミートリーは、こうして、じっさいには母の従兄弟にあたる伯父に引きとられていったが、この伯父には家族がないうえ、領地の上がりをまとめて確保すると、長期の予定でまたもパリへあたふた出かけていってしまったので、子どもは従姉の一人にあたるモスクワの婦人のもとにあずけられることになった。早い話が、パリに落ち着くと、ミウーソフはもう子どものことなど念頭になかった。彼の想像力をあれほどかきたて、一生をとおして忘れることができなかった例の二月革命が勃発したときは、とくにそうだった。

やがてモスクワの婦人が死ぬと、ドミートリーはすでに嫁にでている娘の一人に引きとられた。どうやらその後、彼はもう一度、落ち着くべき巣を変えることになったらしい。ただし今は、そのことをくわしく述べたてようとは思わない。フョードルのこの長男については、これから先に語るべきことがたくさんあるので、さしあたり、小説をはじめるのに困らないごく最小限の知識にとどめておく。

第一に、このドミートリーは、フョードル・カラマーゾフの三人息子のうち一人だけいくらかの財産をもっていたので、成人したあかつきには独り立ちをするという、たしかな信念をもって成長していった。

少年時代、青年時代をとおして、彼は乱れた日々を送ってきた。中学校も中途で退学し、その後、陸軍の幼年学校に入り、やがてコーカサスに姿を現して軍務についたが、決闘騒ぎを起こして降格処分となり、ふたたび勤め上げて将校になったものの、さんざ飲んだくれ身分不相応に金を使い果たしたのだ。フョードルから金を受けとるようになったのは成人に達してからのことだが、彼はそれまでにもかなりの借金をこしらえていた。

自分の父であるフョードルのことを知って、初めて相見《あいまみ》えたのは、すでに成人してからのことだった。財産の持分をめぐってじかに話しあうため、わざわざこの土地にやってきたのである。どうやらそのときも彼は自分の親が好きになれなかったらしく、実家にあまり長くはいつかず、いくらかの金を受け取り、今後の領地の上がりの受け取りをめぐる話がつくと、そそくさと町を出ていった。しかしこのとき彼は、フョードルから領地の収入額も価格もとうとう聞きだせずじまいだった（これは注目に値する事実である）。

フョードルは、初めて会ったそのとき（これも記憶しておかなくてはならない）、息子のドミートリーが自分の財産について過大な、まちがった考えを抱いていることに気づいた。フョードルは自分なりに特別な打算があったので、それにはむしろ大いに満足していた。彼はこう結論づけた。要するに、この青年はたんに軽率で、向こう見ずで激しやすく、せっかちで派手好き酒好きなだけで、いっとき金が多少とも入れば、むろんごく短期間ながらすぐにおとなしくなる、と。

そこでフョードルは、うまい具合に搾取しはじめた。つまり、ちっぽけな小遣いと一時的な仕送りでお茶をにごしはじめたというわけである。しかしとうとう新たな事態が持ちあがった。それから四年が経ち、ついにしびれを切らしたドミートリーが、父親との最終的な決着をもくろんでふたたび町に乗りこんできたのだ。ところが非常に驚いたことに、自分に残されている財産はもはやゼロにひとしく、勘定するのさえむずかしいほどだということが、すぐにわかった。おまけに、父親のフョードルから財産の分け前をすべて現金で受けとってしまい、ひょっとすると自分のほうに借りがあるかもしれない、つまり、当時自分から申しでたあれやこれやの取り決めで、自分にはもはや何ひとつ要求する権利がないことがわかったのである。

青年は打ちのめされ、不正や嘘がないかと疑い、われを忘れ、気も狂わんばかりになった。まさにこうした事情こそがのちの悲劇を生み、その悲劇を叙述することが、わたしのこの導入的な意味をもつ第一部の主題ないし、より正しくは骨格をなしているのである。

しかし肝心のその小説に移るまえに、わたしはさらにフョードル・カラマーゾフの残り二人の息子、ドミートリーの二人の弟たちについても話をし、二人の来歴について説明しておかなくてはならない。

3　再婚と二人の子どもたち

四歳になるドミートリーを厄介払《やっかいばら》いしたフョードルは、まもなく二度めの結婚をはたした。再婚生活は八年ほどつづいた。二度目の妻となったソフィア・イワーノヴナは、これまたたいへん若い他県の出身者で、フョードルが仲間のユダヤ人と、小口の仕事でそこに立ち寄ったさいに見つけた相手だった。

フョードルは、飲めや歌えの乱痴気騒ぎをしたり、ちょっとした不始末をしでかすこともあったが、資産の運用に対する心配りをやめるようなことはなかった。むろん、ほとんどの場合がきたないやり口ではあったが、仕事はいつもうまい具合にこなしてきた。ソフィアはごく無名の輔祭《ほさい》の娘で、幼いときから身寄りのない「孤児《みなしご》」だった。彼女は、恩人で養育者でありながら虐待者でもあった、高名な老夫人の裕福な屋敷で育てられた。老夫人は、ヴォルホフ将軍の未亡人だった。

くわしい事情はわからないが、あるとき、おとなしくて気だてのよい、口答えなどめったにしないこの養女が、納戸の釘に縄をかけて死のうとしているところを助け下ろされたことがあった。老夫人の好き放題や、いつ果てるともしれない小言に耐えていくのがそれほど辛くなったのだ。この老夫人は、おそらく根は悪くない人なのだろうが、無為の毎日から、どうにも始末におえないわがまま女になりさがっていたのだ。

結婚を申し込んだフョードルは、あれこれ身元を調べられたうえすげなく追い払われると、またもや最初の結婚のときと同様、この孤児に駆け落ちを持ちかけた。かりにも彼女がタイミングよく、前もって相手のことをより詳しく知ることができたら、十中八九、彼の許に嫁にいく気など起こさなかったろう。しかし、そもそもよその県での話であるし、まして養育者の家に残るぐらいなら川に身投げしたほうがましとまで思いつめた十六歳の娘に、なにが理解できたというのか。こんな次第で、哀れな娘は慈善家から貧乏人の男に乗り換えたのである。

もっともフョードルは、このとき一文たりとも手にできなかった。というのも、将軍夫人は怒り心頭に発して何ひとつよこさなかったうえ、彼ら二人を呪い倒したほどだったからだ。とはいえ、今回ばかりは彼も持参金をあてにせず、ただただこの清純な娘のすばらしい美しさに魅了されていた。そしてなによりも大事なのは、それまで女の野卑な美しさばかり追い求めてきた罪深い女好きが、彼女の清純な姿に心を奪われたという点だった。「おれはな、あのときあの清純な目つきで、カミソリみたいにぷっすりハートをやられちまったんだよ」――。彼はその後、いつものようにヒヒと下品に笑いながらそう話したものだった。

しかしそうした美しさも、この女好きの目からすると性的な魅力にしか映らなかったらしい。見返りをいっさい得られなかったフョードルは、妻にはなんの遠慮会釈もなく、彼女が自分にたいしていわば「罪悪感をもっている」こと、自分がほとんど「首吊りの縄から救い出してやった」こと、おまけに、彼女の無類ともいってよい素直さや従順さをいいことに、ごくありきたりな夫婦間のエチケットまで踏みにじってしまった。すなわち自分の家の、それも妻がいるところへ性悪《しょうわる》な女どもが集まり、乱痴気騒ぎを繰りかえしたのである。

ここでひとつ興味深い事実を伝えておこうと思うのだが、フョードルの先妻アデライーダを目の敵《かたき》にしていた、陰気で愚直で頑固な屁理屈屋の下男グリゴーリーが、今度ばかりは新しい夫人の肩をもち、彼女を守るために下男としてほとんどあるまじき態度でフョードルと渡りあった。あるときなどは、乱痴気騒ぎを中途でやめさせ、集まっていた性悪な女どもを一人残らず力ずくで追い払ったのである。

その後しばらくして、この幸薄い、ごく幼いころからおどおどと生きてきた彼女に、女性によくありがちな神経症に似た病いがはじまった。この病いは下層の農婦たちのあいだでとくによく見受けられるもので、それにかかった女性は「おキツネさん」とあだなされていた。病いは恐ろしいヒステリーの発作をともなうため、病人はしばしば理性を失うこともあった。

それでも彼女はフョードルとのあいだに、イワンとアレクセイの二人の男の子をもうけた。上のイワンは結婚生活一年目に、下のアレクセイはそれから三年後に生まれた。彼女が死んだとき、アレクセイはまだ数え四歳でしかなかったが、不思議なことに彼はその後、一生、むろん夢をとおして母親の顔を覚えていたという話をわたしは知っている。

母親の死後、二人の子どもの身に起こった事態は、長男ドミートリーの場合と少しもちがわなかった。二人ともすっかり忘れられ放りだされて、下男のグリゴーリーに引きとられ、同じ召使小屋に住まわされたのだ。二人の母親の恩人で養育者だった例の気まぐれな将軍夫人が、二人を探しあてたのもこの小屋だった。彼女はまだ健在で、この間、すなわち八年間ずっと養女から受けた辱めを忘れられずにいた。「わがソフィア」の暮らしぶりについても、彼女はそのあいだきわめて正確な情報をみずから手にいれ、娘が病身で、とんでもない連中に囲まれているという噂を聞きおよぶたび、屋敷の居候どもにむかって二度、三度、はっきりとこう口にしたものだった。

「ほうれ見たことかい、恩知らずの罰があたったんだよ」

ソフィアの死からきっかり三ヶ月後、将軍夫人はとつぜんこの町に姿を現し、フォードルの家にあがりこんでわずか半時間ばかり過ごしただけで、いろいろ後始末をしていった。夕暮れのひとときだった。まる八年ものあいだ見ることのなかったフョードルは、酒に酔ったまま夫人の前に顔を出した。

人の話によると、彼女はその姿を見るや、なんの前置きもなしにいきなり二発たいそう派手な音のするびんたをくらわせ、前髪をひっつかんで三度、床へひき倒したという。それから唇をきっと結んだまま、二人の子どものいる召使小屋のほうにまっすぐ向かった。子どもたちがろくに風呂にも入れてもらえず、汚い下着を着っぱなしにしているのにすぐに気づくと、今度はただちにグリゴーリーの頰に一発びんたを張り、二人の子どもはこのわたしが引きとりますと言い渡してから、着の身着のままの二人を連れだし、肩掛けで覆い、馬車に乗せて自分の町に連れ帰った。

グリゴーリーは忠実な使用人の心得よろしくこのびんたに耐え、乱暴な言葉などひとことも言わず、老夫人を馬車まで見送り、深々とお辞儀をしてから、いかにも感じ入った様子でこう口にしたものだった。「あわれなみなし子たちにかわって、神さまが償いをしてくださいましょう」

「それにしても、あんたはどがつくほどの阿呆だよ！」将軍夫人は、帰りしなにひと声こう叫んだ。

フョードルはあれこれ思案のあげく、これもなかなか悪くない話であることに気づいて、将軍夫人のもとで子どもたちを養育する件に関する正式な同意書では、一点たりとも異議を唱えなかった。ただし自分がくらったびんたについては、自分から町に出向いて触れまわった。

ところがその後まもなく、この将軍夫人もぽっくりこの世を去ってしまった。しかし夫人は遺言状で、二人の子どもたちに対し「教育費として」それぞれに千ルーブルずつ与えることを明記し、「全額かならず二人のために使うこと、ただし、こんな子どもたちにはこの程度の施しでも十分すぎるので、成人するまでこれで間に合わせること、まただれか奇特な人がいれば、どうかなんなりとご自分の財布の紐をゆるめられたい」と記した。わたしはその遺言状をじかに読んでいるわけではないが、人づてに聞いた話では、なにかこんな調子の奇妙なことが、たいそうけったいな言いまわしで書かれていたとのことだ。

しかしながらこの老夫人の筆頭相続人になったのは、県の貴族団長をつとめる、エフィム・ポレーノフという正直者だった。フョードルと手紙で打ちあわせ、子どもたちの養育費を引き出せないと即座ににらんだポレーノフは（もっとも、フョードルはけっして露骨に断ったわけではなく、そういう場合になるといつもくどくど感傷的な御託をならべ、引きのばしにかかるのだった）、みなし児たちにいたく同情を寄せ、ことのほか下の子のアレクセイを可愛がったため、アレクセイは長いことこのポレーノフの家庭で育てられたほどである。

読者のみなさんには、まずもって次のことを心にとどめておいていただこう。かりにもしこの二人の青年が、養育と学問の点で一生の恩義を感じるべき人物がいるとすれば、それはだれをさておき、世にもめずらしく高潔きわまりない、博愛に満ちたエフィム・ポレーノフだということだ。彼は将軍夫人が遺した千ルーブルを手つかずのまま預金しておいたため、二人が成人するころには利子もたまって、それぞれが二千ルーブルに膨れあがっていた。おまけに彼らの養育は自分の金でまかない、二人それぞれに使った額はむろん千ルーブルをはるかに上回っていた。

わたしはさしあたり、二人の幼年時代や、少年時代のこまごまとした話に立ち入らずに、もっとも大事な点だけを記すにとどめよう。ただし、上のイワンについて、これだけは話しておきたいと思うことがある。つまり、イワンは大きくなるにつれ、どこか気むずかしく引きこもりがちな少年になり、けっして臆病というのではないが、自分たちが他人の家でお情けにすがって育てられてきたことや、父親が口にするのも恥ずかしい人間であるといったことに、すでに十歳ごろから気づいていたふしがあるのだ。

少年はごくすみやかに、ほとんど幼年期から、勉学に対してずば抜けためざましい能力を発揮しはじめた（少なくともそういう噂だった）。たしかなところはわからないが、まだ十三になるかならないかの年でポレーノフの家を出、とあるモスクワの中学校に入学して、ポレーノフの幼い頃からの友人で、当時としては名の通った、さる経験ゆたかな教育者の寄宿舎に入った。イワン本人があとで話したところによると、これもみな、天才的な能力をもった子どもは天才的な教育者のもとで教育を受けなければならない、という理想に取りつかれていたポレーノフの、言ってみれば「良いことなら何にでも熱くなる性質」から生じたことだという。ところがこの青年が中学校を終え、大学に入ったときには、ポレーノフも天才的な教育者も、すでにこの世を去っていた。例のわがままな将軍夫人が遺してくれた子どもたちのお金は、利子のおかげですでに二千ルーブルほどに膨れあがっていたが、ポレーノフの処理のまずさと、わが国では避けがたい形式上の手続き、だらだらした事務処理のせいで払い戻しが遅れたため、大学での最初の二年間というもの、イワンは自活して勉学に励まなくてはならず、ひどい思いを強いられるはめになった。

ここで指摘しておきたいのは、そんなときでも彼は、父親に手紙で相談しようという気などさらさら起こさなかったことである。おそらく自尊心や、父親に対する侮蔑の念からだろうが、ひょっとすると、自分の親からまともな援助など何ひとつ得られるはずがないと、彼なりの冷静な判断がはたらいていたせいかもしれない。

何はともあれ、青年は途方にくれた様子など少しもみせず、なんとかアルバイトの職を手にし、はじめは家庭教師の口で二十コペイカ、その後は新聞の編集部を走りまわって、「目撃者」という署名入りで、巷で起こるさまざまな事件について十行記事を寄稿したものだった。聞くところによると、それらの記事はいつもたいそう面白く、読者の好奇心をそそるような書き方がなされていたので、新聞はたちまちのうちに売り切れたらしい。

この点だけでも青年は、男女を問わずいつも金に窮している大多数の気の毒な貧乏学生たちとくらべ、実務面でも知力面でも抜きん出ていることを示して見せた。他方、ペテルブルグやモスクワの学生どもといえば、例によって朝から晩までいろんな新聞社や雑誌社へしつこくお百度を踏み、フランス語の翻訳やら清書やら、決まりきった願いごとを倦《う》まず繰りかえすほか、なんの知恵もしぼりだせないありさまなのだ。

いったん編集部と顔つなぎができたイワンは、その後も編集者とのコネを絶やさず、大学での後半の何年かは、さまざまな専門のテーマ別に非常に気のきいた評論を発表したため、その名は文壇にも知られるようになった。といっても、はるかに広い層からにわかに特別の関心を寄せられる機会を得たのは、ごく最近になってからのことだった。こうして、非常に多くの人々が一挙に彼の存在に目をとめ、しっかりと記憶に焼きつけることになった。それは、かなり興味をそそる事件だった。大学を出てから、彼は二千ルーブルの持ち金を元手に外国行きを準備するかたわら、さる大新聞にとつぜん奇妙な記事を寄稿し、専門外の人たちの注意までひきつけたのである。しかし何よりも肝心なのは、その対象というのが、理科系出身の彼にしてはどう見てもお門《かど》ちがいというしかない問題だったことだ。

その記事は、当時いたるところで持ちあがっていた教会裁判をめぐる問題を扱っていた。彼は、この問題についてすでに出されているいくつかの意見を分析しながら、自分なりの個人的な見解を表明してみせた。大事な点は、その論調と結論のもつ驚くばかりの意外性だった。教会派の多くの人間は、はっきりと記事の書き手を自分たちの味方とみなした。そして彼ら教会派とならんで、民権論者のみならず無神論者も、自分たちの立場から急に拍手を送りはじめた。結局、察しのいい何人かが、そもそもこの記事は厚かましい悪ふざけであり、あざけりにすぎないと決めつけたのだった。

わたしがこの事件にとくに言及するのは、それが教会裁判にかかわる問題に広く関心を寄せていた郊外の有名な修道院にも折りよく伝わり、たいへんな騒ぎを巻きおこしていたからである。著者の名前を知った彼らは、それがわが町の出身者で、「ほかでもない、あのフョードルの」息子であるということにも関心をもった。その騒ぎの最中に、当の著者がこの町にとつぜんお出ましになったという次第なのだ。

当時、イワンがなぜわたしたちの町にやってきたのか、ほとんど不安に近いものを感じながら、そう自分に問いかけたことをわたしは今も覚えている。その後の数多くの事件のきっかけとなるあまりに運命的な帰郷は、わたしにとっては長いこと、ほとんど理解しがたい問題のまま残ってきた。

あれほどに学問があってプライドも高く、見たかぎりいかにも注意深そうな青年が、こんな醜悪きわまる家の、あんな父親のもとにとつぜん姿を現すなどというのは、ごく一般的に考えても奇妙なことだった。

なにしろその父親たるや、これまでのあいだずっと彼をないがしろにし、息子のことなどろくに知りも覚えてもいず、たとえ息子が泣きついてこようと、どんな理由、どんな場合であっても仕送りせず、そのくせ、イワンとアレクセイの二人の息子がいつか金をせびりに戻ってくるのではないかと、びくついていたような男なのだ。そしてこの青年は、そんな父親の家にひと月ふた月と一緒に住んで、たがいに申し分なくうまくやっている。この最後の「うまくやっている」ところが、わたしばかりか、ほかの多くの人たちをとくに驚かせたのである。

ところで、先にも述べたフョードルの先妻の遠縁にあたるピョートル・ミウーソフが、住みなれたパリから戻り、郊外にある自分の領地に当時たまたま居合わせていた。わたしの記憶では、前々からひどく興味を寄せていたこの青年イワンと知り合ってだれよりも仰天したのが、ほかならぬミウーソフだった。彼はイワンとは、いささか内心の苦痛を覚えながら、ときどき知識を競いあった仲だったからである。

「やつはプライドが高いんだよ」当時ミウーソフは、イワンのことをわたしたちにそう語ったものだった。「小遣い銭ぐらいいつだって稼げるし、今じゃあ外国に行く資金だってあるというのに、いったいなんの用があってあんなところで油売ってる？　あいつが親父のところに来たのが金目当てじゃないってことは、だれもわかってるさ。だってあの親父、どっちみち金なんかぜったい渡さないんだから。息子が酒をやったり、好きで女遊びするような男じゃないってのに、あの老いぼれ親父、もう彼なしには生きていかれないぐらい仲良くなっちまって！」

それは事実だった。青年は老人に、傍目《はため》にもはっきりとわかるほど影響を及ぼしていたのだ。老人は、どはずれに意地が悪いと思えるぐらいわがままにふるまったが、ときにほとんど服従するようにもなっていた。こうして品行すらも、ときには折り目正しいものとなったほどだった……。

後で明らかになったことだが、イワンがここに戻ってきたのは、兄のドミートリーの頼みと用件によるところもあった。そのじつ、イワンが兄のことを知り、顔をあわせたのもほとんどこのとき、この帰郷のさいだった。しかし彼は、ドミートリーにとってより大事なある案件をめぐって、モスクワから帰郷する以前から手紙をかわし合っていたのである。それがいったいどんな案件であったか、読者の皆さんは、いずれ機会が来たときに十分に詳しく知ることができるはずである。

とはいえ、わたしはこの特別な事情を知っても、やはりイワンが謎めいた感じにみえ、彼の帰郷もやはり説明しがたいものに思えたのだった。さらに言い添えておくなら、このイワンは、当時父親相手に大げんかをもくろみ裁判ざたまで考えていた兄ドミートリーと父親との、仲立ち人ないしは調停者のようにも見えた。

もう一度いうが、カラマーゾフ一家はこのとき初めて一堂に会し、そのうちの何人かは、生まれて初めておたがい顔を合わせたのである。

末の息子のアレクセイ(愛称はアリョーシャ)だけは、もう一年ほどまえからこの町で暮らし、兄弟のだれよりも早くわたしたちの町に姿を現していた。

ところで、小説の舞台に連れだす前に、この序文めいた物語でアレクセイの話をするのがわたしには何よりも厄介なのだが、彼についてもやはり序文まがいの文章を書き、すくなくともひとつの非常に奇妙な点について、あらかじめ説明しておかなくてはならない。

それはほかでもない。小説の最初の場面から、読者の皆さんにはわたしの来るべき主人公を、見習い僧の僧服姿で紹介しなければならないという点である。そう、彼はすでに一年ちかくこの町の修道院で過ごし、そこで一生修行する覚悟でいるように思われた。

4 三男アリョーシャ

当時アリョーシャは、ようやく二十歳になろうという年頃だった(ちなみに次兄イワンは数えで二十四歳、長兄ドミートリーは二十八歳だった)。最初にお断りしておくが、アリョーシャ青年はけっして狂信者ではなく、また少なくともわたしの見るかぎり、神秘主義的なところさえまったくなかった。

少し先回りして考えを述べさせていただくと、この青年はたんに年若い博愛主義者というだけのことで、修道僧の世界に身を投じた理由というのも、ただその道だけに心が深くときめいたからだった。俗世間の悪意に満ちた闇をのがれ、愛の光明をめざす青年の魂にとって、それがいうなれば究極の理想と思われたのである。

そのような驚きを青年の心に呼びおこしたのも、かの名高いゾシマ長老――他に並ぶ者のない稀代の人物であるとアリョーシャには思われた――にめぐり会ったがために、渇ききった心に初恋の熱情をたぎらせるようにして、彼はこの長老にほれ込んでしまった。

もっともアリョーシャが当時、あるいはもっと幼い頃からたいそう風変わりな人物であったということに、わたしも異論を挟むつもりはない。すでに述べたが、母と死に別れたのが四つにも満たない年だというのに、彼は母のことを、その顔立ちや愛撫を、「まるで目の前に生きて立っているかのように」一生忘れることができないほどはっきり記憶していた。そうした思い出というのは、もっと幼い、たとえば二歳の子どもなどでも覚えている場合があるが（これも周知の事実である）、それは闇に輝く光点のように、あるいは本体は消えてなくなった巨大な絵画から破りとられ、それだけが残っている破片のように、後々の人生に思い起こされるものなのだ。

アリョーシャの場合もまったく同じことで、彼の記憶に焼きついていたのは、ある静かな夏の晩のことだった。沈んでいく太陽の光が開いている窓から斜めに射し込み（彼がいちばんよく覚えていたのはこの斜めに射し込んでいた光である）、部屋の片隅には聖像が置かれ、その前で灯明が燃えている。聖像の前に母がひざまずき、まるでヒステリーを起こしたように、何やら金切り声や叫び声をあげながら慟哭《どうこく》している。母はアリョーシャを両腕にひしとかき抱くと、聖母像に向かってわが子のために祈りを捧げ、どうかこの子をお守りくださいとお願いするかのように、両腕にかかえた赤ん坊を聖像の方へ差し出している……。と、とつぜん乳母が駆けこんできて、驚いた顔の母の手から幼子を奪いとる。そういう光景なのだ！

アリョーシャは、その瞬間の母の顔もはっきりと覚えていた。思い出せるかぎり、母は狂乱しながらも美しい顔をしていたと彼は話していた。けれども、彼はこの思い出をめったなことでは人に打ちあけたがらなかった。

子どもの頃、そして青年時代も、彼は感情を表に出すことがほとんどなく、そもそも口数じたいが少なかった。ただし彼が人間不信に陥っているとか臆病だとか、あるいは気むずかしく人嫌いだとかいうのではなく、むしろそれとは逆に、何か別の、他の者と関わりのない、彼自身の内にひそむひどく気がかりなことがあったためで、その心配が彼にとってあまりに重要なので、他人のことが頭からすっぽり抜け落ちてしまうらしかった。

だが、この青年は人々を愛していたし、どうやら他人のことを完全に信頼しつつ、生涯を過ごしたようである。人々も、この青年のことを間抜けなお人よしとか、単純で幼稚な人間などとは考えなかった。「自分は人々を裁くようなことはしたくない、だれかを断罪するようなことは引き受けたくないし、何があっても人を責めたりはしない」とでもいったところが、この青年にはあった（それはそのあとも、生涯変わることはなかった）。

アリョーシャという人間は、何があっても人を非難したりせず、すべてのことを赦していたのではないか――もっともそのおかげでひどく悲嘆に暮れることはよくあったが――とさえ思える。それどころか、だれかに驚かされたり動揺させられることもなかったほどで、こうした性格はごく若い頃から変わらなかった。

十九のときに、汚らわしい淫蕩《いんとう》の巣ともいうべき父親のもとに戻ったこの清廉で純潔な青年は、何か見るに耐えないような場面に出くわすと、ただ黙ってその場を立ち去り、だれかを軽蔑したり非難したりするそぶりはつゆほども見せなかった。いっぽう父親はというと、かつて居候生活を送ったことがあるせいか、他人に侮辱されることにひどく敏感で神経質なところがあって、はじめは疑り深そうに眉をひそめて息子を迎え入れたが（「えらく無口な子だが、さぞ腹の中ではいろいろと思うところがあるんだろうよ」）、ものの二週間もしないうちに、アリョーシャをやたらと抱きしめてはキスの雨を降らせるようになった。むろんそれは酔っ払い、涙を浮かべながらのことで、酒のせいで感傷的になっていたからだ。しかし父親は、この三男を心から深く愛するようになったらしく、しかもそれはもちろん彼のような男としても、これまでだれに対してもけっして経験したことのない愛し方だった。

そもそもこの青年は、どこに行ってもだれからも愛されたし、ごく幼い頃からそうであった。養育してくれた恩人のエフィム・ポレーノフ氏の家に預けられたとき、アリョーシャは家族みんなにたいそう気に入られ、血のつながった子ども同然に思われていたほどである。

アリョーシャがその家で暮らすようになったのは、ほんの子ども時代のことで、そんな幼い子が人に気に入られようと抜け目ない打算をめぐらせたり、手練手管を弄したり、あるいは無理やり自分を愛するよう仕向ける力を持っていたなどということはありえない。だから、特別の愛情をわが身に呼び寄せる才能は、いわば生来の、自然に与えられたあるがままの性質だったのである。

学校に入ってからもそれは変わらなかった。一見したところアリョーシャは、学友たちの不信感や、ことによると嘲りや憎しみさえ喚起するタイプの子どもだったように見える。たとえば、物思いにふけって自分だけの世界に閉じこもることがよくあったし、小さい頃から部屋の隅で本を読むのが好きだった。だが学校に通っているあいだ、アリョーシャはずっと、みんなの人気者といってもいいほど学友たちから好かれていた。元気にとびまわったり、楽しそうにしていることはめったになかったが、それはこの少年が陰気な性格だったからではなく、むしろ逆に穏やかで澄みきった心をしているからだということは、だれでもひと目見ただけですぐにわかった。

同じ年頃の子どもたちとすごしていても、アリョーシャは決して目立ってやろうなどと考えたりはしなかった。だれか人を恐れるということがなかったのはおそらくそのためだろうが、いっぽう他の少年たちは、アリョーシャがそんな自分の強さを誇ることなく、どれほど勇敢で強い人間かということが自分にもむしろわかっていならしいことをすぐに見抜いた。

アリョーシャは、侮辱されたことを根にもつようなことはなかった。だれかに侮辱されたとしても、一時間後には、侮辱した相手から話しかけられればふつうに返事をするし、自分からその子に話しかけることもあった。そうしたとき、少年はおたがいまるで何ごともなかったかのように、相手を信じきった清々《すがすが》しい顔をしているのだ。しかも、自分が侮辱されたことをうっかり忘れてしまったとか、意識して相手を許してやるというのではなく、たんにそれを侮辱とは思っていないだけなのである。そうした態度は、他の子どもたちの心を強く惹きつけ、魅了した。ただひとつ、この少年には、入学したての頃から上級生になるまで、ちょっとこいつをからかってやろうと、つねに学友たちに思わせてしまう特徴があった（むろんいじめなどではなく、たんに面白がってのことなのだが）。その特徴とは、極度の羞恥心と潔癖さである。

アリョーシャは、女性に関するあまりよろしくない言葉や会話は、耳にするのも耐えられなかった。だが不幸なことに、「よろしくない」言葉や会話は、どんな学校にあっても根絶しがたいものである。まだほとんど幼児みたいな純粋な魂と精神をもつ少年たちが、ときに軍隊の男たちですら口にするのをはばかるようなことや、場面、姿態について、学級仲間うちでこっそり、あるいは仲間以外の者にも聞こえよがしに話したがるというのはよくある光景である。そればかりか、こういう分野にかんして兵隊たちさえあまり知らないようなことを、教養ある上流階級の年端《としは》もゆかない子どもたちがすでによく知っていたりする。そこにはおそらく道徳的堕落はなく、ほんものの堕落した内面の冷笑などもない。あるのはただうわべだけの冷笑であり、その冷笑こそが彼らには何やら上品で洗練され、かつ男らしい、見習うべき行為と考えられているのだ。

「例のこと」について話がはじまると、「アリョーシャ坊や」があわてて耳を指でふさぐものだから、少年たちはわざとそばに集まって、むりやりその手を耳からどけさせ、両方の耳に向かっていかがわしいことを大声でしゃべったりしたものである。するとアリョーシャは、それを振り払って床に倒れ、横になりながらもどうにか耳をふさごうとするが、そういうとき彼はひたすら口をつぐみ、何か悪態をつくでもなく、ただ黙ってこの仕打ちに耐えるのだった。しまいにはみんなも彼を放っておくようになり、「お嬢ちゃん」などとからかうこともやめて、この方面ではただただ同情の念をもって彼を見るようになった。ちなみにアリョーシャは、学業においてはつねに優等生だったが、一等をとったことは一度もない。

ポレーノフ氏が死去したのち、アリョーシャはさらに二年間を県の中等学校ですごした。夫の死後すぐ、悲嘆に暮れる未亡人は女ばかりの家族全員を引きつれ、しばらくは戻らないつもりでイタリアへ旅立ってしまった。アリョーシャは、ポレーノフ氏の遠縁とかいう見ず知らずの二人の婦人のもとに預けられたが、どのような条件で自分が養育を受けているのか、当の本人はついぞ知ることがなかった。

これもやはり彼の大きな特徴だが、自分がだれの金で養われているのかなどといったことを、アリョーシャはまるで気にかけなかった。この点で彼は、兄イワンとは正反対だった。兄は大学での最初の二年間、苦労しながら自分で生計を立て、また幼い頃から自分が他人《ひと》さまの情けを受けて暮らしていることを痛いほど意識していた。とはいえ、アリョーシャの一風変わったこの特徴をきびしく非難することはできまい。彼のことをほんの少しでも知ったなら、この点にかんしてアリョーシャはいわば神がかりのような青年なのだと、だれしも思わないではいられなくなるからだ。かりにとつぜん巨額の財産を手にすることになっても、この青年は頼まれればすぐにそれを人にあげてしまったろうし、あるいは何かの慈善のために使ってしまったろう。相手がずるがしこいペテン師でも、くれと言われれば、あっさり大金をくれてやったかもしれない。

そもそも彼は、金の価値というものをまるきり知らなかった（もちろん比喩的な意味でだが）。頼みもしないのに小遣いを与えられたりすると、どう使ったらいいのかわからないまま数週間がすぎてしまうこともあったし、あるいはひどく無頓着に使い、すぐに財布の底をはたいてしまうこともあった。

金銭や市民の公徳心のことに非常に口うるさい人物だったピョートル・ミウーソフは、のちにあるとき、アリョーシャの顔をまじまじと見つめてから、この青年について次のような名言を吐いた。

「アレクセイという男は、百万の人口をもつ、見知らぬ大都市の広場に無一文で放り出されても、決して飢えや寒さのために死ぬことのない人間だ。すぐにだれかが食事や仕事を与えてくれるだろうし、もしも仕事がなくとも、自分でうまいこと居場所を見つけてしまうだろうからね。そのために本人は何の骨折りもすることはないし、屈辱を感じることもない。いっぽう彼の世話を焼こうという者は、それを苦だと思わないどころか、むしろ喜びと感じるかもしれない」

ところで学校のほうは、最後まで通わず、中退することになった。卒業までまだあと一年残っていたが、ある日急にアリョーシャは、ちょっと用事を思い出したので父のところへ行かなくてはならないと、世話になっている婦人たちに告げた。婦人たちは彼を手放すのをたいそう残念がって、なかなか行かせようとしなかった。

切符代は微々たるものだったから、婦人たちは結局、金を借りるためアリョーシャが時計を質に入れようとするのをやめさせ（ポレーノフ家の人たちが国を発つ前に贈ってくれたものである）、気前よく旅費をもたせたうえ、新しい服や下着まで準備してやった。もっともアリョーシャは、自分はどうしても三等車に乗りたいと言いはって、その金の半分を婦人たちに返してしまった……。

この町に着くと、「いったいぜんたい、卒業もしないのになんでここへ来たのだ？」と父がまず問いただすのに対してひとことも答えようとせず、つねにもまして物思わしげな様子だったという。ほどなくして、彼は母の墓を探しているのだということが明らかになった。たしかにそれがこの町に戻ってきた理由だと、当時はアリョーシャ本人すら半ば打ち明けかけた。だが、ほんとうにそれだけが帰郷の理由だったかどうかは疑わしい。しかしなにより確かなのは、いったい何が彼の魂からふっと湧き上がり、ある新しい未踏の、ただし必ずや通らなければならない道へいやおうなく自分を導いてきたのか、その頃はおそらくアリョーシャ自身も知らなかったし、また説明しようにもできなかったろうということだ。

父フョードルは、自分の二人目の妻をどこに葬ったのか、息子に教えてやることができなかった。というのも、棺を埋めて以来いちども墓参りに行ったことがなく、その後長い年月が流れるうち、はたしてどこに妻を埋葬したのかすっかり忘れてしまったからだ……。

ついでに、フョードルについて少しふれておこう。彼はそれまで長いあいだ、この町を離れて暮らしていた。二度目の妻を亡くしてから三、四年後、彼はロシアの南部へ向かい、最後にはオデッサで数年間を過ごした。フョードル本人の言葉を借りるなら、そこで彼はまず「老若男女、年寄りからチビちゃんまで、胡散臭《うさんくさ》そうなユダヤ人たちとたくさん知り合った」そうだが、しまいには「胡散臭そうなユダヤ人」だけでなく、「まあまあまっとうなヘブライの家にも顔を出すようになった」とのことだ。この男が、金を儲けて貯め込む特別な才能に磨きをかけたのは、おそらくこのオデッサ時代のことだろう。

最終的にフョードルが町に戻ってきたのは、アリョーシャが帰るほんの三年ほど前のことである。以前の知人たちは帰郷した彼を見て、なんとまあ老けたものだと思ったが、じっさいにはまだそれほどの老齢でもなかった。

彼は以前より偉くなったというか、なにやら高慢ちきになった。たとえて言うなら、かつて道化だった男が、いまや図々しくも、他の者たちを道化に仕立ててやろうとでもいう風情だった。女性相手に不埒な真似をしたがるくせは以前とかわりなく、いや、むしろもっと見苦しいほどのものになっていた。

まもなくフョードルは、新しい酒場を郡のあちこちに開いた。彼の懐にはおよそ十万ルーブル、ないしはそれにほんの少し欠けるぐらいの金が貯め込まれていたらしい。町や郡の住民の多くが、待ってましたとばかりにこの男から金を借りたが、そのさいきっちり担保を取られたのはいうまでもないことだ。

ここ最近は、何やらだらしなくなったというか、平静に行動を省みることができなくなり、なんとも軽率な過ちさえしでかすようになった。何かひとつのことを始めても最後まできちんと終えることができず、そのくせいろいろなことに手を出そうとする。そして、ますます酒に溺れるようになった。もしも下男のグリゴーリーが（この頃には彼もずいぶんと老いぼれになっていたが）相も変わらず、ほとんど家庭教師のようにつきっきりで世話を焼いてやらなければ、フョードルの生活はさぞかし面倒なものになっていただろう。

アリョーシャの帰郷は、父の内面にもなんらかの影響を及ぼしたらしく、実年齢よりずっと老け込んだこの男のなかに、魂の内部でもう長いこと眠りこけていた何かが再び目を覚ましたかのようだった。

「なあ息子や」と、彼はアリョーシャの顔をのぞき込みながらよくこう語りかけた。「おまえはあの女に似ているな、あのおキツネさんに」。ちなみにこの「おキツネさん」というのは、彼の死んだ妻でアリョーシャの母を指している。

結局「おキツネさん」の墓のありかをアリョーシャに教えたのは、下男のグリゴーリーだった。グリゴーリーは彼を町の共同墓地に連れて行き、向こう側の一角に立つ鋳鉄《ちゅうてつ》製の、高価ではないがきちんと整えられた墓碑を指で示した。その墓碑には亡き母の名前、身分、年齢、没年とともに銘文が刻まれていて、下のほうには四行ほど、中流階級の人間の墓によく使われる古い弔詩のようなものも記されていた。

驚いたことに、この墓碑はグリゴーリーが建てたものだった。彼は、死んだ奥方の墓をきちんとしつらえるようしつこく申し立て、フョードルをさんざんうるさがらせたが、フョードルが墓とも、またすべての思い出ともさっさと縁をきってオデッサへ旅立っていったあと、このかわいそうな「おキツネさん」の墓に自腹で墓碑を建てたのである。

アリョーシャは、母の墓を見ても、とりたてて感傷的なそぶりは見せなかった。彼はただ、墓碑が建ったいきさつについてグリゴーリーが尊大な分別くさい調子で語るのをひと通り聞くと、頭を垂れて立ちつくし、そのままひとことも口をきかずに立ち去った。以来、たしかまる一年ものあいだ、母の墓地を訪れることはなかった。

だがこのちょっとしたエピソードが、父フョードルにそれなりの影響を、それもきわめて独特な効果を及ぼしたのだった。彼は突如千ルーブルを持って町の修道院を訪れ、妻の供養を行ったのである。ただしそれは「おキツネさん」、すなわちアリョーシャの母親である二度目の妻ではなく、フョードルになぐりかかった最初の妻アデライーダの供養だった。その晩、したたかに酔ったフョードルは、アリョーシャを相手に修道僧たちをこき下ろした。フョードル自身は少しも信心深い男ではなく、おそらくはただの一度も、聖像の前に五コペイカの蠟燭《ろうそく》すらお供えしたことがなかったろう。不思議なことにそのような人間にも、ときとしてこうした思いがけない感情や考えがふいに湧きおこるものなのだ。

フョードルがだらしなくなってきたという話はすでにしたが、当時はもうその外見も、この男が過ごしてきた人生の特性やら本質やらをまざまざと映し出すようなありさまだった。つねに高慢で疑り深く、人を小ばかにしたような小さな目の下は、皮膚がたるんでだらりと垂れ下がり、小ぶりながらでっぷり太った顔には、長い皺《しわ》がいくつも伸びていた。また尖った顎の下には、まるで銭入れのように大きい縦長の肉がぶら下がっていて、それがなにか汚らわしく、みだらな印象をそそった。さらに、分厚い唇をした好色そうな口が横に広がり、その中から黒いぼろぼろの歯のかけらが覗《のぞ》いていた。

話しはじめると、きまって唾を飛ばした。自分の顔をよく冗談の種にしたが、かといって自分の容姿を嫌っていたわけではないらしい。とりわけ、それほど大きくないが非常に高い、くっきりと曲がった鉤鼻《かぎばな》を指でさしては、「まるで古代ローマ人のようだろう」とよく言ったものだ。「この鉤鼻と喉仏《のどぼとけ》は、まさしく衰退期の古代ローマ貴族の顔さ」。どうやらフョードルは、これを自慢に思っていたらしい。

さて、母の墓が見つかってからまもなく、アリョーシャはとつぜん、自分は修道院に入りたいと考えており、すでに見習い僧になる許しも僧たちにもらっていると父親に告げた。そのさい青年は、これは自分のたっての希望であり、父親としてぜひとも晴れがましく送り出してほしいと述べた。「うちのおとなしい坊や」が、修道院の僧庵で精進をつづけるゾシマ長老に強い印象を受けたらしいことは、フョードルもすでに承知していた。

「むろんゾシマ殿は、あの修道院ではいちばんまっとうな坊さんだがね」無言のまま何か考えるような顔つきでアリョーシャの話を聞き終えると、父親はそう言った。息子の願いを聞かされても、ほとんど驚く様子をみせなかった。「ふうん、なるほど、それがうちのおとなしい坊やの望みだったというわけか！」ほろ酔い気分のフョードルはとつぜんにやりと笑った。それはいかにも酔っ払いらしい、締まりのない、だがどこか狡猾で、酔っ払いなりのずる賢さを感じさせる笑い方だった。

「ふうん、だがな、おまえがそんなことになるんじゃないかとは予感していたぞ。信じられんかもしれんが、おまえは、おれの思った通りのところをめざしていたわけだな。まあいい、おまえには二千ルーブルの財産があるんだから、それを持参金にすればよかろう。おれとしても可愛い息子を見捨てたりはせんし、もしも寺から頼まれれば、すぐにも応分の寄進はするつもりだからな。まあ、向こうから言ってこないなら、何もこちらからむりして出すこともないがな、そうだろう？　なにしろおまえは金を使わん。カナリヤみたいに、一週間に穀粒二つあれば生きられるようなやつだ……。ふうん、ところで知っているか、ある修道院の近くの山麓に村があって、あたりでは有名な話だが、そこの村には『坊さん妻』ばっかりが住んでいるんだ。たしか三十人ほどいたかねえ……おれも行ったことがあるが、これがなかなか面白くてな、つまり、いろんな女どもがいるんだよ。ただ、国粋主義なのが玉にキズだ。フランス女は一人もおらん。いたってよさそうなもんだが。金はたくさん持ってるんだし、あそこの噂を聞けば、きっと女たちも飛んで来るだろうよ。ところがだ、ここの修道院ときたら何もない。『坊さん妻』など一人もいやしない。なのに坊さんは二百人ばかりいる。なんとまあ、清らかなもんさ。煩悩を断った連中だからな。それは認めてやっていい……。

ふうん、で、お前は修道僧になりたいのだな？　だがな、アリョーシャ、おれはおまえがかわいそうだ、本当にかわいそうなんだ。信じてくれるかどうか知らんが、おれはおまえのことを愛しているからな……だが、こいつはちょうどいい機会だよ。おれたちのような罪深い人間のために祈ってくれんか。おれたちはもうこの世であんまりいろいろと罪を犯しちまったからな。おれはずっと考えていたんだ、いったいだれがおれのために祈りを捧げてくれるのか、そんな人間がこの世にいるのだろうか、とな。おれはな、可愛い息子や。そういうことになると、からきし頭が回らんのだよ。信じられんか？　いや、本当だとも。だがな、たとえ頭が回ってくれなくとも、おれはいつもそのことばかり考えていたんだ。いや、『いつも』じゃあない、『たまに』だ。そりゃあそうさ、始終それればっかり考えているわけにもいかんのだから。で、な、おれが死んだら、きっと悪魔がおれのことを鉤《かぎ》で引っかけて、地獄へ引きずってゆくにちがいあるまい。

そこで疑問だが、鉤なんぞ、悪魔どもはいったいどこから持ってくるのだ？　そいつは何でできている？　鉄か？　それならどこでその鉄を鍛《きた》える？　やつらには製鉄所があるっていうのか？　なにしろ坊主どもときたら、たとえば地獄には天井があるなどと考えているくらいだからな。だがおれはな、地獄があるってことは信じてもいいが、天井があるっていうのは御免こうむるよ。天井なんかないほうが上品だし、知的だよ、つまりルター派的な感じがするからな。天井があったってなくたってどっちでも同じだと？ いやいや、まさにそこんところが大問題なんだ！ なにしろ天井がないってことは、つまり鉤もないってことだ。鉤がなけりゃあ、全部がご破算になっちまう、つまり、また訳がわからなくなっちまう。鉤がなかったら、いったいだれがこのおれを鉤で引っかけて、地獄へ連れてってくれる？ おれを地獄へ連れてかないなんて、とんでもない話じゃないか、だとしたら、いったいどこに真理がある？ *Il faudrait les inventer*（ぜひとも鉤を作らねばならんのさ）、特別におれ用のをな、おれだけのためのをな。なにしろアリョーシャ、おまえは知らんだろうが、おれは本当にどうしようもない人間なんだからなあ！……」

「でも、地獄に鉤はありませんよ」と、父親をじっと見つめながら、アリョーシャは真面目な顔をして静かに言った。

「ああ、そうそうだったな、鉤の影があるだけなんだろう。おれも知っている。どこかのフランス人が地獄のことをそんなふうに書いてたっけ。*J'ai vu l'ombre d'un cocher, qui avec l'ombre d'une brosse frottait l'ombre d'un carosse*（わたしはブラシの影で馬車の影を磨く御者の影を見た）とかな。

ところでおまえ、どうして鉤がないことを知っている？　坊さんたちのところに行ったら、また考えも変わるかもしれんぞ。まあいい、行くがいい、そして真理を突きとめてこい。そうしたら、ここに戻ってきて教えてくれ。あの世がどんなもんかちゃんとわかっていりゃあ、そこへ行くのも苦にならんってもんさ。それにこんな酔っ払い爺《じじい》や小娘どもといるより、坊さんたちのところにいるほうがよっぽどおまえのためになるしな……。

もっとも、おまえは天使みたいなもんだから、悪い虫がつくこともなかろうが。まあ僧院でだって、だれもお前には手出しできんだろう。そう思うからこそ、おまえに許しを与えるのだ。別に悪魔に頭を食われたわけじゃなし、しばらくは熱に浮かされて、いずれほとぼりがさめればまた元のお前にもどるさ。そうしたら帰ってくりゃあいい。おまえの帰りを待っているぞ。何しろおまえが、このおれを責めなかったこの世でたったひとりの人間だってことを、おれは感じてるんだ、可愛い息子よ、そう、おれは感じてるんだよ、だって感じずにはいられんだろ！……」

それからフョードルは、しくしくと泣きはじめてしまった。彼は感傷的になっていた。その口ぶりは乱暴ながら、感傷的でもあった。

5　長老たち

　ひょっとすると読者のなかには、このアリョーシャという若者が、病的で熱しやすい性格をもつ、発育の遅れたあわれな夢想家で、みすぼらしい虚弱な小男だったのではないかと思われる向きがあるかもしれない。しかし当時のアリョーシャは、それとは逆に、すらりとした体つきをし、薔薇色の頬と澄んだまなざしをもつ、はちきれそうに健康な十九歳の青年だった。

　その頃の彼は、たいへんな美男子ともいえるほどだった。中背で均整のとれた体つき、髪は栗色、顔の輪郭はやや面長ながら整ったうりざね形で、その目は左右に広く離れ、濃い灰色に輝き、たいそう思慮深い穏やかな性格の青年のように見えた。もっとも、薔薇色の頬をしているからといって、狂信者や神秘家でない保証はないと言われるかもしれない。しかしわたしには、このアリョーシャが、ほかのだれよりも現実主義者《リアリスト》であったとさえ思える。そう、修道院に入ってから彼はむろん、宗教上の奇跡を百パーセント信じていたが、そもそも現実主義者は奇跡に心をまどわされることはない、というのがわたしの考えである。

現実主義者が信仰にみちびかれるのは、奇跡によってではない。まことの現実主義者で、かつ何の宗教も信仰していない人間は、どんなときも奇跡を信じずにいられる強さと能力をもっているものである。もしも目の前で、うむを言わさぬ事実として奇跡が起きたなら、現実主義者はそれを認めるより、むしろ自分の感覚に疑いをいだくだろう。かりにその事実を認めるにせよ、それは自然の法則内での事実であり、自分にはその事実がただ未知のものにすぎなかったと考える。

現実主義者においては、信仰心は奇跡から生まれるのではなく、奇跡が信仰心から生まれるのだ。現実主義者がいったん信仰心を抱くと、彼はまさにみずからの現実主義にしたがって、必ずや奇跡を許容せざるをえなくなる。使徒トマスは、自分の目で見るまではキリストの復活など信じないと言明したが、じっさいにイエスの姿を目にすると、「わが主よ、わが神よ！」と言ったという。彼を信じさせたのは、果たして奇跡だったろうか？　いや、おそらくそうではない。トマスが復活を信じたのは、ただ信じたいと願ったからにほかならず、あるいは「見るまでは信じない」と口にしたときすでに、心の奥底では復活を確信していたのだろう。

ひょっとするとアリョーシャは、頭の鈍い発育の遅れた青年だったのだろうとか、中等学校も卒業していないだとか、そんなことを口にする向きもあるかもしれない。中等学校を卒業していないのはたしかに事実だが、頭が鈍いだの愚図だなどというのは、たいへんな間違いである。

わたしはただ、さっき述べたことを、もういちど繰り返すだけである。すなわちアリョーシャが修道僧の世界に身を投じたのは、その道だけに心が深くときめいたからであり、暗闇をのがれて光明をめざしている青年の魂にとって、それ以外に理想の帰結はないとすぐに思われたからなのだ。さらにいうなら、彼はいまどきの青年らしい部分もあわせもっていた。つまり彼は不正を嫌い、真実が存在することを信じ、またそれを追い求めるような青年であって、ひとたび真実を信じるや、全身全霊を傾けて自分もその真実にかかわり、すぐにでも偉業をなしとげ、しかもその偉業のためにはすべてを、自分の命さえも投げ出さずにはいられないのだ。

しかし不幸にしてそうした青年たちは、命を犠牲にすることが、おそらくこうした多くの場合におけるどんな犠牲よりも易しい、ということを理解していない。たとえば若さにあふれる人生の五、六年を辛く苦しい学業や学究にささげることが、たとえ自分がえらび、成しとげようと誓った同じ真理や同じ偉業に仕える力を十倍強化するためのものであっても、彼らの多くにとってしばしばまったく手に負えない犠牲であることがわかっていない。

アリョーシャは、ほかの者たちと逆の道を選択しただけで、すぐにでも偉業を成しとげたいという熱い思いに変わりはなかった。真剣に考えたすえ、不死や神が存在するという信念に心から打たれると、すぐ彼はごく自然に、こう自分に言い聞かせた

――「ぼくは不死のために生きたい。中途半端な妥協はごめんだ」。

これとまったく同じに、もしも不死や神がないと信じたのであれば、この青年はやはりすぐに無神論者や社会主義者たちの群れに加わったろう（社会主義というのはたんなる労働問題、ないしはいわゆる「第四階級」の問題ではなく、もっぱら無神論上の問題、すなわち無神論の現代的解釈の問題であり、また地上から天に到達するためではなく、天を地上に引きずりおろすために、まさしく神なしで建設されたバベルの塔の問題なのだ）。

アリョーシャには、これまでと同じように暮らしていくことが奇異に感じられ、もはや不可能とさえ思えた。「もし完全になりたいのなら、行って持ちものを売り払い、貧しい人々に施しなさい。……それから私に従いなさい」と聖書に記されているが、アリョーシャはまさしく心のなかでそう思ったのだ。「『すべて』ではなく二ルーブルしか出さず、そして主イエスの『あとに続く』のではなく、ただ礼拝式に通うだけな

んて、ぼくにはとうていがまんできない」

もしかすると、幼い頃母に連れられ、礼拝式のために訪れたはずのこの郊外の修道院が、記憶の奥に残っていたのかもしれない。あるいは、母が憑かれたような奇声を発しながら、両腕に彼を抱いて聖像のほうへと差しのべようとしていたとき、聖像の前に斜めに差しこんでいたあの日没の光が、なんらかの間接的な影響を及ぼしていたのかもしれない。ひょっとすると、物思わしげなこの青年が町へ戻ってきたのは、ここでは「すべて」なのか、それともやはり「二ルーブル」だけなのかを確かめたかったからなのかもしれない。そしてこの修道院で彼は、その長老と出会ったのだ……。

「その長老」とは、すでに述べたように、ゾシマ長老のことである。

ところで、わが国の修道院における「長老」とは総じて何なのか、ここで少しばかり説明を加えておく必要があるだろう。しかし残念ながら、わたしはこの道に十分に深く通じているとは思わない。とはいえ、ごく手みじかに表面的なことだけでも述べておくことにしよう。

まず第一に、専門家や識者たちの説によると、ロシアの修道院に長老や長老制度が現れたのは、ここ百年以内のごく最近のことにすぎない。いっぽう東方の正教国全般、とりわけシナイやアトスでは、長老制度は、千年以上前からすでに存在していたとされている。じつはルーシ、すなわち古代ロシアの時代にも長老制度は存在した、というか、かならずや存在していたにちがいないが、ロシアを襲った数多くの災難、すなわちタタールの襲来や、十六から十七世紀の動乱時代、あるいはコンスタンチノープル陥落以後、東方との交流がとだえたことなどにより、わが国ではこの制度が忘れられ、その結果長老はとだえてしまった。

ロシアに長老制度が復活したのは、十八世紀末のことで、それは偉大な苦行者（と人々が呼んでいる）パイーシー・ヴェリチコフスキーという僧と、弟子たちの尽力によるものだった。しかしその後百年近くたった今においても、長老制度を取り入れている修道院はけっして多くない。

この制度は、ロシアでは何かしら前代未聞の新奇な試みのように受けとめられ、ときとして迫害に近い仕打ちを受けることもあった。このロシアの地で長老制度がひときわ隆盛したのは、名高いコゼリスカヤ・オプチナ修道院である。いつ、だれによってわたしたちの町の修道院にもこの制度が導入されたかはわからないが、すでに長老は三代を数え、その最後の代にあたるのがゾシマ長老だった。しかしその彼も、衰弱と病いのためすでに余命いくばくもなく、その代替わりをだれにまかせるべきか、だれも知らないありさまだった。

それは、わが修道院にとって重大な問題だった。というのも、この修道院はそれまでとくに目立つものを何一つもたなかったからである。聖者の亡骸《なきがら》や、奇跡を起こす聖像があるわけでもなければ、国の歴史にかかわる輝かしい伝承があるわけでもない。また、歴史的な偉業を成しとげたこともないし、祖国になにがしかの貢献をなしえたわけでもない。この修道院が栄え、ロシア中にその名をとどろかせるようになったのは、ひとえに長老たちのおかげだった。長老たちに会い、説教を聴くために、ロシア各地からたくさんの巡礼者たちが、数千キロの道のりを越えてこの町を訪れてきたのである。

さて、では長老とはいったい何なのか？　それは人の魂と意志をとらえ、自分の魂と意志に取りこんでしまう者のことである。人は、いったん長老を選んだなら、自分の意志を断ち、それを長老にささげ、その教えに絶対的にしたがい、私心をいっさい捨て去らなくてはならない。この道を行くと心にきめた者は、長い試練をとおして自分に打ちかち、自分を律しようとして、この試練、この恐ろしい人生の修練をみずから進んで受けいれる。生涯にわたる服従をとおして、最終的には完全な自由、すなわち自分自身からの自由を獲得し、ほんとうの自分を見いださずに全人生を終える人々と同じ運命に陥るのを避けることができる。

この公案、すなわち長老制度は、なんらかの理論によって構築されたものではなく、東方正教会での千年にわたる実践の場において生みだされたものである。長老に対して果たすべき義務は、ロシアの修道院でいつも行われてきた、当たりまえの「服従」とはわけがちがう。ここに認められるのは、長老にしたがう人々の永遠の懺悔であり、命令するものとしたがう者を結ぶ絆は、決して断ちきることができないのである。

たとえば、次のような言い伝えがある。古代キリスト教の時代、ある見習い僧が長老に課せられた責務をおこたり、シリアにあった自分の修道院を捨てて、エジプトへ出て行ってしまった。エジプトの地で彼は、長年にわたって数々のすばらしい偉業を成しとげ、ついには信仰のために拷問を受け、受難の死をとげることになった。教会は彼を聖者とさだめて亡骸を葬ろうとしたが、「信じない者は去れ」と輔祭が一声叫ぶと、殉教者の亡骸を収めた棺はその場からころがり落ち、教会の外へはじき出されてしまった。これが三度までくりかえされたという。結局のところ、この受難者はかつて服従の掟をやぶって長老のもとを離れたため、その後どれほどすばらしい偉業を成しとげても、長老の赦しがなければ罪は許されないのだということがわかった。長老が呼ばれ、故人を服従の掟から解きはなつと宣言して、ようやく葬儀をとり行うことができたとのことだ。

もちろんこれらはみなただの昔話にすぎない。しかし最近も次のようなことがあった。わたしたちと同時代人の修道僧がアトスで修行をしていたが、ある日とつぜん長老に、この地を出よと命じられた。聖地として、また静かな隠れ家として、自分が心の底から愛してやまないアトスの地を離れ、まずはエルサレムへおもむいて聖地を巡礼し、それからロシアへ戻り、北の地シベリアへ向かえと、長老は命じたのだ。「その場所こそがおまえの行くべき場所だ、ここではない」

修道僧は、悲しみにうちひしがれてコンスタンチノープルの総主教のもとを訪れ、この命令を解いてくれるように懇願した。だが総主教は、いったん長老によってそのような責務が課せられたのなら、たとえ総主教である自分でもそれを解くことはできない、責務から弟子を解きはなつ力をもつ者は、この地上でただひとり、それを命じた長老だけであると答えた。

このように長老には、ある一定の場合限りない、ほとんど想像を絶する力が与えられている。わが国の多くの修道院で、はじめこの長老制度が迫害に近い仕うちをもって迎えられたのは、それが原因だった。そのいっぽう、民間では長老たちはたちまち深い尊敬を払われるようになった。たとえば平民も、あるいは相当に高い家柄の者たちも、修道院の長老のもとへ押しかけその前にひれ伏して、自分の疑い、罪、苦しみを懺悔し、助言と説教を求めるのである。

こうした様子を見て、長老たちを敵視する者たちは、ここでは懺悔の機密が勝手に軽々しく卑しめられているなどと口々に非難の声をあげはじめた。ただ修道院の弟子も在俗の信者も、次から次へと長老のもとを訪れては懺悔するのだが、それは決して機密として行ったわけではない。しかし結局のところ長老制度は維持され、ロシアの修道院に少しずつ根を下ろしていった。

もっとも奴隷状態から、自由と道徳的自己完成へ向かって人間を精神的に生まれかわらせる手段として、千年の試行を重ねてきた長老制度が、ことによると両刃の剣となりかねないこともおそらくまちがいない。そのためある者は、忍従や完全な自己制御どころか、逆に悪魔的な傲慢さへ、つまり自由ではなく束縛へ導かれかねない。

ゾシマ長老は御年《おんとし》六十五歳。地主一族の出身で、ごく若い頃は軍役につき、コーカサスで尉官を務めていたこともあった。長老はうたがいもなく、その魂のなにか特別な資質によってアリョーシャの心をうった。

アリョーシャは長老に気に入られ、同じ僧庵で寝起きをともにすることが許されるようになった。ひとこと注意しておくが、当時アリョーシャは、修道院に暮らしているといってもなんら拘束を受けておらず、好きなところへ勝手に、一日中あるいは何日でも出かけることができた。また彼が僧衣を身につけていたのも、修道院の人々とちがう身なりをしているのがいやで自発的にそうしていたのだ。むろん彼はそれが気に入っていた。

ことによると、アリョーシャの若い心につよい影響をおよぼしたのは、長老をつねに取りまいている、そうした力と栄光だったのかもしれない。ゾシマ長老について多くの人々が語っていたところによると、長年にわたって長老は、心を打ちあけるために自分のもとを訪れ、助言や癒《いや》しを求める人々を、ひとりのこらず受け入れてきた。しかしあまりに多くの懺悔や悲嘆や告白を自分の魂に引き受けたため、しまいには未知の人間が訪ねてきても、その顔をひと目見るなり、いったいその人がなんのために来たのか、何を必要としているのか、そしてどのような苦しみに良心を苛《さいな》まれているかさえ、言い当てることができるほど繊細な洞察力を身につけたという。そして、訪ねてきた人がまだひとことも口をきかないうちから、その秘密を察していることで相手を驚かせ、当惑させ、ほとんど怯《おび》えさせてしまうこともあったとされる。

だが、はじめて長老と差し向かいの話をしに訪れてくる者たちは、ほとんど全員が恐怖と不安に怯えているのに、長老のもとを去るときは、たいてい晴れやかな嬉しそうな様子で、陰気だった顔が幸せそうな表情に変化していることに、アリョーシャは気づいた。また、長老には厳しいところが少しもなく、それどころかほとんど朗らかといってもよい態度で訪問者に接していることにも、彼はつよい感銘を受けた。

修道僧たちが言うには、長老はより罪深い者に対してさらにつよく心を寄せ、だれにもまして罪深い者をよりいっそう愛するのだった。最晩年になってもまだ長老をにくんだり妬《ねた》んだりする僧がいたが、そうした者たちはすでに少数になりつつあり、表立って悪口をいうことはなかった。とはいえ、数少ないそうした者のなかには、修道院内で非常に名高い有力な僧もいた。たとえば最古参の修道僧の一人で、ひときわきびしい精進にはげんでいる、偉大な沈黙行者もまじっていた。

しかしいずれにせよ、大多数はあきらかにゾシマ長老を支持しており、そのうちの多くが心から熱烈かつ誠実に長老を愛していた。のみならず彼らのなかには、ほとんど狂信的といってよいほど長老を慕っている者もいた。その者たちは、表立って口にこそしないが、長老は聖人であると断じ、長老はもはや余命いくばくもないが、ご逝去とともにすぐにも何か奇跡が起こり、近い将来自分たちの修道院に大きな栄光がもたらされるにちがいないと期待していた。

アリョーシャもまた、教会からはじき出された棺の話と同じように、長老のずばぬけてすばらしい力をなんの疑いもなく信じていた。病気の子どもや身内のおとなたちを連れて修道院をたずね、自分に手をあててお祈りを唱えてほしいと懇願する人々を、アリョーシャは見てきた。彼らの多くが日をおかずに、あるいは早くも次の日に修道院にやって来て長老の足もとにひれ伏し、病人を治してくれたお礼を涙ながらに述べるのだった。それが果たして長老の力による治癒なのか、自然に病いが癒えただけのことなのか、そんな問いはアリョーシャにとってないにひとしかった。なぜなら、彼は師の霊力を信じきっていたし、師の名声は、自分自身の勝利にひとしかったからである。

アリョーシャの胸がときめき、全身がかがやくような心持ちになるのはこんなときだった。ゾシマ長老に会って祝福を受けるため、ロシア全国からはるばる集まってきた巡礼の民衆たちが、僧庵の門の近くに群がって待ちわびている。そこへ長老が姿をみせる。人々は長老の前に身を投げだし、涙を流し、長老の足や彼の立つ地面に口づけ、わめき、叫ぶ。女たちはわが子を長老に差しのべ、あるいは病んだ「おキツネさん」を連れて近づこうとする。長老は人々と言葉を交わし、短い祈禱をとなえ、彼らを祝福し、帰らせるのだ。

最近では病いの発作で時おり衰弱しきり、庵室から出るのもやっとのことがあって、巡礼者たちはしばしば、長老がお出ましになるのを何日も修道院で待つことになった。

どうして人々がそれほどに長老を愛し、その顔を一目見るなり身を投げだして歓喜の涙にくれるのか、アリョーシャにはなんの疑問もなかった。

そう、彼はよくわかっていた。労苦と悲哀、そしてなんといっても、いつの世も変わらない不正や、自分だけでなく、全人類のたえざる罪に苦しめられているロシア民衆のおだやかな魂にとって、聖物もしくは聖人の姿を目にし、その前にひれ伏して拝むこと以上に大きな望みや慰めはないのだ。

「たとえわれわれが罪や偽りや誘惑にまみれていても、この地上のどこかに、聖なる至高のお人がおられることに変わりはない。だからそのお人のところには真実があり、そのお人なら真実をご存知だ。つまり、この世の真実はまだ滅びておらず、いつかはわれわれのところにも真実が訪れて、約束通り地上全体を支配するようになる」——民衆がそのように感じ、そのように考えてもいることをアリョーシャは知っていたし、わかってもいた。しかし、ゾシマ長老こそがまさにその聖なる人物であり、民衆の目からみて神の真実の守護者であることに、彼自身も、涙に暮れる百姓たちや長老にわが子を差しだす病んだ女たちともども、つゆほどの疑いも抱いていなかった。

長老が亡くなられるときは並々ならぬ栄光が修道院にもたらされるはずだという確信が、アリョーシャの心を支配していた。その思いはひょっとすると、修道院にいるほかのだれよりも強かったかもしれない。そして総じて近頃は、この何かしら深い炎のような歓喜の予感が、ますますはげしく心のなかで燃えさかるのだった。その長老が、それでもやはりひとりの人間にすぎないということに、アリョーシャはすこしもたじろがなかった。

「どっちにしても、このお方は聖人なんだ。このお方の心のうちに、すべての人々のための再生の秘訣と、やがては地上に真実をもたらす力が隠されているんだ。そして、いつかはだれもが聖者となり、人々はたがいに愛しあい、富める者も貧しき者も、地位の高い者も虐げられる者もなくなり、みんなが神の子となって、まことのキリストの王国が訪れるんだ」アリョーシャが心のなかで夢みていたのは、まさにこのような世界だった。

それまではまるで知ることのなかった二人の兄の帰郷は、どうやらアリョーシャに、きわめて強い印象をもたらしたらしかった。長兄のドミートリーは次兄のイワンよりも遅く帰郷してきたが、アリョーシャは次兄の（同じ母親から生まれた）イワンよりも、長兄のドミートリーとすぐに親しくなった。

アリョーシャはイワンの人となりが知りたくてたまらなかったが、この町に来てももう二ヶ月になり、その間かなりひんぱんに顔を合わせながら、二人はいまだにどうしても打ちとけることができなかった。アリョーシャ自身、口数が少ないうえ、何かを待っているような、何かを恥ずかしがっているようなところがあったし、兄イワンも、初めのうちこそアリョーシャが気づくほど興味ありげにしげしげと弟を見やっていたが、やがて彼のことなど気にもとめなくなってしまったらしい。

アリョーシャはそのことに気づいて少しばかりとまどいを覚えた。彼は兄の冷たい態度を、二人の年の差と、とりわけ二人が受けた教育のせいだと考えた。しかし、アリョーシャは別の理由も考えてみた。イワンが自分にたいし好奇心なり興味なりをほとんど示してくれないのは、何か自分がまったく知らない原因があるからではないか。イワンは心の中のとても重大なことに気をとられ、あるいは何かもしかすると非常に困難な目的をめざしていて、そのせいで弟などに構っていられないのだ、自分を見る目が心ここにあらずといった様子なのもひとえにそれが原因なのだと、アリョーシャにはなぜかそう思えるのだった。

彼はまた、こうも考えてみた。そこには博学で無神論者の兄らしい、愚かな見習い僧の弟に対する軽蔑の念もあるのではないか。兄が無神論者であることを、彼はよく知っていた。じっさいに自分が軽蔑されても、アリョーシャとしてはそれで腹を立てることはなかったが、しかし彼は自分にもよくわからない不安なとまどいを覚えながら、向こうからこちらに近づいてくれるのを心待ちにしていた。

長兄ドミートリーは、深い尊敬をこめて弟のイワンのことを口にしていたが、その話しぶりには何か特別な思いがこもっていた。ドミートリーからアリョーシャは、最近になって二人の兄を並々ならぬ強い絆で結びつけた、ある重要な事件の一部始終を知ることになった。アリョーシャの目に、弟イワンに対するドミートリーの絶賛ぶりが特異なものと映ったのは、ほかにもわけがあった。それはイワンと比べ、ドミートリーはほとんど無教養ともいってよいぐらいの男で、二人をそばに並べてみると、人柄も性格もまるで好対照をなすように見え、たがいにこれほど似ていない兄弟というのは他に考えにくいほどだったからだ。

長老の庵室で、このまとまりのない家族全員の会見、というより家族会議が開かれ、アリョーシャに強烈な影響を及ぼしたのもちょうどこの頃だった。

じつのところ、この会議の口実はかなり胡散臭かった。その時期、遺産や財産の勘定をめぐるドミートリーと父フョードルの仲たがいは、見たところ限界点に達していた。二人の関係は悪化し、もはや耐えがたいものとなった。そこでどうやらフョードルのほうが先手を打ち、ゾシマ長老の庵室に家族全員が集まったらどうかと、なかば冗談のつもりで提案したらしい。長老にじきじきの仲裁をあおぐわけではないが、とにかくもう少しきちんと折り合いをつけるにはそうするのがいい、おまけに長老の地位や風格が、何か和解のたしになるような効果をもたらしてくれるかもしれない、そう考えたのである。

今まで長老を訪ねたことも、そもそも顔を見たことすらもないドミートリーは、むろん、長老を表に出して自分を脅す気なのだと思った。しかし、このところ父と言いあらそいをした折り、自分がずいぶんひどい態度に出ることが多く、心のうちでひそかにそれを責めていたので、彼としても呼び出しに応じることにした。ついでに言っておくが、彼はイワンのように父と同居していたわけではなく、町の反対側の外れに別居していた。

ところが、この頃ちょうど町に滞在していたピョートル・ミウーソフが、フョードルの提案に並々ならぬ興味を示した。四、五〇年代的な自由主義者で、自由思想家にして無神論者のミウーソフは、おそらくは退屈しのぎか、それとも軽薄な気晴らしのつもりか、この問題にやけに熱心に首を突っ込んできた。彼は急に、修道院と「聖人」なる人を拝みたくなったのだ。ミウーソフと修道院とのあいだでは、前々から領地の境界線、森林伐採権、川での漁獲の問題等々をめぐって訴訟が絶えなかったので、これらの争いをなんとか円満に解決できないものか、じかに修道院長と会って話したいとの口実で、とり急ぎこの機会を利用することにしたのである。そういう有益な意図をもった訪問者なら、修道院でもむろん、たんなる野次馬に対するよりは、より注意深く気を遣った応対をしてくれるはずだった。

これらもろもろを考え合わせると、このところほとんど庵室にこもりきりで、病気を理由に一般の訪問者との面談さえ断っている長老に対し、修道院の内部で何らかの圧力があったのかもしれない。結局のところ長老は同意を与え、日どりまで決められた。「あの人たちのあいだにわたしを引き込もうと仕組んだのはだれかねえ？」長老はただ微笑みながら、アリョーシャに告げた。

会合の話を聞いて、アリョーシャはひどくうろたえた。いさかい、いがみあう人々のなかで、この集まりを真剣に受けとめるものがいるとしたら、それはむろん長兄のドミートリーだけだ。ほかの人々は、ことによると軽薄な、長老にとっては屈辱的な目的からここへやって来るかもしれない。アリョーシャはそう理解した。次兄イワンとミウーソフがやって来るのは、おそらく無礼千万な野次馬根性が理由だろうし、父は父で、ひとつ道化役を演じてみせようとの腹づもりかもしれない。

そう、アリョーシャは、口にこそ出さなかったが、父親の性格を十分に深く知りつくしていたのである。

くどいようだが、この青年はみんなが思うほど単純素朴ではなかった。彼は重苦しい気持ちで、決められた日が来るのを待っていた。うたがいもなく、アリョーシャはこれらもろもろの家庭内の不和になんとか終止符を打てないものかと、内心ひどく心を悩ませていた。

にもかかわらず、彼が何よりも案じていたのは長老のことだった。長老の、とくに名誉に侮辱が加えられたりはしないか心配でならず、ミウーソフが慇懃無礼な調子でからかったり、博学なイワンがさも見下したように話をわざと途中でやめてしまったりする光景が、ことさらありありと目に浮かんできた。

アリョーシャは、修道院に来るかもしれない人々の顔ぶれを長老につたえ、あえて警告しておこうかと思ったが、よく考えて何も言わずじまいだった。ただ、決められた会合の前日になって、彼はさる知人をとおして兄ドミートリーに、自分は兄さんをとても愛しており、約束したことが守られるよう期待していると伝えただけだった。ドミートリーは弟と何か約束をかわした覚えなどなかったので、頭をひねったが、ただどんな「卑劣な目」にあっても精いっぱい自分を抑えるつもりだ、そして自分は長老とイワンのことは深く尊敬しているが、これは自分に対する罠か、でなければあるまじき茶番だと確信している、とだけ手紙に書いてきた。

「ともかく、おまえが尊敬してやまない長老に無礼をはたらくようなことはしないし、それよりむしろ、固く口をつぐんでいるつもりだ」ドミートリーはそう手紙を締めくくっていた。しかし、アリョーシャにとってこの手紙も、さして元気づけにはならなかった。

第1部　第2編　場違いな会合

1　修道院にやってきた

空は晴れ、あたたかな、すばらしい日和《ひより》に恵まれた。八月の終わりだった。長老との面会は、遅めの礼拝式が済んだあとの十一時半頃と決められていた。しかしわが修道院の訪問者たちは礼拝式に参列せず、ちょうどその終わり頃に二台の馬車で乗りつけてきた。

高価な馬を二頭つないだしゃれた幌馬車でやって来たのが、ピョートル・ミウーソフだった。彼は遠縁にあたる、二十歳ぐらいの非常に若い青年ピョートル・カルガーノフを伴っていた。青年は大学入試の準備中だったが、どういう事情か彼がしばらく世話になっているミウーソフは、チューリヒかイエーナか、外国へ一緒にいき、そこの大学に入って課程を終えてはどうかと彼に誘いかけていた。青年はまだ決心がつかずにいた。

青年は深く考え込むタイプらしく、いつもどこか放心しているようなところがあった。顔立ちは気持ちよく、体格も頑丈で、上背《うわぜい》もかなりあった。不思議なことに、彼の目はときどき一点をみつめたまま動かなくなった。ひどく放心しがちな人によく見かけるが、相手をまじまじと見すえながら、その実、まったく相手を見ていないのである。無口でいくぶんぎこちないところもあったが、だれかと二人きりで面と向かいあったときに限り、ふいに恐ろしく饒舌になり熱くなって、時としてなぜかわからないまま大笑いすることがあった。が、そんないきいきしたところが、とつぜんふっと消えてしまい、かと思うとまた同じようにふっと湧き起こってくるのである。彼はいつも小ぎれいなみなりをし、おしゃれといってもよいほどだった。彼はすでに自由になる資産をいくらか持っており、他にもそれよりはるかに大きな財産が手に入ることになっていた。アリョーシャとは友だち同士だった。

ミウーソフの乗る幌馬車からかなり遅れて、フョードル・カラマーゾフと、息子のイワンが乗りつけてきた。二頭の年老いた月毛《つきげ》の馬のひく、ひどく老朽してがたぴしうなる大型の辻馬車だった。ドミートリーにはすでに前の晩、始まりと終わりの時間を伝えてあったが、彼は遅れていた。

訪問客は、修道院の柵のわきにある宿泊所に馬車をつけると、徒歩で修道院の門を入ってきた。フョードル以外、残りの三人は、どうやら修道院なるものをこれまで一度も目にしたことがないらしかった。ミウーソフにいたっては、かれこれ三十年近く教会に足を運んだこともなかった。彼はいくらか無遠慮をよそおい、多少とも好奇心ありげにあたりを見回していた。しかし観察力するどい彼の目は、教会や住居の、それもごくごく月並みな建物のほか、修道院の内側には何も見いだせなかった。

教会から最後の人の集まりが、帽子をとり、十字を切って出てくるところだった。民衆にまじって、よその土地から来たさらに上流の社会の二、三人の婦人たちと、たいそう年老いた一人の将軍の姿が見受けられた。この人たちはみな、宿泊所に泊まっていたのである。

新しい訪問者を乞食たちがたちまちぐるりと取り囲んだが、だれひとり施しをするものはなかった。ただ、カルガーノフだけは財布から十コペイカ銀貨をつまんで、なぜかはわからないがひどく慌て、どぎまぎした様子でそそくさと一人の女の手に押しこみ、「平等に分けるんだよ」と早口に言った。一緒にいただれも、彼のそうしたふるまいに気づいてはいなかったから、何もどぎまぎする理由などなかったが、そのことに気づくと彼はますます当惑してしまった。

それにしても、奇妙だった。本来なら、彼らにはそれなりの出迎えがあり、ことによると、ほどほどの敬意が払われてしかるべきだったからだ。なにしろ彼らのうちの一人は、つい先ごろ千ルーブルを寄進したばかりだったし、もう一人はたいそう金持ちの地主で、いうなればたいへん教養ある人物であり、川の漁業権をめぐる裁判の成りゆきしだいでは、修道院の人々すべてが部分的にその人物のいいなりにならざるをえなかったからである。

ところが見てのとおり、正式にはだれひとり出迎えがなかった。ミウーソフは教会のまわりにある墓石をぼんやりとながめ、こういう「聖地」には故人を葬る権利金がいるので、これらの墓石は遺族たちにはさぞかし高いものについただろうとつい言いかけて、そのまま口をつぐんだ。リベラル派らしいごくあたりまえの皮肉が、彼の心のなかでほとんど怒りに変わりかけていたのだ。

「ちくしょう、それにしてもこんなごたごたしてるなかで、いったいだれに聞きゃいいっていうんだ……まずはこいつを決めなきゃあならんな、時間ばかりどんどん経っちまう」彼はふと、独り言のようにつぶやいた。

とつぜん、彼らのほうに向かって、頭が少し禿げ上がった年配の紳士が近づいてきた。夏物のゆったりしたコートをはおり、いかにも媚びるような目をしていた。帽子を軽くあげて挨拶した彼は、妙に甘ったるい発音で、トゥーラ県の地主マクシーモフですと、だれにともなく挨拶した。彼はたちまち、一行の心配ごとに首を突っ込んできた。

「ゾシマ長老なら僧庵でお過ごしですよ。僧庵にひっそりこもっておられます。修道院からあの林を抜けて、四百歩ほどのところです、そう、あの林を抜けていくんです……」

「林を抜けていくことぐらい、わたしだって存じてますよ」とフョードルは答えた。

「なにせ、ずいぶんながいことお邪魔していないもんで、すっかり道を忘れてしまったんです」

「ほら、あそこにある門からまっすぐ林を抜けていくんです……そう、あの林です。それじゃあ、わたしがおともしましょうか。よろしければ、わたしもじつは……そうそう、こちらです。こちらへどうぞ」

訪問者の一同は門を出ると、林のなかを進んでいった。地主のマクシーモフは、年は六十ぐらいだった。どこか病的で、信じがたいほどの好奇心で一同を仔細に見やりながら、彼らの脇を歩いていくというより、ほとんど小走りに進んでいった。彼の目はどこかどんぐり眼《まなこ》のような趣きがあった。

「あのですね、われわれは内輪の用があって長老をお訪ねしているのですよ」ミウーソフが厳しい調子で言った。「あのお方から、その、《お目どおり》を許されたわけでして、道案内はありがたく存じますが、一緒に中に入っていただくわけには参りませんよ」

「いいえ、わたしはもう行ってきたんです。ええ、行ってきたところなんです……完全無欠の騎士《アン・シュヴァリエ・パルフェ》(*Un chevalier parfait!*) とでもいうしかないお方ですよ！」地主はそういうと、宙に向かって指を鳴らした。

「だれが騎士《シュヴァリエ》ですって？」とミウーソフはたずねた。

「長老さまですよ。あの、すばらしい長老さま、あの長老さまのことです……修道院に誇りと栄光あれ、ですよ。ゾシマ長老です。いまどき、あれぐらいの長老さまは……」

しかし、この要領をえない言葉は、後から一行に追いついた一人の修道僧によってさえぎられた。頭巾をかぶり、小柄で青白い、やつれはてた顔の僧だった。フョードルとミウーソフが立ちどまった。修道僧は、やけに丁重に深々とお辞儀をしてから言った。

「僧庵から戻られましたら、ぜひともお食事をご一緒いただきたいと、修道院長が申しております。院長さまのところへ、一時に。どうかご遅刻なされませんように。よろしければ、あなたもどうぞ」修道僧はマクシーモフのほうを振り向いて言った。

「ぜひうかがわせていただきます！」院長の招待をひどく喜んで、フョードルが叫んだ。「ぜひとも。じつはわれわれみな、ここでは礼儀正しくふるまおうって約束しているんですよ。で、ミウーソフさん、あなたもいらっしゃるのでしょう?」

「そりゃあ行きますとも。わたしがここに来たのは、何といっても、ここの習慣がどうなっているか残らず見学するためですからね。わたしが困っているのは、カラマーゾフさん、あなたがご一緒ってことだけですよ」

「そう、ドミートリーがまだ来ていないですしね」

「いや、欠席してくれるのなら、それにこしたことはありませんがね。こんな猿芝居、わたしには不愉快きわまりないことですし、おまけに、あなたが一緒と来た日にゃ。でもまあ、食事にはうかがいましょう。修道院長によろしくお礼を申しあげてください」ミウーソフは、修道僧のほうを振りかえって言った。

「いや、長老さまへは、このわたしが案内するように申しつかっております」と修道僧は答えた。

「そういうことでしたら、わたしはそのあいだに院長さまのところへ、まっすぐうかがっているようにします」地主のマクシーモフが舌たらずな調子で言った。

「院長さまは、いまたいへん忙しくしていらっしゃいます。しかし、まあ、あなたのご随意に……」修道僧は煮えきらない様子で答えた。

「まったくうるさい爺《じじい》だ」地主のマクシーモフが修道院のほうに小走りに戻っていくと、ミウーソフが聞こえよがしに言った。

「フォン・ゾーンに似ていますな」と、ふいにフョードルが口をはさんだ。

「あなたは、何かというとフォン・ゾーンなんですねえ……で、どこがフォン・ゾーンと似ているんです。じっさいにごらんになったことがあるんですか？」

「写真で見ましたよ。目鼻立ちがどうっていうんじゃなくて、いわくいいがたいところです。まぎれもなくあの男はフォン・ゾーンの複製ですよ。どんな時でも、わたしは顔をみただけですぐにそれとわかるんです」

「そりゃまあ、そうでしょうよ。あなたはこの道の通ですからねえ。それはそうと、カラマーゾフさん、あなたはさっきご自分でおっしゃいましたよね。われわれは礼儀正しくふるまおうって約束をしたって。まさかお忘れじゃないでしょう。もういちど注意しておきますが、くれぐれも自重なさってくださいよ。かりにあなたがいつもの道化ぶりを発揮されても、わたしはあなたと一緒くたにされる気など毛頭ありませんからね……ごらんのとおり、こういう人なんですよ」そう言いながら、彼は修道僧のほうを振りむいた。「わたしはこの人と一緒に、ちゃんとした人の前に出るのがいやでしようがないんです」

修道僧の青く血の気の失せた唇に、一種ずるそうな、何かを含んだ無言の笑みがかすかに浮かんだ。しかし彼はそれに何も答えなかった。無言をとおしたのが、自分の威厳を保つためであることはあまりに明らかだった。ミウーソフはますます眉をひそめた。

《こいつら、悪魔に食われりゃいいんだ。何百年もかかってでき上がったような面《つら》しているが、その実、ペテンやでたらめばかりじゃないか！》そんな思いが彼の脳裏をよぎった。

「ああ、あれが僧庵だ、やっと着いたか！」とフョードルが声をあげた。「柵があって、門が閉まっているな」

そして彼は、門の上や門の横に描かれている聖人たちに向かって、大げさに十字を切りはじめた。

「郷に入らば郷にしたがえ、というが」とフョードルは口にした。「この僧庵じゃあ、全部で二十五人の聖人さまが行《ぎょう》を積んで、おたがいににらめっこしながらキャベツばかりむしゃむしゃやってるんだそうだ。それに女は、ただの一人もこの門をくぐったためしはないというんだから、えらいもんさ。じっさいにその通りなんだ。ただ、ちょいと聞きかじった話じゃ、長老は、ご婦人にもお会いになるそうじゃないか？」

彼は、急に修道僧に水を向けた。

「平民の女性は、いまもあそこにいらっしゃいます。ほら、あの渡り廊下のそばに横になってお待ちです。身分の高いご婦人方のためには、この渡り廊下に、といっても塀の外ですが、小部屋が二つ用意してございます。ほら、あそこに見える窓がそうです。長老さまは、お体の調子がよいときは内廊下をとおって、ご婦人方との面会に向かわれます。つまり、面会はあくまで塀の外でということです。ほら、ハリコフに土地をもつ地主の奥方でホフラコーワと申されるご婦人が、弱られた娘さんをお連れになって待っておいでです。おそらく、お会いになると約束されたのでしょう。最近では、長老さまご自身がたいそう衰弱され、人々の前に姿を現すのもやっとなくらいなんですが」

「てことは、やはり僧庵からご婦人方のところに通じる抜け道があるっていうことですな。でも神父さんね、わたしが何か、妙な勘ぐりをしているなどと考えないでくださいよ。わたしに他意はないんですから。ただね、これはお聞きになっていらっしゃるかどうか、アトス山では、女性の訪問はおろか、女性そのものというか、鶏であろうが、七面鳥であろうが、子牛であろうが、女性の、つまり、雌ですよ、雌の生き物はいっさいご法度《はっと》なんだそうですよ……」

「カラマーゾフさん、わたしは帰ります。あなたをここに一人にしてあげますよ。わたしがいなくなればあなただって両腕をつかまれ、追ん出されるのが関の山ですから。このことは前もって言っておきますよ」

「ミウーソフさん、わたしがどうしてそう目ざわりなんですか。おっと、ごらんなさい」僧庵の塀の向こうに一歩踏み入れると、彼はだしぬけに声をあげた。「ほら、ごらんなさい。なんてみごとなバラの谷間で過ごしていることか」

たしかに、今のところバラの花こそなかったが、おびただしい種類の珍しい、美しい秋の花が、植えられるかぎりの場所にところ狭しと咲きみだれていた。これらの花を後生だいじに育てているのは、どうやら経験ゆたかな人らしかった。花壇が、教会の塀の内側と墓の間に作られていた。長老の庵室のある、木造で平屋造りの小さな家も花々で囲まれていて、そこは入り口の前に渡り廊下がついていた。

「先代のワルソノフィー長老の時代もこうだったんですかね？　なんでもあのお方は、洒落《しゃれ》たものが大きらいで、相手がご婦人でも、飛びかかって杖で打ちすえたとかいう話ですが」表階段を上りながら、フョードルがふいに口にした。

「ワルソノフィー長老はたしかに、神がかりのように見えることもございましたが、ばからしい作り話もたくさんありましてね。杖で人を殴るなんてことは、一度もありませんでした」と修道僧は答えた。「では、みなさん、ここで少しお待ちください。取り次いでまいりますので」

「カラマーゾフさん、これが最後の約束です。いいですね。礼儀を忘れずにふるまってくださいよ。でないと、あとで思い知ることになりますよ」ミウーソフはすかさず念を押した。

「さっぱりわからんですな、あなたがどうしてそこまで心配なさるのか」フョードルは嘲《あざけ》るように答えた。「ひょっとして、なにか小さな罪をあばかれるのが恐いんですかな。なにしろあの方は、相手がなんの理由でやってきたか、いっぺんに見破るっていう話ですからね。それに、あなたはずいぶんとここの連中の考えを、買いかぶっていらっしゃるんですね。進歩派のパリ紳士ともあろう人が。あなたには呆れますよ、まったく！」

だが、ミウーソフがその皮肉に答える間もないうちに、一同は僧庵に招かれた。彼はいくらかいらいらした気分で中に入った……。

《今からもうわかってるんだ。いらいらが高じて、きっと議論をおっぱじめる……そのうちカッとなり、人目もはばからず生き恥をさらすことになる》そんな考えがちらりと彼の脳裏をかすめた。

2　老いぼれ道化

一同が部屋に入ったのは、来客の知らせを聞いて、すぐに寝室から出てきた長老とほとんど同時だった。庵室では、彼らよりも先に二人の修道司祭が長老のお出ましを待っていた。一人は図書係の司祭で、もう一人は病身の、さほど老けてはいないが、たいそう学識があると噂されているパイーシー神父だった。

そのほか、見たところ二十二、三の、平服のフロックコートを着た青年が、部屋の隅に立ったまま（その後もずっと立ちっぱなしだった）長老のお出ましを待っていた。その青年は、神学校出のこれから神学者になろうという若者で、どういうわけかこの修道院と修道僧たちから手厚い庇護を受けていた。かなり上背もあり、頬骨の張った顔はいきいきとして、いかにも賢そうな、注意深い褐色の細い目をしていた。顔には申し分ない恭《うやうや》しさが表されていたが、かといってあからさまなおもねりなどない、きわめて折り目正しいものだった。入ってきた客人たちに対しても、自分が相手と対等どころか、修道院の庇護のもとにある身であり、独り立ちしていない人間であることを示すため、お辞儀をして挨拶することもなかった。

ゾシマ長老は、見習い僧とアリョーシャをともなって部屋に入ってきた。二人の修道司祭は立ち上がり、地面に指が触れるぐらい深々とお辞儀をしてから十字を切り、長老の手に口づけをした。彼らに祝福を与えると、長老は彼らそれぞれに、指が地面に触れるぐらい深いお辞儀を返し、彼らに自分のための祝福を求めた。こうした一連の儀式が、ひじょうに真面目に、なにか日常的な礼儀とはとても思えない特別な感情をこめて行われた。それでもミウーソフには、すべてが他人を感動させるためわざと仕組まれた演技のように思えた。

彼は、一緒に入ってきた仲間たちのいちばん前に立っていた。たとえどんな思想の持ち主であれ、ごくありきたりな礼儀の意味でも（なにしろここではそういうしきたりなのだから）、長老に近づき、祝福を受けるか、たとえ口づけなどせずとも、せめて十字を切るぐらいはすべきだった（すでに前の晩から彼はそのことを考えていたのである）。だが、修道司祭たちのああいったお辞儀やら、口づけやらを見るなり、彼はたちまち決心を変えてしまった。彼は厳しいまじめな様子で、かなり深々とした世間的なお辞儀を済ませると、椅子のほうに引き下がった。

フョードルもまったく同じようにふるまったが、今度はからかい半分に、完全にミウーソフの猿真似をしてみせたのだった。イワンは、ひどくもったいぶった様子で丁寧にお辞儀をしたが、これまたズボンの縫い目に両手を押しつけたままだったし、カルガーノフのほうはもうすっかりどぎまぎして、まともにお辞儀もできないありさまだった。長老は、祝福を与えるために挙げかけた手を下ろすと、もういちど彼らにお辞儀をして一同に椅子をすすめた。アリョーシャの頬が紅潮しはじめた。恥ずかしくなったのだ。いやな予感が現実のものになろうとしていた。

長老は、年代ものの革張りのマホガニーのソファに腰を埋めると、二人の修道司祭をのぞく客人たちを、向かいの壁ぎわのやはりひどく擦り切れた革張りのマホガニーの四つの椅子に並んで座らせた。修道司祭たちはその両側に、一人は扉のそばに、もう一人は窓際に腰をおろした。神学生とアリョーシャ、そして見習い僧は立ったままだった。

庵室はひどく狭苦しくて、どこかみすぼらしい気配があった。置物や家具は粗末で貧弱で、必要不可欠のものだけが揃えてあった。窓辺には花瓶が二つ置かれ、部屋の隅にはたくさんの聖像画が飾られていた。それらの一つは、巨大なサイズの聖母像だが、おそらくは教会分裂《ラスコール》よりもはるか以前に描かれたものらしかった。聖像の前には灯明が灯っていた。

聖母像のまわりには、燦然《さんぜん》とかがやく金属製の枠におさまった二つの聖像、さらにそのまわりには、どこかわざとらしいケルビム像、陶製のたまご、嘆きの聖母（*Mater dolorosa*）に抱かれた象牙《ぞうげ》製のカトリック十字架、過去数世紀にわたるイタリアの偉大な画家たちの手になる外国製版画が何枚か飾られていた。これらの洗練された高価な版画のすぐそばに、どの市場でも数コペイカで売っている、聖人やら受難者やら、高僧やらの、ごく庶民的なロシアの石版画が何枚かあり、目を惹いた。そのほかにも、現代や過去のロシアの大主教たちの肖像を描いた石版画が何枚か掛かっていたが、ただしそれはもう別の壁であった。

ミウーソフは、そうしたもろもろの「形式主義」をひとわたり見わたしてから、長老にじっとまなざしを凝らした。彼は自分の目に自信をもっており、それが弱みでもあったが、すでに五十歳という年を思えば、今さらとがめだてができるしろものではなかった。そのぐらいの年齢で、知恵も働き世慣れして、何不自由ない暮らしをしている男なら、時には自らの意に逆らってでも、つねに自分に尊敬を抱くようになるからである。

ひと目見た瞬間から、ミウーソフは長老が気に入らなかった。じっさい長老の顔には、ミウーソフでなくても、多くの者たちの意に染まないのではないかと思える何かがあった。小柄なうえ猫背で、しかもひどく足が弱そうで、まだ六十五ながら、病気のため少なくとも十歳は老けてみえた。顔全体が非常にひからびた感じで、細かな皺におおわれ、とくに目のまわりにそれが密集していた。その目は小さく明るい色をしていて、くるくるよく回り、二つの輝く点のように煌《きらめ》いていた。白髪が残っているのはこめかみのあたりだけで、ごくまばらな細かいあごひげが楔形《くさびがた》にのび、ときどき薄笑いを浮かべる唇は薄く、まるで二本の細い紐のようだった。鼻は高いというのではないが、鳥のようにつんと尖っていた。

《どの特徴をみても、こいつは意地が悪く、底の浅い、高慢ちきな魂の持ち主だ》ミウーソフは頭のなかでちらりとそう考えた。総じて彼は非常に不機嫌だった。

時計が打ったのを合図に話がはじまった。安物の小さな柱時計が、こきざみな鐘の音できっかり正午を告げたのである。

「ちょうどお時間が参りましたが」と、フョードルが声を上げた。「息子のドミートリーがまだ来ておらんようです。聖なる長老さま、息子にかわってお許しをお願いいたします（《聖なる長老さま》という言葉を聞いて、アリョーシャは思わずぎくりとした）。わたしどもはいつも几帳面でして、一分たりとも遅れたことはございません。なにしろ、正確さこそ帝王の礼儀と申しますからね……」

「でも、すくなくともあなたは帝王ではないですよね」ミウーソフが、たまりかねてすぐに横槍を入れた。

「そう、たしかにそのとおり、わたしは帝王なんかじゃありません。でも、いいですか、ミウーソフさん、わたしだってそれぐらいのことはちゃんとわきまえている。ほんとうに。いやね、わたしはこんなふうに、いつもきまって場違いなことをいうたちなんでして。長老さま」一瞬、感きわまった様子で彼は叫んだ。「あなたがいまご覧になっているのは、道化、ほんものの道化でございます！　情けないことに、これは昔からの習慣でして！　ときどき、場違いな嘘をつきますのも、わざとやることでして、つまり、人を笑わせたい、気に入られたいという気持ちからなんですよ。だって人はやはり、気に入られなくては生きてけませんからね、そうでしょうが。

七年ばかり前、ある小さな町に行ったときのことですよ。ちょっとした取り引きの関係で、そこの何人かの商人と仲間を組もうとしていたんです。で、雁首《がんくび》そろえて町の警察署長のところに出かけていきました。なにやかやと頼みごとがあったもので、一席もうける必要があったというわけです。顔を出した署長というのが、でっぷり太った大男で、ブロンドの髪をした気むずかしそうな男なんです。つまり、こういう場合にはいちばん危ないタイプの男ですよ。あの手の連中ってのは、もう決まって癇《かん》癪《しゃく》もちですからね。で、やつにきっぱり言ってやりました。それも世間慣れした男らしく、少しくだけた調子でですよ。『警察署長《イスプラーヴニク》どの、どうか、われわれのナプラーヴニクになってくださいませんか！』と。すると、相手は『何者だ、そのナプラーヴニクとやらは？』と訊き返すわけです。

こいつはしくじったと、とっさに思いましたね。向こうは大まじめな顔で、こっちをじっとにらんだまま立っている。『ちょいとおどけて見せただけです。みんなを喜ばせようと思いまして。なにしろ、ナプラーヴニク氏は、ロシアの有名な指揮者でして、われわれの仕事がつつがなく運ぶには、まさしく指揮者みたいな方が必要だというわけです……』なかなか理屈のとおった説明だし、うまい具合に辻褄もあっている。そうでしょうが。ところがどうです。『失礼ながら、警察署長《イスプラーヴニク》の役職名を語呂合わせに使うなんぞ、もってのほかです』というなり、くるりと背を向けて出て行くじゃないですか。わたしは後ろからこう叫びましたよ。『そうそう、あなたは警察署長《イスプラーヴニク》、ナプラーヴニクじゃありません！』――すると、『いや、いったん口から出た以上、わしはナプラーヴニクということだ』といったしだいで、われわれの仕事はおじゃんになりましたよ！

でも、わたしはいつどんなときも、こういうざまだったんです。このサービス精神がきまってあだになるんですから。もう何年も前の話ですがね、あるときなんぞは、有力者といってもいいくらいの人物に『あなたの奥さまってくすぐったがり屋なんですよね』なんて言ってしまった。つまり、貞操観念のことでして、言ってみりゃ、道義的に敏感だってことです。ところがどうです。相手がいきなりこう聞いてくるじゃないですか。『じゃあお宅は、うちの家内をくすぐったことがあるんですかな？』とね。で、そう、ふいにこらえ切れなくなって、ちょっとからかってみようかって気になった。『ええ、そうなんでして。くすぐったことがございまして』すると相手は、いきなりこのわたしをくすぐり出したんです……。ただ、こんなことがあったのはもうだいぶ昔のことですからね、こうやってお話をしても恥ずかしいということはありませんが、わたしっていう男は、こんな調子でいつまで経っても、バカばっかりやっている始末なんです」

「今もあなたはそれをやっているんだ」はき捨てるような口調で、ミウーソフがつぶやいた。

長老は口を結んだまま、二人を見くらべていた。

「たしかに！　でもね、ミウーソフさん、そんなことは百も承知です。なにしろ話し出したとたん、またバカやっているって感づいてたんですから。おまけにですよ、真っ先にそれに文句をつけるのはあなただってことまでね。ジョークがうまくいかないとわかるときのちょっとした間っていうのは、長老さま、この両の頬っぺの内側がからからに乾いて歯茎にはりつき、まるでけいれんが起こったような感じになるんです。これはもう、貴族屋敷に居候として転がり込み、ただメシにありついていた若い時分からの習慣なんですね。

わたしは根っからのというか、生まれつきというか、要するに道化もんでして、長老さま、まあ、神がかりと同じようなもんですよ。言い訳なんぞしませんや。ひょっとすると、わたしの体のなかにゃ悪魔が住みついているのかもしれないんだ。といってたいした器の悪魔じゃないですがね。もっとましな悪魔なら、別の住みかを選ぶでしょうから。ただしミウーソフさん、あなたんとこにも、たいしたのは住みつかんでしょうな。あなたのだって、そう誇れる住みかじゃないですからね。でもそのかわり、わたしは信じているんです。神を信じている。それを疑いだしたのはつい最近のことですが、でも今はじっとして、偉大なお言葉を待っているわけでして。

長老さま、わたしは哲学者のディドロみたいなもんなんです。神聖な長老さま、あなたはご存知でしょうか。哲学者のディドロがエカテリーナ女帝の時代に、プラトン主教のところに参った話というのを。ディドロは入るなり、いきなり『神はいない』って申したそうですよ。それに対して、主教さまは指を立てて、こう答えたそうです。『狂った者の心のうちに神はないという』とね。するとディドロは、そのまま相手の足もとにひれ伏してこう叫んだそうです。『信じます。洗礼も受けます』こうして、ディドロはその場でただちに洗礼を受けたって話です。ダーシコワ公爵夫人が教母に、ポチョムキンが教父になって……」

「カラマーゾフさん、もう聞いちゃいられませんよ！　自分の言ってることが嘘八百で、そんな馬鹿げた小話がでたらめなことぐらい、自分でもわかってるくせに、どうしてそう悪ふざけするんです？」ミウーソフはもはや自分を抑えようとせず、震える声で言った。

「いままでずっと感じてましたよ。これがでたらめなことはね」フョードルは夢中になって叫んだ。「みなさん、かわりにすべての真実をぶちまけてしまいます。偉大な長老さま、どうかお許しを。話の最後のところ、つまりディドロの洗礼のことは、わたしがさっきお話をしているときに、とっさにこしらえた作り話でして、以前はそんなこと、一度だって頭をかすめたことはありません。話を面白くするために勝手にこしらえたものです。ミウーソフさん、わたしがこうやって悪ふざけするのは、みんなにかわいがられたい一心からなんです。でも自分でもときどき、それが何のためやらさっぱりわからなくなるときがある。で、ディドロといえばわたしはあの『狂った者』の話を、居候していた若い自分からかれこれ二十回ばかりも、ここの地主たちに聞かされてきたんですよ。ミウーソフさん、あなたの叔母にあたるマーヴラ・フォミニーチナからも、何かの話のついでに聞いたことがありましてね。あの連中は今だって、無神論者のディドロが大主教のプラトンのところに出向き、神はあるやなしやを議論したって信じているんですよ……」

ミウーソフはしびれを切らしたばかりか、まるでわれを忘れたようになってつと立ちあがった。彼は、怒りにかられた自分が滑稽であることも意識していた。たしかに庵室では、何かとうてい起こりようのないことが起ころうとしていた。この庵室へは、おそらくすでに四十年か五十年、先々代の長老の時代も訪問客が集まってきたが、彼らはみなほかでもない、深い敬虔な思いを抱いた人たちだった。長老との面会を許された人々のほとんどが、庵室に入りながら、自分が大きな恩恵に浴しているということを理解してきた。面会が終わるまでのあいだ、多くの人々はひざまずき、そのまま立ち上がることができなかった。

「王侯貴族」や学識者たちの多く、さらには好奇心やら他の動機でやってくる自由思想の持ち主さえ、他のみんなと連れだってか、あるいは差し向かいの面談が許されて庵室に入るときは一人の例外もなく、面談のあいだずっと、このうえなく深い敬意とこまやかな配慮を、何にもまして大事な義務と心得るのだった。ましてやここでは、金は受けとらないならわしであり、いっぽうに愛と慈悲が、他方に悔いが、そして精神面での難問や自分の心の生活における難題を解決したいという、ひたすらな願いがあるだけだった。そのためフョードルが、場所柄もわきまえずだしぬけにさらして見せた道化ぶりは、同席した人々の少なくとも何人かの心にとまどいと驚きの念を呼び起こした。もっとも、二人の修道司祭は少しも顔色を変えず、長老の次のひとことを真剣な面持ちで待ち受けてはいたが、どうやらミウーソフ同様、すぐにも席を立ちかねない気配だった。

アリョーシャは今にも泣き出さんばかりの様子で、うなだれたまま立ちつくしていた。アリョーシャが不思議でならなかったのは、自分がひとえに望みをかけ、父親のふるまいに制止をかけるだけの影響力をもつ兄のイワンが、今は身じろぎもせず、目を伏せたまま椅子に腰を下ろし、自分はまるで部外者とでもいわんばかりになにやら好奇の色さえ浮かべ、事態がどう落着するかを見守っていることだった。アリョーシャは、やはり彼がとても親しくしていて、親友といってもよいぐらいの神学生ラキーチンにも目を向けることができなかった。相手の心のうちが彼にはわかっていたからだ(それを知っているのは修道院全体でもアリョーシャひとりだった)。

「申しわけありません……」ミウーソフは、長老に向かって切り出した。「長老さまには、わたしもきっとこの恥知らずな芝居の仲間に見えるかもしれません。カラマーゾフさんのような人でも、こうした立派なお方をお訪ねするからには、自分の義務をわきまえる気になるだろうと信じたのが、そもそものまちがいでした……この人と一緒にやってきたことをお詫びするはめになろうとは、思いもしませんでしたので……」

最後まで言いきらないうちに、彼はすっかりまごつき、今にも部屋から出て行きそうになった。

「心配はご無用です」長老がふいに、弱った足で軽く腰を浮かせると、ミウーソフの両手をとってふたたび彼を肘掛け椅子にすわらせた。「どうか落ち着いてください。あなたにはとくに、わたしのお客になっていただきたい」長老はそういって一礼し、向きを変えてもとのソファに腰をおろした。

「大長老さま、どうぞおっしゃってください。わたしのあまりのはしゃぎように、ご立腹かどうか」肘掛椅子の腕木に両手をかけ、返答しだいではここから飛び出すぞとばかり身がまえながら、フョードルはとつぜん声を張りあげた。

「あなたにも切にお願いします。ご心配やご遠慮はご無用です」長老は、諭すような口ぶりでいった。「遠慮なさらず、どうかご自分の家におられるつもりでおくつろぎを。大切なのは、あまり自分を恥ずかしく思わないことです。これがすべてのはじまりですから」

「自分の家みたいにくつろいでいいですって？　つまり、その、いつもの自然なままでいいですって？　いやいや、それはもったいない、もったいなさすぎる。ですが、まあせっかくですから、お言葉に甘えさせていただきますか！　ですが、長老さま、自然なままでいいだなんて、どうかわたしをおだてあげないでくださいよ、そんなあぶないことは……。自然なままにふるまうなんて、わたしにはとてもそこまではできない。あなたを守るために前もって申し上げることです。たとえある人たちが、このわたしをどんなにけなしたがろうが、ほかのことがどうなるかは、全然わかりませんよ。これはねえ、ミウーソフさん、あなたのことを言っているんですよ。でも、大長老さま、あなたには、ほらこの通り、歓喜の思いを口にしているわけです！」そういって腰を浮かせると、フョードルは両手を高く差しあげ、はっきりとこう唱えた。「『なんと幸いなことでしょう、あなたを宿した胎《たい》は、あなたが吸った乳房は。とくに乳房は！』長老さまはさっき、『あまり自分を恥ずかしく思わないことです。これがすべてのはじまりですからね』とわたしにご注意くださいましたが、あなたはそのお言葉で、わたしという人間をすべてお見通しになり、腹の底まで考えを読みとられました。まさしくそう、わたしは人前に出るとき、いつもこう思ってきたんです。おれはだれよりも卑劣だ、だれもがおれを道化あつかいしている、それなら『よし、じっさいに道化を演じてみせようじゃないか、あんたらの意見なんて恐くない、あんたらだってみんな、ひとりのこらずこのおれより卑劣なんだから！』っていうわけで、わたしが道化なのは、恥ずかしさからなんです。恥ずかしさから生まれた道化なんです。長老さま。わたしがあばれまわるのも、もっぱら疑り深い性分のせいなんです。だって、もしもわたしが人前に出たときに、みんながわたしを、このうえなく優しくて賢い人間だなんてすぐにでも思ってくれると信じられたら、ああ、どんなに善良な男になっていたでしょう！　先生！」彼はふいにひざまずいた。「永遠の命を受けついでいくには、どうしたらよいのでしょう？」

果たして彼はふざけているのか、あるいは、ほんとうに感きわまってそう言っているのか、容易にははかりかねた。

長老は彼のほうに目をあげ、微笑みながらきっぱりと言った。

「どうしたらよいかは、とうの昔からご存知のはずです。あなたは、十分に分別をおもちでいらっしゃる。酒におぼれず、言葉を慎み、情欲をおさえ、とくにお金に執着せず、あなたの酒場を、全部はむりというなら、せめて二つか三つはたたみなさい。しかし、いちばん大切なのは、嘘をつかないことです」

「それは、ディドロのことですか？」

「いや、ディドロのことではありません。大事なのは、自分に嘘をつかないことです。自分に嘘をつき、自分の嘘に耳を傾ける人間というのは、自分のなかにもまわりの人間のなかにも、どんな真実も見分けがつかなくなって、ひいては、自分に対しても他人に対しても尊敬の気持ちを失うことになるのです。だれも敬わないとなると、人は愛することをやめ、愛をもたないまま、自分を喜ばせ気持ちをまぎらわそうと、情欲や下品な快楽に耽《ふけ》って、ついには犬畜生にもひとしい悪徳に身を落とすことになるのですが、それというのもすべて、人々や自分に対する絶え間ない嘘から生まれることなのです。

自分に嘘をつくものは、他のだれよりも腹を立てやすい。なにしろ、腹を立てるというのは、時としてたいそう愉快なものですからね。そうではありませんか？　なにしろ、本人からしてわきまえているのですよ。自分を傷つけたものなどだれもおらず、本人が勝手に傷をこしらえ、体裁をつけるためにほらを吹き、絵としてさまになるように誇張し、他人の言葉尻をつかまえては、針ほどのことをまるで棒のように触れまわっていることを。でも、それでもやはり当人は腹を立てるわけです。胸のつかえが下りるまで、より大きな満足感が得られるまで腹を立てる。まさにそういうことを繰り返しているうちに、ついにほんものの敵意が生まれることになるのです……。お願いですから、さあ、一度立って、お座りください。なにしろ、それもみな偽りの仕草ですからね……」

「ああ、聖人さま！　どうか、お手に口づけさせてください」フョードルはひょいと身を起こすと、長老のほっそりと痩せた手にすばやく口づけをした。

「おっしゃるとおり、腹を立てるというのは気持ちのよいものなんです。あなたはほんとうにズバリ言い当ててくださいました。これまで聞いたこともないお言葉です。ほんとうにおっしゃるとおり、わたしはこれまでずっと、腹を立てては、よい気持ちになっていたのです。一種の外面《そとづら》、見てくれのために腹を立てていたということです。なにしろ腹を立てるというのは、たんに気持ちがよいだけじゃなく、時としてかっこうのいいものですからねえ。そう、大長老さま、最後のところを一つお忘れでしたね。つまり、かっこいいという点ですよ！　こいつは手帳に書き込んでおかなくちゃ！

でも、わたしはほんとうに嘘をつきまくってきたんです。これまでずっと、毎時間ごとに。まさしく、嘘は嘘の父なりですねえ。まてよ、どうも『嘘の父』じゃなかったような気もする。わたしはこうやって、いつも聖書の文句をごっちゃにしているんですよ。でもまあ、嘘の子でもかまいませんが。ただ……、天使さま……、ディドロの話ぐらいなら、ときどきはお許し願えるでしょう。ディドロならたいして害にもなりませんが、ほかの言葉だったらそうはいきませんからね。あ、そうだ、大長老さま、うっかり忘れるところでしたが、二年も前からここで調べてもらおう、ここに来てくわしくお話を聴き、お訊ねしようと思っていたことがあるんです。せめてここはミウーソフさんには口出しをさせないよう、お願い申し上げますよ。お訊ねしたいというのは、ほかでもありません。大長老さま、あの話って本当なんでしょうか。『殉教者列伝』のどこかに、ある奇跡の聖人の話が出てまいります。その聖人が信仰ゆえに迫害され、最後に首を切られたあと、立ち上がってその首を拾いあげ、それに『いとおしげに接吻した』、それも両手に首を抱えて長いこと歩きつづけ『いとおしげに接吻した』ってあるのは、本当なんでしょうか。どうなのでしょう。神父さま方？」

「いや、本当ではありません」と長老は答えた。

「『殉教者列伝』のどこにも、そんな話は出てまいりません。いったいどの聖人についてて、そういうことが書かれているとおっしゃるのですか？」図書係の修道司祭が訊ねた。

「どの聖人かは、じつのところ、わたしも知らないんですよ。まるっきり知らないんです。一杯食わされたねって人からも言われました。これは人づてに聞いた話なんでして。でも、その話をしてくれたのがだれかおわかりですか。なんと、ここにいるミウーソフさんなんですよ。さっき、ディドロの話であんなに腹を立てたミウーソフさんご本人が、その話をしてくれたんです」

「あなたにそんな話をした覚えは、まったくないですがね、そもそもおたがい一度も口をきいたことがないでしょう」

「たしかに、その話をわたしにしたことはない。ですが、あなたが仲間内でその話をしたところに、わたしはいあわせていたんです。たしかあれは、四年前のことです。わたしがそのことに触れたのは、あのときのあなたのこっけいな話のせいでわたしの信仰がぐらついたからなんですよ、ミウーソフさん。あなたはなにもご存知なかったかもしれないが、わたしはぐらぐらする信仰を抱いたまま家に帰った、それ以来、ぐらつくいっぽうなんです。そう、ミウーソフさん、あなたこそ、わたしのこの大きな堕落の原因なんですよ。ディドロどころの話じゃない！」

　フョードルは悲痛な面持ちでそう息巻いたが、彼がまたしても一芝居うっていることは、だれの目にももう完全に明らかだった。ミウーソフは、それでもひどく傷つけられた。

「なんてばかばかしい、ばかばかしいにもほどがある」彼はつぶやいた。「わたしはたしかに、いつかそんなことを言ったことがあるかもしれません……ただし、あなたに対してではなかった。わたしだって人づてに聞いた話なんです。その話はパリであるフランス人から、ロシアでは礼拝式の前に『殉教者列伝』のなかのこの話を朗読するとか、という話を聞いたことがあったんです……そのフランス人というのは、ロシアの統計学を専門に研究し……ロシアに長く住んだこともあるたいそう学識のある人物でした……わたし自身、『殉教者列伝』を読んだことはありません……いまさら読もうという気もありませんがね……だいいち、食事のときに何をしゃべるかなんて知れたものじゃありませんし……わたしたちはそのとき食事中だったんですからね……」

「おっしゃるとおり、あのときあなたは食事中だった、で、このわたしは信仰を失ったというわけです」フョードルがからかうような口ぶりで言った。

「あなたの信仰なんて、わたしの知ったことじゃない！」とミウーソフは叫びかけたが、ふいに思いとどまり、蔑《さげす》みをこめてこう言いはなった。「あなたって人はほんとうに、手に触れるものにはなんでも泥を塗る人だ」

長老が急に席を立った。

「失礼ですがみなさん、ほんの数分だけ中座させていただきます」。訪問者全員を見渡しながら、彼は言った。「あなた方よりも先に来られた人が待っておいでですので。それからあなた、やはり嘘はいけませんよ」フョードルのほうを振り返ると、長老はにこやかな顔でそう言い足した。

長老が庵室を出ると、アリョーシャと見習い僧は、階段から助けおろすために部屋を飛び出していった。アリョーシャは息が切れていた。部屋を出ていけるのはうれしかったが、長老が気分を害した様子もなく、ほがらかでいることもうれしかった。自分を待ち受けている人たちを祝福してやるため、長老は渡り廊下のほうへと向かった。ところがフョードルが、やはり庵室の戸口で長老を引きとめた。

「大聖人さま！」と、感情をこめて彼は叫んだ。「もう一度、お手に口づけさせてください！　いや、あなたとなら話ができますし、一緒にやっていけます！　わたしがいつもこんなぐあいに嘘をつき、道化を演じているとお思いですか？　そうじゃないんです。わたしはずっと、そう、あなたを試そうと思って、わざとあんな真似をしてみせたんです。わたしはずっと探りを入れていたんです。あなたと一緒にやっていけるものかどうか、とね。あなたは表彰状ものです。あなたとなら一緒にやっていけます。でも、これでもうしゃべるのはやめます。ずっと、口をつぐむことにします。肘掛椅子にすわったまま、黙っていることにします。お次は、さあ、ミウーソフさん、あなたがしゃべる番だ。今度は、あなたが、肝心な主役ってことです……十分間だけですよ」

3　信仰心のあつい農婦たち

修道院をとり囲む外壁につけられた木造の渡り廊下の下に、このときは女ばかり、およそ二十人が人だかりをなしていた。長老がやっとお出ましになるという知らせがあって、期待に胸をふくらませて集まってきたのだ。

身分の高い訪問者たちのために用意された別室で、やはり長老のお出ましを待ちかねていたホフラコーワ家の地主親子も、渡り廊下に出てきた。母と娘の二人連れだった。母親のホフラコーワ夫人は、いつも趣味のいい身なりをしている金持ちの婦人で、まだかなり若く、少し青ざめてはいるがたいへん愛らしい顔立ちであり、非常にいきいきとした、ほとんど真っ黒といってよい目をしていた。三十三歳になるかならないかながら、夫に先立たれてもう五年が経っていた。十四歳になる娘は、両足の麻痺《まひ》を患っていた。

気の毒にも、少女はすでに半年近く歩くことができず、細長い車椅子であちこち運ばれていた。病気のためにやや肉が落ちていたが、明るいすばらしい顔立ちをしていた。まつ毛の長い、黒くて大きな目には、どこかいたずらっぽい輝きがあった。

母親はこの娘を、すでに春先から外国に連れ出そうともくろんでいたが、夏に入ってから領地を整理する事情が生じ、出発はのびのびになっていた。親子が、巡礼のためというより仕事の用でこの町に滞在して、かれこれ一週間が経っていたが、すでに三日前にいちど長老を訪ねていた。長老がもう、ほとんどだれとも面会できないことを承知のうえでとつぜんここを訪ね、もういちど「大治療師をこの目にできる幸せ」を授かりたいと無理に頼み込んでいたのだ。

長老のお出ましを待つあいだ、母親は娘の車椅子のわきの椅子に腰を下ろし、彼女から二歩のところに年寄りの修道僧が立っていた。ここではなくはるか遠い北部の、あまり名の知られない修道院からやって来た僧だった。彼もまた、長老から祝福を受けたいと願っていた。

だが、渡り廊下に姿を現した長老は、まず平民のほうにまっすぐ歩み寄った。人だかりは、低い渡り廊下と前庭を結ぶ三段からなる表玄関に殺到した。最上段に立った長老は、肩衣をかけ、押し寄せてくる女たちに祝福を与えはじめた。ひとりの「おキツネさん」が、両手をとられ、そばに連れられてきた。女は長老を一目見るなり、わけのわからない金切り声をあげ、急にしゃっくりをしだし、ひきつけを起こしたかのようにぶるぶる体を震わせはじめた。長老が肩衣を女の頭にかぶせ、上から屈みこむようにして短いお祈りをとなえると、女はたちまち静かになり、落ち着きを取りもどした。

今はどうか知らないが、わたしが幼い頃は、あちらこちらの村や修道院で、時おりこうした「おキツネさん」の女たちを見たり、聞いたりすることがあった。彼女たちは礼拝式に連れてこられ、堂全体にひびきわたるほどの金切り声をあげ、犬のように吠えたりしたが、聖体が運ばれ、パンとワインのあるところに連れていかれると、たちまちのうちに「憑きもの」はおちて、病人はしばらくのあいだ落ち着きを取りもどしたものだった。子どものわたしはそれにつよく胸をうたれ、驚かされた。

しかしすでにそのころ、わたしの問いに対してほかの地主や、ことに町の先生方は、あんなものは働かずにすむよう仮病を使っているだけで、しかるべき厳格な措置を講じればいつだって根絶できるといった話をし、それを裏づけるいろんな小話まで持ち出してきたものだった。

ところがその後、わたしはそれがまったく仮病などではなく、どうやらとりわけロシアの農村の女性たちの悲惨な運命をものがたる、恐ろしい婦人病らしいということを医事の専門家たちから知らされ、驚かされた。その病気は、医師の手も借りられないまちがったやり方によるひどい難産を経験したあと、あまりに早く過酷な労働にもどることや、一般の例から言って、女性の性格によっては耐えがたくやり場のない悲しみ、暴力などによって生じるものらしかった。

不思議なことだが、狂乱してのたうちまわる女性が、聖体の近くに連れて行かれるだけでまたたくまに鎮まってしまう姿を、わたしはそれまで仮病であるとか、「教権派」がなかば勝手に仕組んだ手品だとか説明されてきた。

しかしこれも、おそらくごく自然なかたちで起こってきたことだろうし、そもそも狂った病人を聖体の近くに連れてくる百姓女や、何よりも病人自身が、聖体の近くに連れて行かれひざまずくだけで、取りついている悪霊がまったく耐えられなくなるということを確かな真理のように信じきっていた。だからこそ、聖体のまえで礼拝するときには、神経質で、むろん心も病んだ女性のなかでつねに、組織のすみずみにわたるけいれんのようなものが起こってきたのだ（起こって当然だった）。そのけいれんは、奇跡のおかげでかならず治癒は実現するという期待と、奇跡は起こるという完全な信念によってもたらされるものだった。そしてその奇跡は、たとえごく短時間でも起こることなのだ。それとまったく同じぐあいに、奇跡はいまも、長老が病人に肩衣をかけてやるとたちまちにして実現した。

長老のほうに群がってきた女たちの多くが、この一瞬の効果によって呼び覚まされた感謝と恍惚の涙に濡れていた。せめてその衣服の端にでも口づけしようと、ある者はわれがちに前に進み、またある者はなにやら涙声を上げていた。長老は一同に祝福を与え、何人かとは言葉を交わした。「おキツネさん」のことはすでに知っていた。修道院からせいぜい六キロほどのさして遠くない村の女で、以前にも長老のもとに連れられてきたことがあったのだ。

「おやおや、よくまた遠くから！」まだけっして年寄りというのではないが、ひどく痩せてやつれ、日焼けというよりむしろ顔全体がどす黒くなった女を、長老は指でさした。女はひざまずき、じっと動かない目で長老を見ていた。そのまなざしにはなにやら恍惚の色が浮かんでいた。

「ええ、遠くから、ほんとうに遠くから参りました。長老さま。ここから三百キロも離れた村です。遠くから、ほんとうに遠くからです、長老さま」女は右から左へと頭を横にゆったり波うたせ、片方の頰を手のひらで支えながら、まるで歌うように答えた。それは、泣きくどくような話しぶりだった。

民衆には無言の、忍耐づよい悲しみがある。その悲しみは、心のなかに入り込んだままひっそりと口をつぐんでしまう。しかし他方に、外に破れでてくる悲しみもある。その悲しみは、ひとたび涙となってほとばしりでると、その時から「泣きくどき」に変わるのだ。これは、ことに女性に多く見られる。だがその悲しみは、無言の悲しみより楽なわけではない。「泣きくどき」で癒されるには、まさに、さらなる苦しみを受け、胸が張り裂けることによるほかはない。このような悲しみは、もはや慰めを望まず、癒されないという思いを糧にしている。「泣きくどき」はひとえに、おのれの傷をたえず刺激していたいという欲求なのである。

「町人階級のお方ですか？」と、さぐるような目で女の顔を見つめながら、長老はつづけた。

「町の者でございます。長老さま。町の者でございます。出は農民ですが、町の者でございます。町に暮らしております。長老さま、あなたにお目にかかるためにまいりました。あなたのお噂をうかがったのです、長老さま。小さかった息子の葬式を済ませ、巡礼にまいったのです。三つの修道院を回り、こう指図されました。『ナスターシャよ、こちらにお寄りなさい』と。つまり、こちら、長老さま、あなたのところへ。昨晩はこちらの宿泊所のお世話になり、今日、こうしてまいりました」

「どうして泣いているのですか？」

「長老さま、死んだあの子がかわいそうでならないのです。三つでした。あと三ヶ月で三つになるところでした。あの子を思うとつらいのです、長老さま、あの子のことが。たった一人、生き残った子です。わたしとニキータとのあいだには子どもが四人おりましたが、でも、立って歩けるまでは育ちませんでした。長老さま、育たなかったのでございます。最初の三人の葬式を済ませたとき、わたしはそれほどかわいそうとは思わなかったのに、最後の子を葬ってからは、どうしても忘れることができないのです。まるであの子が目の前に立っているみたいで、消えていこうとしないのです。わたしの心はもう、すっかりひからびてしまいました。あの子の肌着や、シャツや、長靴を見ていると、ついつい泣けてくるのです。あの子の形見をひとつひとつ並べ、眺めてはまた泣き暮れるありさまです。夫のニキータにもいいました。ねえあんた、わたしを巡礼に出しとくれ、と。夫は辻馬車の御者をしておりますから、長老さま、けっして貧乏じゃありません。辻馬車は自営でやっていますし、馬も馬車もぜんぶ自前です。

でも、今となっては財産が何だというのでしょう。わたしがいなければ夫のニキータは酒を飲みだします。以前もそうでしたから、きっと飲むにちがいありません。わたしが目を離せば、あの人はすぐにがたがくるでしょう。でもあの人のことなんてもうどうでもいいのです。家出してからもう三月目《みつきめ》になります。わたしは忘れました。何もかも忘れてしまい、思い出したくもありません。それに今さら、あの人と暮らしてどうなるというのでしょう。あの人とは終わりました。何もかも終わりにしたのです。今となっては、自分の家も財産も二度と見たくありません、なんにも見る気になれないのです！」

「よいですか、母さんや」と長老が言った。「あるとき、昔の大聖人が聖堂で、神に召されたひとりっ子のわが子を思い、あなたと同じように泣き暮れている母親の姿をお認めになった。大聖人はおっしゃいました。『おまえは、神の前に出た子どもたちがどれほど物怖《ものお》じしないか知らないのか？　神の国にあって、子どもたちほどに怖れを知らぬものはいない。子どもは神にこんなことまで言うのだ。神よ、あなたはわたしたちに命を授けてくださいました。わたしたちがこの世を目にするやいなや、あなたはわたしたちからそれを取り上げ、元に戻されました。そう言って子どもたちは非常に厚かましく、自分たちにすぐに天使の位を授けてくれるように頼んだり、ねだったりするのだ』。で、大聖人は口にされたのです。『女よ、泣いていないで喜びなさい、おまえの子どもはいま、神のかたわらで大勢の天使の仲間たちと一緒にいるのだから』。大昔、大聖人は、泣いている女にこうおっしゃったといいますよ。その方は大聖人でしたから、女に嘘をおっしゃったはずはありません。ですから母さんや、わかってください。あなたのお子さんは、今ごろはおそらく神の前に立って、喜び、楽しみ、あなたのことを神に祈ってくれているということをね。あなたは泣くがいい、でもそれは喜びの涙なのですよ」

女は、片方の頬に手をあて目を伏せたまま、長老の話を聞いていた。それから深くため息をついて言った。

「ニキータも同じことを言って、わたしを慰めてくれました。あなたがおっしゃったのとそっくりそのままの言葉です。夫はこう言いました。『おまえもわからずやだな。どうして泣いたりするんだ。うちの子は今ごろきっと、神さまのおそばで天使たちと一緒に賛美歌を歌っているにちがいないのに』。わたしにそう言いながら、あの人も泣いているんです。わたしと同じように泣いているのがわかるんです。わたしはそこで言いました。『知っているよ、おまえさん。神さまのおそばのほか、いったいどこにいくところがあるっていうんさ。でもね、ここに、うちらと一緒に今いないじゃないか。前は、うちらのそばにあの子がすわっていたのに！』。せめて一度でいいから、あの子を見たいのです。たった一度でいいから、もう一度あの子に会いたいのです。あの子のそばに近づきもしません、何かを言ったりもしません。物陰に身をひそめてでもいい。せめて一分でも、あの子が中庭で遊んでいる姿を見たい、声が聞きたい。あの子はそばに寄ってきては、かわいい声でこう叫んだものです。『お母ちゃん、どこ？』。一度でいいから、あの子が子ども部屋をちっちゃな足でこっこっと歩きまわる音に、そっと耳をそばだてていたい、たった一度でいい。思い出すんです。あの子はしょっちゅう、わたしのところへ駆け寄ってきて、大声で叫んだり笑ったりしたものです。ああ、せめて一度だけでも、あの子の足音が聞けたら、あの子の足音だとわかったら！　でも長老さま、あの子はいません、いないんです。けっしてあの子の声は聞けないのです。ほら、これがあの子の帯ですけど、肝心のあの子はもういないのです。わたしにはもう二度とあの子に会うことも、あの子の声を聞くこともできないのです！……」

女は懐からモールのふち飾りを施した息子の小さな帯を抜きとったが、それをひと目見るなり、指で目をおおい、身を震わせながら号泣しはじめた。指のあいだからは、涙が小川のようにあふれ出てきた。

「でも、それはですね」と長老が言った。「それは昔の『ラケルが息子たちゆえに泣いている。彼女は慰めを拒む。息子たちはもういないのだから』というのと同じです。この地上には、あなたがた母親に対して、そうした仕切りが設けられているのです。だから、慰めを得たいなどと思ってはいけません、慰めを得てはならないのです。慰めを得ようとせずに、泣きなさい。ただし泣くときは、そのたびごとにたえず思い出すんです。あなたのお子さんは、神の天使の一人だということをね。お子さんはあなたのほうを見て姿をみとめ、あなたの涙を喜び、それを神さまに指で教えているのです。これからまだしばらく、母としてのあなたの大きな嘆きは消えないでしょうが、最後には静かな歓びに変わり、苦い涙はしずかな感動と、罪から心を救う浄化の涙となるのです。今からあなたのお子さんの安息をお祈りしてあげましょう。なんという名前でしたか？」

「アレクセイといいます。長老さま」

「かわいらしいお名前ですね。神の人アレクセイにあやかったのですか？」

「は、はい、神の人に、神の人、アレクセイにあやかりました、長老さま」

「なんて尊い子だろう！　お祈りをしてあげましょう。母さんや、お祈りでは、あなたの嘆きにも触れてあげましょう。あなたのご主人の健康も祈ってさしあげましょう。ただ、ご主人をひとりぼっちにしておくのは、罪ですよ。ご主人のもとに帰り、彼を大事にしてあげなさい。あなたが父親を捨ててしまったのを、お子さんがあの世から見たら、あなたがたのことを思って泣き出すでしょう。どうしてお子さんのあの世の幸せを壊そうとなさるんです？　お子さんは生きているのですよ。生きているんです。魂は永遠に生きているんです。ご自分の家にはいなくても、目には見えない姿で、あなたたちのそばにいるのです。あなたがご自分の家を憎んでいるとおっしゃったら、お子さんはどうして家に戻ってこられますか？　あなたがたご両親が一緒でないことを知ったら、だれのところに戻ればよいのです？　おっしゃったように、今はお子さんが夢に出てきて、あなたは苦しんでおられるけれど、家に戻れば、あの子も穏やかな夢を送ってくれますよ。母さんや、ご主人のもとにお帰りなさい。今日にも帰ってあげなさい」

「帰ります、長老さま、あなたのお言葉にしたがって帰ります。わたしの心のうちをすっかりわかってくださいました。ニキータ、わたしのニキータ、あんたはわたしを待っているんだね、待っているんだね！」女はまた「泣きくどき」を始めかけたが、長老はもう、巡礼者ふうでなく都会的な身なりをした、よぼよぼの老婆のほうに向き直っていた。

その目つきから、老婆には何か悩みごとがあり、何かを伝えるためにここにやって来ていることがわかった。自分は下士官の未亡人で、遠方からではなく、この町の近隣から来たと名乗った。どこか兵站部《へいたんぶ》のようなところに勤めていた息子のワーシャが、シベリアのイルクーツクに行った。そこから二度手紙を寄こしたきり、もう一年近く何も書いて寄こさない。息子の安否についていろいろ照会してみたが、じっさいどこに掛けあってみたらよいかさえ、わからないというのだ。

「ところが、ついこのあいだ、ステパニーダ・ベドリャーギナという金持ちの商人の奥さんが、わたしにこう言ったんですよ。ねえ、プロホロヴナ、いっそのこと息子の名前を過去帳に書き込んで、教会に持っていきなよ、供養をしてもらうのさ。そしたらきっと、息子さんの魂だってホームシックにかかって、手紙を書いてよこすわよ。ステパニーダが言うには、これは本当の話で、何度も試し済みなんだそうです。ただわたしにはそれが、どうも胡散臭く感じられて……長老さま、それってほんとうなんでしょうか、それとも嘘っぱちでしょうか。そんなことをして、よいものなんでしょうか？」

「そんなことを考えてはいけません。訊ねるのも恥ずかしいことです。じっさい生きている人の魂を、こともあろうに生みの親が供養するなど、どうしてそんなことができるのですか！　それは魔術にひとしい、たいへんな罪悪です。あなたの無知に免じて許されるにしても、ですよ。ですからあなたは、なにもかもすぐに守り救ってくださる聖母さまに、息子さんの無事息災を願い、自分の間違った考えを赦してくださるようにお祈りすることです。もうひとつ、あなたにいっておきますがね、プロホロヴナ。息子さんはまもなくあなたの許に戻ってくるか、きっと手紙を書いて寄こしますよ。そのように考えていなさい。さあ、お行きなさい。そしてこれからは穏やかな気持ちでいなさい。あなたの息子さんは生きています。まちがいありません」

「わたしらの長老さま、あなたさまにどうか神のお恵みがありますように。あなたさまはわたしらの恩人です。わたしらみんな、わたしらの罪のために祈ってくださいますし……」

長老はすでに、燃えるような目でひたとこちらを見つめている二つの目に気づいていた。まだ若いながら、すっかり疲れはてた様子で、見るからに結核らしい農婦だった。農婦は何もいわずに見つめ、その目は何かを請いねがっていたが、長老のそばに近づくのを恐れているような様子だった。

「そこの人、どうされましたか？」

「長老さま、どうかわたしの魂をお赦しください」女は低い声で、慌てずにそう言うと、ひざまずいて長老の足もとにひれ伏した。

「罪をおかしたのです、長老さま、自分の罪が恐ろしいのです」

長老が下の段に腰をおろすと、女は、ひざまずいたままにじり寄った。

「夫をなくして、足かけ三年になります」農婦は、震えがとまらない様子で、ささやくような声で話しはじめた。「それはもうつらい夫婦生活でした。年よりの夫はわたしをひどく痛めつけたのです。夫は病気で床についていました。その姿を見て、わたしは思ったのです。体がよくなって、また起きられるようになったらどうしようかと。そのとき、わたしのなかにあの恐ろしい考えが浮かんだのです」

「お待ちなさい」と長老は言い、自分の耳をそのまま女の口もとに近づけた。女は低いささやき声で話を続けたので、ほとんど何も聞きとることができなかった。女はまもなく話を終えた。

「三年目ですか？」と長老は訊ねた。

「はい、三年目です。はじめのうちは思い悩むこともなかったのですが、このごろ体調がすぐれなくなってから、どうにも滅入ってしかたないのです……」

「遠くからいらしたのですか？」

「ここから五百キロほど向こうです」

「懺悔はなさったのですか？」

「しました。二度も話しました」

「聖体は許されたのですか？」

「許してもらいました。わたし、怖いんです。死ぬのが怖くて」

「何も恐れることはありません。けっして恐れることもありませんし、思い悩むこともないのです。あなたのなかで悔いの念が涸れることさえなければ、神さまは何もかも赦してくださいます。そう、この地上には、真剣に悔いあらためているものを神さまがお赦しにならないほどの罪などありませんし、あるはずもないのです。尽きることのない神の愛を涸れさせてしまうほど大きな罪など、人間に犯せるはずがないのです。それとも、神の愛を超えるような罪が存在しえるとでもいうのでしょうか？　絶えることのない悔いの念にだけ心をくばり、恐れの気持ちなどすっかり追い払ってしまいなさい。信じることとです。神さまは、あなたの考えもおよばないぐらいあなたを愛している。たとえあなたが罪に染まり、罪にまみれようと神は愛してくださるということを。昔から言われています。天国では、悔い改める一人の人間にまつわる喜びのほうが、十人の心正しい人々に対する喜びよりも大きいとね。

さあ、お行きなさい。恐れることはありませんよ。世の人々のことなど気にしてはなりません、侮辱に対しても怒らないことです。亡くなったご主人から受けた辱めはすべて水に流し、心から和解なさい。悔いているのなら、愛することです。愛してやれば、あなたはもう神のものです……愛によってすべてはあがなわれ、すべては救われるのです。あなたと同じように罪深い人間であるわたしが、あなたに感動し、あなたを憐れんでいるのですから、神さまならなおのことですとも。愛というのは、全世界を買いとることができるくらい、限りなく価値ある宝物なのです。ですから、たんに自分の罪ばかりか、他人の罪もさらにあがなうことができるのです。さ、お行きなさい。恐れてはなりません」

長老は、女のために三度十字を切ってやり、自分の首から小さな聖像をはずすと、それを女の首にかけてやった。女は何もいわず、地面にまでとどくほど低く一礼した。長老は軽く腰をあげると、両腕に乳飲み子を抱えた健康そうな農婦のほうを、嬉しそうに見やった。

「ヴィシェゴーリエから参りました。長老さま」

「それでもここから六キロほどありますね。赤ちゃんと一緒では、さぞお疲れになったことでしょう。で、どんな悩みなのですか？」

「あなたさまを一目みるために参ったんですよ。以前にもなんどか伺ってますが、お忘れになったのかしらね？　わたしのこと覚えてないっていうと、長老さまの記憶力もたいしたもんじゃございませんね。ご病気になられたって噂を耳にしたもんで、それならよし、出かけてってお目にかかろうと考えたわけでして。ところがお見受けしたところ、どこがご病気なもんですか。これから先、ま、二十年は生きられますよ、ほんとうに。どうかお達者でいてください。それに、あなたさまのことをお祈りしている人はたくさんいますからね。なんで病気になんかなるもんですか！」

「いろいろありがとうよ」

「ところで、ちょいとお願い事があるんですけど。ほら、ここに六十コペイカあるでしょうが。これを、長老さま、わたしより貧しい女の人に恵んでくださいな。ここに来るとき考えたんですよ。長老さまの手から差し上げたほうがいいってね。だって、長老さまは、だれにあげたらよいかご存知なんだから」

「ありがとう、ほんとうにありがとう。あなたは、やさしくてよいお人だ。あなたのことが好きになりましたよ。かならず約束は果たしますからね。抱いているのは女の子ですか？」

「女の子です。長老さま。リザヴェータっていいます」

「あなたと、赤ちゃんのリザヴェータの二人に神の祝福がありますように。母さんや、あなたのおかげでわたしの心もすっかりなごみました。さようなら、みなさん、さようなら、尊い信者のみなさん」

長老は一同に祝福を与え、深々とお辞儀をした。

4　信仰心の薄い貴婦人

地主夫人は、長老と民衆のやりとりや、祝福を与える長老の姿の一部始終を食い入るように見つめながら、静かに涙をながしハンカチでぬぐっていた。その上流婦人は感じやすい、多くの面で心から善良な性格を持っていた。長老がやっと自分に近づいてくると、婦人は感きわまった様子で迎えた。

「先ほどの感動的な光景を見ていましたら、わたし、もうどうにも堪《こら》えきれなくて……」。興奮のあまり、彼女はしまいまで言い切ることができなかった。「ああ、人々があなたを愛していることはよくわかりますし、わたし自身もあの人たちを愛していますし、愛したいと願っているのです。そう、あの人たちを愛さずにはいられない。ほんとうにすばらしい、純真このうえないロシアの民衆を愛さずにおれません！」

「娘さんのお体の具合は？　もう一度、わたしとのお話を望まれたわけで？」

「ええ、わたし、無理にお願いを聞いていただいたのです。お目通りいただけるまでは、たとえ三日でもあなたのお部屋の窓の下にひざまずいて、座りこみをつづけるつもりでおりました。大長老さま、わたしたちがここにまいりましたのは、感謝の念に高ぶっているこの気持ちを、すっかりお伝えするためなのです。なにしろうちのリーズをすっかりお治しくださったのですから。それも、木曜日にこの子のためにお祈りをしてくださり、あなたのお手をこの子の頭の上に置いてくださっただけで。わたしどもはもう、長老さまのそのお手にキスをし、わたしどものこの思いと感謝の念を汲んでいただきたくて、こうして大急ぎで参ったのです！」

「病気が治ったですと？　まだ車椅子に寝てらっしゃるではないですか？」

「いいえ、夜のけいれんはもうすっかり治まりました。この木曜日からすでに二昼夜になります」貴婦人は神経質そうに、あわててそう言い添えた。「そればかりか両足もしゃんとしはじめたんです。今朝ほどはもう元気に起きだしました。ひと晩ぐっすり休むことができて、見てください、血色のよさや、いきいきした目を。これまでずっと泣きっぱなしでしたのに、今はもう楽しげで、嬉しそうに笑ってばかりです。今日などは両足で立たせてといってきかず、人に助けてもらわずに、まる一分も自分で立っていました。二週間後にはカドリールを踊るからといって、わたしと賭けをしているんです。わたし、この土地でお医者さんをしているゲルツェンシトゥーベさんに来てもらいました。彼は、肩をすくめてこういうんです。こりゃあ驚いた、腑に落ちんって。なのに、わたしたちが邪魔をしにこなければいいとか、わざわざここまで飛んでこなくてもいい、お礼を言いに来なくたっていいのにっておっしゃいますの？　リーズ、きちんとお礼をいいなさい、お礼を！」

リーズの可愛らしい笑顔が急にまじめになり、車椅子からできるだけ腰を浮かせると、長老を見やり、その前で両手を合わせたが、どうにも堪えきれない様子でふいにげらげら笑いだした……。

「笑ったのはね、あの人のことよ、あの人のこと！」がまんできず笑いだした自分がいまいましいといった、いかにも子どもらしい表情を浮かべて、彼女はアリョーシャを指さした。このとき、長老の一歩後ろに立っていたアリョーシャの顔を見たものがあれば、一瞬のうちに差しこんだ頰の赤味を見のがさなかったろう。彼はきらりと目を光らせると、そのままうつむいてしまった。

「アレクセイ・カラマーゾフさん、この子、あなたへの用事をことづかっていますの……お元気でした？」と母親がアリョーシャのほうに急に顔を向け、粋な手袋をはめた手を彼に差しだした。長老はふいにふりかえって、注意深くアリョーシャを見やった。アリョーシャはリーズのほうに近づいていくと、なにか奇妙な、間の悪そうな含み笑いを浮かべて彼女に手を差しだした。リーズは急にしかつめらしい顔になった。

「カテリーナさんがこれを渡してほしいんですって」リーズはそういって、小さな書きつけを差しだした。「自分のところに寄ってほしいんですって、それも、できるだけ早く。すっぽかしたりしちゃだめ、絶対に来てくださいって、たってのお願いのようよ」

「あの人が来てほしいですって？　あの人のところに、このぼくが……いったいどうして？」ひどく面食らった様子でアリョーシャがつぶやいた。その顔がにわかにかき曇った。

「いえいえ、これはみんな、ドミートリーさんに関係することですわ……それと、最近のいろんなごたごたにね」母親があわててくちばしを入れた。「カテリーナさんは今、ある決心をなさろうとしているんです……でも、それにはぜひともあなたにお会いしなければならないんです……なぜかって？　わたしもむろん存じませんが、でも、できるだけ早くって頼んでらしたわ。ですから、あなた、ぜひ、そうしてくださいね、きっとですよ。だってこれは、キリスト教的な感情が求めていることなんですから……」

「でも、あの人とは、いちどしかお目にかかったことがないんです」アリョーシャはなおも当惑した様子でつづけた。

「あの方はほんとうに気高い、雲の上の人よ！　……あの人が嘗《な》めた苦しみひとつを見ても……考えてもごらんなさいな。これまであの人がどんなに耐え、今もどんなに耐えしのんでいるか、それにこの先、どんなことがあの人を待ち受けているか……何もかも恐ろしい、恐ろしいのひとことです！」

「わかりました、うかがいます」謎めいた短い書きつけにさっと目を通してから、アリョーシャはそう返事した。その書きつけには、来てほしいという切なる願いのほか、何ら説明はなかった。

「まあ、なんて親切で立派な行いでしょう」全身にわかに元気づいたリーズが、そう叫んだ。「だって、ママにわたし、こう言ってたの。あの人、どんなことがあっても、行かないわ。修行中の人なんですからって。あなたってなんてすばらしい人なの！

あなたはすばらしい人って、ずっと思っていたわ、だからいま、それが言えて、わたし、うれしい！」

「リーズ！」たしなめるような声で母親が言ったが、それでもついにっこり微笑んでしまった。

「カラマーゾフさん、わたしたちのことすっかりお忘れになったのね。ぜんぜん家に寄ってくださらないじゃない。でもリーズったら、気分のよいのはあなたと一緒にいるときだけって、もう二度もわたしに申しておりますのよ」

アリョーシャは伏せていた目を上げると、急にまた顔を赤らめ、自分でもなぜかわからないまま、ふいに薄笑いを浮かべてしまった。しかし、長老はもうアリョーシャのほうを見ていなかった。先ほど述べたように、リーズの車椅子のそばで長老のお出ましを待っていた、例の遠来の修道僧と話をはじめていたのである。

それは見たところごくありふれた修道僧、ということはつまり平民出の修道者で、単純なゆるぎない世界観を持ちながら、それなりに頑固な信者らしかった。修道僧は、はるか遠い北国の町オブドールスクにある、わずか九人の修道僧が暮らす貧しい修道院、聖シリヴェストル寺院から参りましたと自分を紹介した。長老はこの僧を祝福すると、いつでもご都合のつくときに庵室にお立ち寄りくださいと言った。

「どうして、あんな大それたことをされるのです？」諫《いさ》めるような、ものものしい態度でリーズを指さしながら、修道僧は尋ねた。彼はリーズの「全快」のことを仄《ほの》めかしていたのだ。

「そのお話をするのはむろん早すぎます。楽になったからといって全快を意味するわけではありませんし、ほかの理由でも起こりえることですからね。でも何かがあったのだとすれば、それは神のおぼしめし以外の何ものの力でもないのです。すべて神のおぼしめしなのです。すぐにお訪ねくださいい、神父さん」と長老は、修道僧に向かって言い添えた。「なにしろ、いつでもというわけにはまいらないのです。病気をしておりまして、余命も尽きようとしているのがわかるのです」

「とんでもありません。わたしたちからあなたを奪うようなこと、神さまはなさるわけがありません。あなたはこれからも、もっともっと長生きされます」母親が声を上げた。「でも、いったいどこがお悪いんです？　見たところとてもお元気そうで、楽しそうで、お幸せそうですけど」

「今日はいつになく気分がよいのです。でも、これもほんのつかの間のことだとわたしにはわかっています。自分の病気がなんであるかぐらい、きちんと理解していますからね。わたしがとても楽しそうに見えるとしたら、そうおっしゃってもらえるほど喜ばしいことはありません。なぜかというと、人々が造られているのは幸せのためですし、ほんとうに幸せな人間は自分に向かって『わたしはこの地上で神の教えを守った』と胸をはることができるからです。すべての心正しい信者、すべての聖人、すべての聖なる殉教者が、一人のこらず幸せだったのです」

「ああ、なんというお言葉でしょう。なんて勇ましい、なんて気だかいお言葉でしょう」母親が叫んだ。「あなたのおっしゃる言葉のひとつひとつが、わたしの胸に突き刺さってくるようです。でも、それにしても幸福っていったい、どこにあるのでしょう？　自分のことを幸せだと、だれが言えるでしょう？　ああ、あなたは今日ほんとうにご親切に、もういちどお目どおりを許してくださいました。それでしたらどうか、この前しまいまで言い切れなかったことを、勇気がなくて言えなかったことを、わたしがもうずっと以前から苦しんでいることを、残らず聴いていただきたいのです！　わたしは苦しんでいます、どうかお赦しください、わたしが苦しんでいるのは……」

そう言いながら、彼女は、なにか激しい感情の発作にかられ、長老の前で両手を合わせた。

「それはいったい何なんです？」

「わたしが苦しんでいるのは……不信です」

「神に対する不信ですか？」

「いえ、そんな、滅相《めっそう》もありません。そんなこと考えることもできません。でも来世が、わたしにはたいへんな謎なんです！　だれ一人、ほんとうにだれ一人、これに答えてくれないのです！　聴いてください！　あなたはどんな病いも治してくださる、人間の魂の専門家でいらっしゃいますよね。むろん、あなたに完全に信じてもらえるなどと大それたことをいうつもりはございませんが、わたし、どんな言葉を用いてでも、あなたに納得していただきたいのです。わたしが今こうしてお話をしているのは、けっして軽はずみな気持ちからではないということです。わたしはもう、来世での生活という考えに、苦しいほど胸をかき乱されているのです。ほんとうに恐ろしいほど、呆れるぐらい……それに、だれにすがってよいかわからず、これまでずっと勇気も持てず……今になってようやく、あなたにお話をうかがってみようという気になったのです……ああ、どうしましょう。あなたはこれから、わたしのことをどんな女だとお思いになるのでしょう！」そう言って彼女はぴしゃりと両手を打ちあわせた。

「わたしの考えなど、気になさらないでください」と長老は答えた。「あなたの悩みが誠実なものであることは、わたしも十分に信じていますから」

「ほんとうにありがたいお言葉！　でも、わたし、ときどき目を閉じてこんなことを考えるんです。だれもが信仰をもっているとしたら、どうしてそういうことになったのだろうかと？　なかには、すべては初め、恐ろしい自然現象に対する恐怖の念から生まれたもので、来世も何もないって主張する人がいます。でも、ずうっと来世を信じつづけてきたのに、じつは死んだらそれっきりもう何もなくて、ある作家の本で読んだみたいに、『墓の上には山ごぼうが生えるだけ』だったとしたら、どうなるのでしょう。恐ろしいことです！　どうしたら、信仰を取りもどすことができるのでしょうか？

といっても、わたしが信仰を持っていたのはほんの子どもの頃で、なにも考えないで、ただ機械的に信じていたのです……いったいどうしたら、ほんとうにどうしたらこれが証明できるのか、わたしがここにまいりましたのは、あなたの前にひれ伏して、このことを伺うためだったのです。だって、もしも今日のこの機会をのがしてしまったら、もう一生だれも答えてはくれませんもの。いったいどうしたら証明できるんです。どうしたら確信できるんです！　ああ、わたしはなんて不幸なんでしょう！　こうして立ってまわりを見まわしてみても、だれもが、ほとんどだれもがそんなことはどうでもいいという顔をしていて、気にかけている人などいないのに、わたし一人だけそれががまんできないでいる！　これはもう死ぬほど耐えがたいことです。ほんとうに耐えがたいんです！」

「それは疑いもなく耐えがたいことです。でも、さしあたり証明するすべはなくても、確信することはできますよ」

「どうして？　どうやって？」

「実践的な愛をつむことによってです。自分の隣人を実践的に、そして怠りなく愛するよう心がけてください。愛することに少しずつ長けるにつれ、神が実在することも霊魂が不滅であることも、確信できるようになります。隣人に対する愛が、もしも完全な自己犠牲に達することができたら、そのときはもう確実に信じきるようになり、どんな疑いもあなたの魂に忍びよることなどできません。これはすでに試されてきたことです。たしかなことなのです」

「実践的な愛、ですか？　でも、これがまた問題なんです、大問題なんです！　だってそうでしょう。わたし、自分の財産をぜんぶ投げ出し、リーズとも別れ、看護婦になろうかって空想することがあるくらい、人類愛に燃えているんですよ。目を閉じて、あれやこれや考えたり、空想したりする。するとそういう瞬間、何かこう抑えがたい力を自分のなかに感じるんです。どんな傷口にも、どんなにただれた潰瘍にもひるまない、自分の手で包帯を替えたり傷口を洗ったり、苦しんでいる人たちに付き添ったり、そう、ただれた傷口にだってキスできるとまで……」

「あなたのお知恵がほかでもない、そういったことを空想されているなら、もうそれだけで十分すぎますし、結構なことです。いやいや、何かふとしたはずみで、じっさいに立派なことをなしとげられるときがあるでしょう」

「だとしても、そんな生活にわたし、長く耐えていけるんでしょうか?」夫人は熱をこめ、ほとんど無我夢中のまま話しつづけた。

「これがいちばん肝心な問題なんです! これがいろんな問題のなかで、もっとも悩ましいところなんです。目を閉じて自問してみるんです。おまえはほんとうにこの道に長く耐えていけるのかって。自分に傷口を洗ってもらっている病人が、すぐにお礼の言葉を返してくれず、かえって気まぐれな言葉でわたしを苦しめたり、わたしの人道的な奉仕になど目もくれなければ尊重もせず、わたしをどなりつけたり、乱暴な要求をつきつけたり、上司に告げ口をするようなことがあったら(非常に苦しんでいる人の場合によく起こることですが)、そのときはどうするのか? それでもわたしの愛はつづくのか、つづかないのか? そしてとうとう……いいですか、わたしは身ぶるいしながら、こういう結論にたどりついたのです。もしもわたしのこの『実践的な』人類愛をすぐにも凍りつかせてしまうものがあるとしたら、それはただひとつ、恩知らずの行為でしかないと。要するに、わたし、賃金目当ての労働者と同じなんです。すぐにも賃金を支払ってもらいたい、つまり、自分に対する賞賛を、愛に対する報いを愛で支払ってもらいたいんです。そうでなければ、だれも愛することができないんです！」

夫人は、このうえなく真摯な自責の念にかられていたので、話を終えると、挑戦的なきっぱりした態度で長老を見やった。

「だいぶ以前のことですが、それとよく似たことを、ある医者がわたしに話してくれましてね」と長老が口をはさんだ。「すでに年もいっていて、文句なしに頭のよい人でした。その方が、あなたと同じように率直に話してくださったのです。冗談まじりに、といっても、けっして笑える話ではありませんでしたがね。その人が申すには、わたしは人類愛に燃えているが、自分で自分に呆れることがある。というのも人類一般を好きになればなるほど、個々の人間を、ということはつまり一人一人を個々の人間として愛せなくなるからだ、と。自分は夢のなかで、人類への献身という狂おしい考えにたどりつき、何かの機会に不意に必要が生じれば、じっさいに人々のために十字架にかけられてもいいとまで思うと申すのです。そのくせ、同じ部屋でだれかととともに過ごすことは、たとえ二日でも耐えられない、それは経験でわかる。だれかが自分の近いところにいると、それだけでもうその人の個性に自尊心をつぶされ、自由を圧迫されてしまう。どんなによい人でも、自分は一昼夜のうちに相手を憎みだしてしまうかもしれない。ある人は食事がのろいから、またある人は鼻かぜをひき、しょっちゅう鼻をかんでばかりいるからといって。

また、こうも申すのですよ。人がわたしに少しでも触れるがはやいか、自分はその人の敵になってしまう。でもそのかわり、個々の人間にたいする憎しみが深くなるにつれ、総じて人類に対する愛はいよいよはげしく燃えさかるとね」

「でも、いったいどうしたらよいのでしょう？　そういう場合、どうすればよいのでしょう？　だとしたらもう、絶望するほかないでしょうか？」

「いいえ、そんなことはありません。あなたがそれを嘆いているということだけで十分なのです。できることをなされればよいのです。そうすれば、それだけの報いはあるのです。あなたはもうたくさんのことをなさっている。なにしろ、それぐらい深く真剣に自分を知ることができたのですからね！　あなたがさっき、あれほど心をこめてわたしに話したことが、もしも自分の誠実さをわたしに褒めてもらうためだけのものだとしたら、実践的な愛という行いの点で、むろん何も達成できないでしょう。結局のところ、何もかもたんなるあなたの夢で終わり、人生はまぼろしのように過ぎ去ってしまいます。そのうち、来世での生活のことも忘れ、しまいにはなんとなく自分に安住しておしまいになることが目に見えています」

「返す言葉もなにもありません！　いま、この瞬間になってわたしはやっと悟りました。感謝されないことに堪えられないとさっき申し上げたとき、わたしはじっさい、あなたがおっしゃったとおり、自分の誠実さを褒めていただくことばかり期待していました。あなたはわたしに、自分がなんであるかを教えてくださいました。わたしをとらえ、わたしにわたしの正体を説明してくださったのです！」

「本心でそうおっしゃっているのですね？　あなたがそれだけ告白なさったのですから、わたしも信じることができます。あなたが真摯な方で、善良な心の持ち主であるということです。たとえ幸せにたどりつけなくても、自分の道はまちがっていないということを、忘れずにいるのですよ。そして、その道からはずれないように努力するのです。大切なのは、嘘を避けることです。どんな嘘も、とくに自分自身に対する嘘は。自分が嘘をついていないか観察し、一時間ごと、いや一分ごとに、自分の嘘を見つめるのです。そして相手が他人であれ自分であれ、人を毛嫌いするということは避けなさい。自分のなかで忌まわしいと思えるものは、それに気づくだけでも浄化されるのですから。恐れるということも避けなさい。もっとも、恐怖というのはありとあらゆる嘘の結果にすぎませんがね。

実践的な愛を成就しようというときに、ご自分の小心さをけっして恐れてはなりませんよ。そのとき、あなたがよくない行いをしても、さして怯えるに足りないことです。あなたに何ひとつ慰めとなる言葉をかけられないのが残念ですが、実践的な愛というのは空想的な愛とくらべて、なにぶんにもじつに残酷で恐ろしいものだからですよ。空想的な愛は、すぐに満たされる手軽な成功を求めて、みんなに見てもらいたいと願うものです。そうなると、成功に手間ひまかけないで、舞台みたいに少しでも早くなしとげてみなの注目を浴び、褒められたい一心から、自分の命まで投げ出してしまうことになりかねません。

それに対して実践的な愛というのは、仕事であり忍耐であって、ある人に言わせれば、これはもう立派な学問といえるものかもしれない。しかし、あらかじめ申しておきますよ。どんな努力にもかかわらず、たんに目標に近づけないばかりか、むしろ目標が自分から遠のいてしまったような気がして、ぞっとする思いで自分を省みるような瞬間さえ、——いや、まさにその瞬間に、もういちど申し上げますよ、あなたはふいに目標に到達し、つねにあなたを愛し、ひそかにあなたを導いてきた神の奇跡的な力を、自分の身にはっきり見てとることができるのです。お許しください、向こうで人が待っておりますもので、これ以上あなたとご一緒できません。ではまた」

夫人は泣いていた。

「リーズ、リーズ、どうか、この子に祝福を与えてくださいませ。どうか、祝福を！」そういって彼女は急に立ち上がった。

「いいえ、あなたのお子さんは愛に値しません。この目で見ていたんですから。ずっとふざけどおしだったのを」冗談まじりに長老は言った。「どうして、アレクセイをからかってばかりいたのです？」

リーズは事実、ずっといたずらに夢中だった。彼女はすでに前から、つまりこの前顔をあわせたときから、自分をみるとアリョーシャがひどくどぎまぎし、なるべくこちらと目をあわせないようにしているのに気づいた。彼女にはそれがひどくおもしろくて、相手の視線をとらえようとじっと身構えていた。するとアリョーシャは、自分にそそがれる視線に堪えきれなくなり、あらがいがたい力に屈して、自分からふいに彼女にちらりと目をやる。すると、彼女は勝ち誇ったような笑みを浮かべ、彼のほうにまっすぐ視線を向けてくるのだった。

アリョーシャは、またどぎまぎして、ますます腹立たしくなった。ついに彼女からすっかり顔をそむけ、長老の背中にすっぽり隠れてしまった。それから数分経ち、彼はまた前と同じあらがいがたい力に惹きこまれ、自分を見ているかどうか確かめようと彼女のほうを振り返った。リーズは、車椅子からほとんど身を乗り出すようにして横から首を出し、彼がこちらを振り返るのを一心に待ち受けているのがわかった。そして彼の視線をとらえるとまた大声で笑いだしたので、長老も耐えきれずにこう言ったのである。

「どうしてこの人にそう恥ずかしい思いをさせるのです、おてんば娘さん！」

リーズはまったく思いもかけず顔を赤らめ、きらりと目を輝かせると、おそろしくまじめな顔つきになった。そして今度は熱っぽい腹だたしげな訴えをこめて、いらだたしげに早口で話しはじめた。

「だったら、どうしてあの人はぜんぶ忘れちゃったの？　ちっちゃなあたしを抱っこしてくれたり、一緒に遊んでくれたりしたのに。だって、あたしに読み書きを教えに来てくれたのはあの人よ。長老さまはそのことをご存知でおっしゃるの？　二年前、さようならしたとき、あの人、ぼくたちは永遠の友だちだよ、永遠の友だちだからね、ぜったいに忘れないからって言ってくれたわ。なのに、あの人、いまになって急にあたしのこと怖がりだして。あたしがあの人のこと、取って食べちゃうとでも思ってるのかしら？　どうしてそばに寄ってくれないの、どうしてお話ししてくれないの？

どうしてうちに来たがらないのかしら。あなたがあの人のことを離さないの？　だってあの人が自由に出歩いていること、あたしたち、ちゃんと知ってるのよ。あたしのほうからあの人を呼びつけるのは失礼ですからね、もしも忘れてないんだったら、あの人が先に思い出してくれなくちゃいけないはずよ。だめよね、だってあの人、いま修行中なんですもの！　でも長老さまは、なんだって、あんな裾長《すそなが》の服を着せたりなさったのかしら……走ったら転んでしまうじゃないの……」

そして彼女は、急にこらえきれなくなって手で顔をおおうと、おさえられない様子ではげしく笑い出した。いつもの、神経質で息の長い、体を震わすようなしのび笑いだった。

長老は微笑みながら彼女の話を聴き終えると、優しさをこめて十字を切った。ところが、長老の手にキスをしながら、彼女はいきなりその手を自分の目に押し当て、泣きくずれた。

「あたしのことどうか怒らないで。あたし、ほんとうにばかなんです。なんの値うちもないんです……アリョーシャのほうが正しいんです。こんなおかしな子ですもの、うちに来たがらなくたって、ほんとうにむりもないんです」

「いや、かならず行かせますよ」長老は断言した。

5　アーメン、アーメン

長老が庵室を留守にしていたのは、二十五分ほどだった。十二時半をすでに過ぎていたが、一同がこうして集まるきっかけとなった当のドミートリーの姿はまだなかった。しかしみんなは、ドミートリーのことなどほとんど忘れてしまったかのようだった。というのも、長老がふたたび庵室に入ってきたとき、客人たちのあいだではたいそう活発な議論が交わされていたからである。

議論に加わっていたのは、第一にイワン・カラマーゾフと二人の修道司祭だった。その議論にはどうやらミウーソフも、ひどく熱心にくちばしを挟んでいたようだが、またしても彼はつきに見放されていた。彼はどうやら脇役に置かれ、ろくに返事もしてもらえないありさまで、せっかく雰囲気も改まったというのに、彼の積もりに積もる苛立ちは強まるいっぽうだった。要するに彼は、以前にもイワンといくらか知識を競いあったことがあり、相手からぞんざいな態度を見せられると、もう冷静な気持ちではいられなかったのである。

《少なくともこれまでは、われわれがヨーロッパにおけるすべての先進的部分の頂点に立ってきたのに、この新しい世代ときたら、われわれのことなどはなから無視してやがる》彼は腹のなかでそう考えていた。

椅子に座り、おとなしくしていると自分から誓ったフョードルは、約束どおりしばらく口をつぐんでいたが、終始薄笑いを浮かべながら、隣りに座っているミウーソフを観察し、その苛立ちぶりを見て喜んでいる様子だった。フョードルはもうかなり前から、彼になんとか一矢を報いるつもりでいたので、いまの好機を逸したくなかった。ついにこらえきれなくなって、彼は隣りのミウーソフの肩に顔を寄せ、小声でもう一度からかった。

「さっきの『いとおしげに接吻した』のあとそのまま帰らずに、こんな無作法な連中と居のこる気になったのはなぜでしょうね？　それはですねえ、ご自分が足蹴にされ、侮辱されたと感じたからですよ。その仕返しに、ご自分の頭のよさを見せつけてやるために居のこったというわけです。こうなったからには帰ろうにも帰れませんな。頭のいいところを連中に見せてやれるまではね」

「またまた嫌味ですか。冗談じゃない、すぐにも帰ってみせますよ」

「いやいや、帰るのはあなたがいちばん最後ですって！」フョードルは、もう一度ちくりとやった。長老が戻ってきたのはまさにその瞬間だった。

議論は一瞬やんだが、長老はもとの席に腰をおろすと、どうぞ議論をつづけてください、歓迎しますとでも言わんばかりに一同をぐるりとみわたした。長老のありとあらゆる顔色の変化にほぼ通じているアリョーシャは、長老がひどく疲れきり、辛うじて自分を抑えているのをはっきりと見てとった。最近では体力の消耗のため、長老はよく失神することがあった。失神の前とほぼ同じような蒼白さが、いまも彼の顔に広がり、唇は血の気がなかった。しかし、彼はあきらかにこの会合をお開きにしたくない様子だった。おまけに、どうやら彼にはなにがしかの目的があるらしかった……ではどんな目的だったか？　アリョーシャは一心に長老を見まもっていた。

「この方が書かれた非常に面白い論文について、あれこれ話し合っているところです」図書係をつとめる修道司祭のヨシフが、長老に向かってそう言い、イワンを指差した。「いろんな新しい説が述べられているのですが、肝心な理念が、どうもあいまいでして。教会的社会裁判とその権限のおよぶ範囲に関する問題についての本を書いたある聖職者に対し、この方は雑誌論文のかたちで反論しておいでなのです……」

「残念ながらあなたの論文はまだ読んでおりませんが、話だけは耳にしております」

鋭い食い入るような目でイワンを見つめながら、長老は答えた。

「この方は、非常に面白い論点に立っておられます」図書係の神父がつづけた。「どうやら教会的社会裁判の件について、国家からの教会の分離を全否定なさっておられるようなのですよ」

「それはなかなか面白い、でも、それはどんな意味でですか？」長老はイワンにたずねた。

ついに長老に答えるときがきた。しかしその口調は、アリョーシャが前夜案じていたような慇懃無礼なものではなく、配慮も十分に行きとどいたごく謙虚で控えめなものので、どうやら少しも下心などはない様子だった。

「ぼくはこういう前提から出発しているのです。二つの要素の混合、つまり教会と国家という二つの別々の本質が混じりあっている状態は、もちろん永久に続くだろうという前提です。ただし、その状態はありうべからざるものですし、そもそも問題の根底そのものに嘘が潜んでいるのですから、この混合をたんにノーマルな状態どころか、まがりなりにも同意できる状態に導くことなど絶対にできないのです。たとえば、裁判のような問題で国家と教会がなんらかの妥協を行うといったことは、ぼくに言わせると、その完全かつ純粋な本質からしてありえないことです。ぼくが反論した聖職者は、教会は国家のなかで一定の正しい位置を占めていると主張しています。しかしぼくはそれとは逆に、教会こそみずからのなかに国家全体を含むべきであって、国家のなかの一部分を占めるだけであってはならない。たとえそれが今なんらかの理由で不可能であっても、本質において、国家は明らかにキリスト教社会の今後の全発展の、直接的でもっとも重要な目的として提示されるべきだと反論したのです」

「まったくそのとおりです！」無口ながら学識ある修道司祭のパイーシー神父が、いらだたしげにきっぱり言い放った。

「そんなもの、まぎれもない法王全権論《ウリトラモンタンストヴォ》じゃないですか！」じれったそうに足を組みかえてから、ミウーソフが一声、叫んだ。

「いいえ、ロシアに法王なんていませんよ！」ヨシフ神父がそう声をあげ、長老のほうに向かって言葉をつづけた。「で、この方は自分の論敵である聖職者の、いいですか、次のような『根本的にしてかつ本質的な』命題に答えているのです。一『すべての社会的団体は、そのメンバーの市民的権利と政治的権利を支配する権力を手にすることはできないし、手にすべきでもない』。二『刑法および民法上の権力は教会に属してはならず、それは神の施設としての、あるいは宗教的な目的をもつ人間の団体としての教会の本質と相容れない』。そして最後に、三『教会はこの世の王国ではない』……」

「聖職者としてあるまじき言葉遊びですな！」我慢できなくなったパイーシー神父がまたしても話をさえぎった。「あなたが反論しておられるその本は、わたしも読みましたがね」と彼はイワンのほうを振り向いて言った。「その聖職者のいう『教会はこの世の王国ではない』という一節には呆れかえりましたよ。もしも『この世のものでない』というなら、この地上にはまるきりありえない理屈ですからね。聖書に書かれている『この世のものではない』という言葉は、そんな意味で使われているわけではないのです。そういう言葉遊びはもってのほかです。われわれの主イエス・キリストは、この地上に教会を建てるためにこそおいでになったのです。天の王国はむろんこの世ではなくて天にあるのですが、天に入るには、この地上に礎《いしずえ》を置いてうち建てられた教会を通るよりほかないのです。ですから、世俗的な語呂合わせはこの意味でも許しがたいことですし、あるまじきことなのですよ。教会はまことの王国であり、君臨すべく定められており、究極においては疑いもなく、地上全体の王国として立ち現れなくてはならない……それこそが神との約束なのです……」

そこまでいうと彼は、あたかも自制したかのように急に黙りこんだ。イワンはうやうやしげに注意深く彼の話に耳を傾けてから、長老に向かって、ひどく冷静ながらいつものように率直に自分から進んで話をつづけた。

「ぼくの論文の要点とは、こういうことなのです。古代、つまりキリスト教の最初の三世紀間、キリスト教はこの地上にひとえに教会として姿を現し、いってみれば教会でしかありませんでした。しかし、ローマの異教国家がキリスト教国家になりたいと願ったとき、必然的にこういうことが起こったのです。つまり、キリスト教国家となりはしたものの、たんに教会を抱えこんだだけで、それ自体は、きわめて多くの方向性において相も変わらず異教国家としてとどまり続けたということです。じつは、きわめて必然的にそうなるはずだったのです。

しかし国家としてのローマには、たとえば国家の目的や基盤そのものといったような異教の文明や英知が、あまりに数多く残存することになりました。いっぽうキリストの教会は、国家に入り込みながら、自分が立っている礎石から自分の基盤を明らかに何ひとつ譲歩できませんでした。いったん神自身によってしっかりと提示され、指示された目的を、ひたすら追求することができただけなのです。なかでも全世界を、ということはつまり古代の異教国家を、まるごと教会に変えてしまうという目的です。こういうわけで(つまり将来の目的において)教会は、(ぼくが反論している著者が教会について述べていますが)『すべての社会的団体』ないし『宗教的な目的をもつ人々の団体』として、国家のうちに一定の地位を求めたりすべきではない。それどころか、この地上のどんな国家もゆくゆくはすっかり教会に変わるべきなのであり、教会そのものになり変わることで、ついには教会と相いれないすべての目的を排除するほかないのです。

もっとも、そのことが国家の体面を貶《おとし》めたり、大国としての名誉や栄光、国家の支配者の栄光を奪うことにはなりません。それどころか国家を、偽りのいまだ異教的な誤った道から永遠の目的へ唯一みちびく、正しい、真の道に立たせてくれるのです。まさにこういう理由で、『教会的社会裁判の原理』を書いた著者が、これらの原理を探究し提案しながら、それらの原理を、われわれの罪深い未完成の時代にはまだ欠かせない一時的な妥協であり、それ以上のなにものでもないと見ていたのなら、彼は正しく判断したといえましょう。ですがかりにこの『原理』の著者が、いま自分が提案している、そしてその一部をさきほどヨシフ神父が列挙してみせた原理を、確固たる自然発生的な万古不易《ばんこふえき》の原理だなどとあえて宣言するなら、それはもう教会に、そして永久不滅で揺るぎない聖なる教会の使命に、真っ向からそむくものになるのです。ぼくが論文でいいたかった内容というのは、ざっとこんなところです」

「つまり、手短かにいうと」と、一語一語に力をこめて、パイーシー神父がまた切り出した。「われわれの十九世紀に入って非常に明らかになってきた別の理論にしたがうなら、下等のものが高等な種に進化するように、教会は国家に変質し、やがてそのなかに消滅して、科学や時代精神や文明に席をゆずらなければならないということですよ。それを望まずに抵抗するなら、教会は代償として国家のなかにわずかな一隅を、しかも監視つきであてがわれるようなはめになる——これが今日のヨーロッパ各地でひろくゆきわたっている現象です。ところがロシア人の理解と希望にしたがうなら、下等な種が高等な種へ進化するように教会が国家に変質すべきなのではない。それとは逆に、国家のほうがほかならぬ教会に変わらなくてはならない、ということになるわけです。アーメン、アーメン！」

「いや正直のところ、あなたのお話をうかがって、わたしもいくらかほっとしましたよ」ミウーソフはまた足を組みかえ、苦笑しながら言った。「わたしが理解するかぎり、これはすなわちキリスト再臨の際におこる、限りなく遠いある理想の現実化なんですね。まあ表現はどうでもいいですが、戦争、外交、銀行その他もろもろの消滅というすばらしいユートピア的な夢ですよ。どこか社会主義と似ているところもありますがね。でもじつのところ、わたしはこれらすべてがまじめな話で、たとえばこれからは教会が刑事事件の裁判をやり、鞭刑《べんけい》や流刑どころか、そう、死刑判決まで下すようになるのかって思いましたからね」

「そう、かりにいま教会的社会裁判があるだけだとしても、教会は流刑や死刑判決を下すことはしないでしょうね。犯罪も、犯罪にたいする見方も、そのときはまぎれもなく変化するにちがいありません。むろん少しずつです。今日から急にいきなりというわけではありませんが、それでもかなり早いうちにです……」平然とまばたきひとつせずに、イワンは言明した。

「それって、まじめな話なんですか？」ミウーソフはじっと彼をにらんだ。

「たとえ全部が全部、教会になったとしたって、罪人や反抗的な連中なら破門はするでしょうが、そこでいきなり首を斬ったりはしませんよ」イワンはつづけた。「ひとつお尋ねしたいのは、破門された連中はどこへ行けばいいのかってことです。なにしろ破門されたら、今のように人間社会だけじゃなく、キリストからも離れなくてはならないんですから。そう、その人間は自分で罪をおかすことによって、人間の社会ばかりかキリストの教会にも逆らうことになるわけじゃないですか。そりゃ今でも、厳格な意味でいえばむろん同じことですがね、でもやっぱり、はっきりと明示されているわけじゃありません。ですから現代の犯罪者の良心は、じつに頻繁に自分で自分と取り引きしてしまう。『たしかにおれは盗みをやったが、教会に逆らっているわけではない、キリストを敵に回しているわけでもない』現代の犯罪者は、いつもこんなふうにつぶやいているわけです。ところが、教会が国家の地位を占めるようになったときには、地上のすべての教会を否定しないかぎり、こんなことはとても言えなくなります。『だれもかれも間違っている、本筋から外れている。どれもこれもいつわりの教会だ、正しいキリストの教会なんて、人殺しで泥棒のおれさまだけだ』などとはかんたんには言えません。それが言えるには、なんというか大きな条件、そうはざらにはない状況が求められるのです。

では別の面から、犯罪に対する教会自体の見方を考えてみましょう。教会はほとんど異教的な見方を改め、今のような社会保全のためにとられているやり方、すなわち病原菌に冒された器官を機械的に切断してしまうやり方から、今度こそは完全に嘘いつわりなしに、人間の再生という理念、人間の復活と救済という理想に向かって変貌させるべきではないでしょうか……」

「というと、それはどういうことです？　またわからなくなりましたよ」とミウーソフがさえぎった。「またしても夢物語ということですね。なにかつかみどころがない話で、理解できませんな。その破門とやらはどんなものなんです。破門っていったい何なんです？　あなたはたんに空理空論を弄《もてあそ》んでいるだけじゃないかって思うんですがね、カラマーゾフさん」

「それにしても、事情は今もまったく変わっていませんね」長老がふいに口を開くと一同はすぐに彼のほうに目を向けた。「なにしろ、もしも今キリストの教会がないとしたら、どんな罪人も悪事の歯止めがきかなくなり、あとでその罪人に加えられる罰すらなくなってしまいます。つまりさっきこの方がおっしゃったように、多くの場合ただ心をいらだたせるだけの機械的な罰ではなく、ほんものの罰です。唯一効力のある、唯一人の心を恐れさせ、自分の良心のうちにあって心を慰めるほんものの罰のことです」

「それはどういうことでしょう。お教えいただけますか?」つよい好奇心にかられてミウーソフがたずねた。

「それはこういうことです」長老は話しはじめた。「懲役刑というのは、以前は鞭打ちをともなったものもありましたがね、だれひとり矯正できないということです。何よりも悪い点は、どんな罪人も恐怖心を起こさないため、犯罪の数は減るどころか、先に行けばいくほど増加していくということです。じっさい、これにはあなたも同意せざるをえないでしょう。社会はこれではまったく守られていないことになるのです。なぜかといいますと、有害分子は機械的に切り離され、目の届かない遠い場所に追放されますが、同じ場所にすぐまた別の罪人が現れるからです。ことによると複数かもしれません。

もしも、現代においても社会を守り、当の犯罪者も更生させて別の人間に生まれ変わらせることができるものがあるとするなら、やはりそれはただひとつ、自分の良心を意識することのなかに現れるキリストの掟なのです。キリストの社会、すなわち教会の子としての自分の罪を自覚することによってのみ、罪人は社会そのもの、すなわち教会に対する自分の罪を自覚するのです。というわけで、現代の犯罪者が自分の罪を自覚できるというのも、ひとえに教会に対してのみであり、けっして国家が相手ではないのです。

もしも裁判が教会というキリストの社会に属するものであるなら、そのとき国家は、だれを破門から解き、だれを自分の社会に再び迎えいれるべきか、心得ているはずです。しかしいま教会は、効力あるいかなる裁判ももっていませんし、ひとえに道義的な批判をなしえるにすぎませんから、犯罪者に対して効力のある罰からおのずと遠ざかっていることになります。教会は犯罪者を破門することなく、父親としての説教をするのみで、たんに見放さずにいるだけですからね。それればかりか犯罪者に対して、キリストの教会との交わりを絶たせまいと努力しているほどです。犯罪者を教会の礼拝式に通し、聖体を受けさせ施しを与えて、罪人というよりもむしろ捕虜として扱っているのです。

それでもキリスト教社会、つまり教会が、犯罪者をちょうど俗社会の掟が彼をはねつけ切り捨てるのと同じように放逐するとしたら、ああ恐ろしい、いったい犯罪者はどうなるでしょう？　もしも教会までが、国家の法によって下される罰の後を追うように、犯罪者に対してそのたびごとに破門の罰を下していくとしたら、いったいどうなるでしょう？　そう、少なくともロシアの犯罪者にとってこれにまさる絶望はないでしょうね。なぜかといえば、ロシアの犯罪者は、まだ神を信じているからですよ。もっとも、かりにそうなるとしたら、恐ろしい事態が起こるかもしれません。ことによると、絶望しきった犯罪者の心のなかで信仰の喪失が起こるかもしれません。そうなったらどうするか？　なのに教会は、愛情に満ちたやさしい母親のように、効力のある罰を自分から避けています。なぜかというと罪人は、そうでなくても国家による裁きであまりにも手ひどい罰を受けているので、せめてだれかはその罪人を憐れんであげなくてはならないからです。

しかし主として教会が罰を避ける理由というのは、教会の裁判こそが唯一、みずからのうちに真実をはらんでいる裁判だからです。たとえ一時的な妥協であっても、その結果、ほかのどんな裁判とも本質的に精神的に結びつきをもつことができないからです。そこではもう取り引きなどできないのです。外国の犯罪者はめったに罪を悔いたりしないそうですが、それというのも現代の教育までが、おまえの犯罪は犯罪ではなく、不当に抑圧する力に対する反抗にすぎないという思想で、犯罪者に自信をもたせているからです。

社会は、圧倒的な力でもって完全に機械的に犯罪者を自分から切り離し、憎しみの念をその追放におっかぶせているのです（少なくともヨーロッパでは彼らがそう述べています）――憎しみと、自分の兄弟である犯罪者の行く末に対するこれ以上ない無関心と忘却とを、です。

こうしてありとあらゆることが、教会のごくわずかな憐れみもなしに生じることになるのです。なぜかというと多くの場合、ヨーロッパではもう教会なるものがまったく存在せず、残っているのはただ僧職者と教会の立派な建物だけであり、教会自身がもう前々から、教会という下等な種から国家という高等な種へ移行し、国家のなかにみずからを消滅させることをめざしているからです。少なくともルター派の国々は、そんなふうに見受けられます。

で、ローマはどうかというと、これがもう一千年にわたって、教会にかわり国家が声高に喧伝されているわけです。そのため犯罪者自身、教会の一員と自覚していませんから、追放されたまま絶望にくれている。かりに社会に帰されることがあっても、つよい憎しみを抱いている場合が少なくないので、今度は社会そのものが彼から遠ざかるような感じになってしまう。これがどのような結果に終わるかは、もうご自分で判断できるでしょう。

わたしたちの国も、おおかたそれと変わらないように見えるかもしれません。ですが、問題はこういう点にあるのです。わたしたちには、確立された裁判制度のほかに教会もあって、その教会はやはり、愛するだいじなわが子のように、犯罪者との交流をけっして断つことがありません。それだけでなく、たとえ心のなかだけでも、教会裁判もまた立派に存在し保持されていて、いまはまだ効力をもってはいませんが、それでも将来のために生きつづけており、犯罪者自身、魂の本能によってそれをしっかり認知しているという点です。

さっきここでおっしゃられたことも、間違ってはおりません。かりに、教会裁判がじっさいに日の目をみ、それが全盛期を迎える、つまり社会全体が教会にのみ向かいあうときが来たら、教会裁判は、今ではとても考えられないぐらい犯罪者の更生に影響をもたらすだけでなく、もしかすると犯罪そのものが、ほんとうに信じられないぐらいの割合に減少するかもしれないのです。これも疑いのないことですが、教会は、犯罪者の将来や将来の犯罪を、多くの場合、今とはまったく別のかたちで理解するようになるでしょう。追放した犯罪者を呼びもどし、犯罪を企てているものに前もって警告し、堕落したものを甦らせることができるでしょう。たしかに……」長老はそこで軽く笑みをもらした。

「今のところキリスト教の社会自体まだ準備が整わず、七人の聖人の礎のうえに立っているにすぎません。ですが、彼らの力はまだ衰えていませんので、今もってほとんど異教的な結社であるこの社会が、世界に冠たる単一の教会へと完全に変容するという期待をいだきながら、しっかり存立しつづけているのです。たとえこの世の終わりであろうとそうあってほしい。なぜならそれは、実現する定めなのですからね、アーメン、アーメン！

それに、その時間や期限などといったことで心を悩ませる理由など何もないのです。なぜかといえば、時間や期限の秘密は神の英知、神の予見、神の愛のなかに隠されているのですからね。また、人間の計算ではまだはるか先のことかもしれないことも、神の定めにしたがえばすでに実現の前夜、つい戸口に控えているかもしれない。いち早く、そうありますように、アーメン、アーメン！」

「アーメン！　アーメン！」うやうやしく厳しい調子でパイーシー神父が追唱した。

「奇妙だ！　ものすごく奇妙だ！」ミウーソフは、激してというより、憤懣やるかたないといった様子で口走った。

「なにがそんなに奇妙なんです？」ヨシフ神父が慎重な口ぶりでたずねた。

「いったいぜんたい、どういうことです？」堰《せき》を切ったように、ミウーソフがとつぜん声を張りあげた。「地上の国家を排除して、教会が国家の地位にのし上がるなんて！　こいつはもう法王全権主義《ウリトラモンタンストヴォ》どころか、超・法王全権主義《ウリトラモンタンストヴォ》じゃないですか！　こんなこと、グレゴリオ七世だって考えなかったことですよ！」

「あなたはまったく逆の解釈をなさっている！」パイーシー神父が、厳しい口ぶりで制した。「教会が国家に変わるのではないのです。ここをご理解なさい。それはローマであり、ローマの夢です。それこそ悪魔の第三の誘惑というべきものです！　そうではなく、国家が教会に変わり、教会へと登りつめ、全地上の教会となるのです。ですから、これは法王全権主義《ウリトラモンタンストヴォ》とも、ローマとも、あなたの解釈ともまったく正反対のもので、これこそがこの地上におけるロシア正教の偉大な使命なのですよ。この星は東方から輝きはじめるのです」

ミウーソフは、堂々たる様子でおし黙っていた。姿全体に並はずれた自尊心が表れていた。ひとを上から見下すような笑みが唇に浮かんだ。アリョーシャは胸がはげしく脈うつのを感じながら、事のなりゆきを見守っていた。そこでのやりとりの一部始終に、彼は心の底から動揺していたのだ。何かのはずみで、彼はふとラキーチンを見やった。ラキーチンはさっきと同じ戸口のそばに立ったまま動かず、目を伏せてはいたが、注意深く話に聴き入りながら目をこらしていた。しかし両頬のいきいきした赤みから、ラキーチンも自分におとらず興奮していることがわかった。彼が興奮しているわけをアリョーシャは知っていた。

「失礼ですが、みなさんに小話をひとつお聞かせしたいと思うのですが」ミウーソフがとつぜん、なにやら格別な威厳をにじませながら、物々しい態度で口をひらいた。「いまから数年前、パリでのことです、例の二月革命からまもない時期に、わたしは知り合いのよしみで、当時の指導的な地位にあったたいそう重要な人物を訪ねたことがあるのです。その人物の家でたまたまとてつもなく面白い紳士と顔をあわせることになりましてね。この人物というのが、下っ端の刑事なんてものじゃなくて、言ってみれば秘密警察の長といった役どころで、それなりにかなり有力な地位にある人物なわけです。そりゃたいへんな好奇心もあって、わたしはふとしたきっかけをつかんでその男と話をはじめました。

男がそこに通されたのは、知人としてではなく、ある種の報告をもってきた部下の立場ですから、わたしに対する上司の応対ぶりから自分なりに判断し、かなりざっくばらんに話をしてくれました——といってもむろん、ある程度までの話ですがね、つまりざっくばらんにというよりむしろ礼儀正しくというのですね、あれはまさしくフランス人一流の礼儀正しさなんですが、ましてやこっちが外国人とわかってますからなおさらのことですよ。

でも、わたしには彼の話がよくわかりました。話題にのぼったのは、そのころ警察に追われていた社会主義の革命家たちのことです。話の本筋ははしょって、その紳士の口からふいにとびだした、いちばん興味深い指摘をひとつだけ引いてみますね。『われわれは』と彼は言いました。『社会主義的アナーキストやら無神論者やら、革命家たちのことなど、たいして心配もしていないのです。われわれは連中をつねに監視していますし、足どりをつかんでいますからね。しかしああいう連中のなかに、少数ですが、何人か特殊な人間がいるんですよ。それは、神を信じるキリスト教徒でありながら同時に社会主義者である人間です。われわれがだれよりも警戒するのは、まさにこういう連中でして、おそろしい輩です！　社会主義的なキリスト教徒っていうのは、社会主義的な無神論者よりおそろしいんです』。あの言葉に当時、わたしはどきりとさせられたものですが、いまこうしてあなたがたのところにいるうちに、なぜか急にその言葉を思い出しましてね……」

「するとあなたは、それをわたしたちにあてはめ、わたしたちを社会主義者だとおっしゃるわけですな?」パイーシー神父が単刀直入にたずねた。

だが、ミウーソフがその答えを思いつくより先に庵室の戸が開き、だいぶ遅刻したドミートリーが入ってきた。実のところ、一同はもう彼を待つのを忘れたようなかっこうになっていたので、その不意の出現に、初めの瞬間はある種のおどろきを覚えたほどだった。

6　どうしてこんな男が生きているんだ!

ドミートリー・カラマーゾフは、中背で、感じのよい顔立ちをした二十八歳の青年だが、年齢よりはだいぶ老けてみえた。筋骨たくましい、すばらしい体力の持ち主であることが一目でわかったが、にもかかわらず、その顔にはなにか病的な色がにじんでいた。

顔は痩せ、頰がこけて、いかにも不健康そうな黄色みを帯びていた。すこし飛び出たかなり大きな黒い目は、鉄のような頑固さを秘めているらしかったが、しかしどことなく落ちつきがなかった。興奮していらだたしげに話をしているときでも、まなざしは内面の気分にしたがわず、時としてその瞬間にまるでそぐわない何か別のことを表しているようだった。「やつは何を考えているのかさっぱりわからない」。彼と口をきいたことのある人たちは、ときおり彼をそう評したものだった。また彼のまなざしに、なにか物思わしげで気難しいものを見てとった別の人たちは、とつぜんの高笑いに不意を突かれることがよくあった。その笑いは、彼がひどく気難しそうに見える反面、彼のなかに陽気でおどけた考えがあることを物語っていた。

しかし彼の顔に浮かぶある病的な色も、いまのこの瞬間ならおそらく十分に納得のいくものだった。彼が最近ふけっていた並外れて不安をさそう「乱れた」生活のことを、だれもが知っているか、噂に聞いていたからだ。同様に彼が、問題の金をめぐる父親とのいさかいで極度にいらだっていることもだれもが知っていた。この件については、すでにいくつかの小話が町中に広まっていた。たしかに彼は、生まれつきいらだちやすい性格で、町の治安判事セミョーン・カチャーリニコフがある集会でずばり評してみせたように、「断片的でいびつな頭」の持ち主だった。

その彼が、フロックコートのボタンをきちんとかけ黒い手袋をはめ、シルクハットを両手にたずさえながら、一点の非の打ちどころもない、しゃれた身なりで入ってきたのである。退役してまもない軍人らしく、口ひげをたくわえていたが、あごひげのほうは今のところ剃り落としていた。栗色の髪は短く刈りこまれていたが、もみ上げの部分は、なぜか前のほうに撫でつけてあった。歩きかたは大股できびきびとして、いかにも軍隊式だった。彼は一瞬敷居のうえで立ちどまり、一同を見渡してから、長老をここの主と見てまっすぐそのほうに進みよった。深々とお辞儀してから、祝福を求めた。長老はかるく腰をあげて、彼に十字を切った。ドミートリーはその手に恭しく口づけをすると、ひどく興奮した様子で、ほとんどいらだちを隠そうともせずにこう言い放った。

「ながらくお待たせしましたことを心より深くおわびします。でも、父の使いで来ました下男のスメルジャコフにしつこく時間のことを聞きましたのに、二度にわたってきっぱりとした口調で、一時のお約束ですと答えたものですから。ところが、いまわかったのは、……」

「心配はご無用」長老がさえぎった。「だいじょうぶです。ほんの少し遅刻なさっただけのことです、たいしたことではありません……」

「ほんとうに恐縮です。ご親切なお言葉をいただけるものと、期待しておりました」

ぶっきらぼうな調子でそう言いきると、ドミートリーは改めてお辞儀をしなおし、それから急に「親父」のほうをふり向いて、そちらにも恭しげに深々とお辞儀をした。彼が、そのお辞儀でもって自分の敬意と善意とを示すことを義務とみなし、事前にあれこれと考え、真剣に心に決めたことは明らかだった。フョードルは不意をつかれたが、すぐにわれに返った。ドミートリーのお辞儀を受けて、椅子からひょいと立ち上がると、彼は息子にむかって、同じように深いお辞儀を返したのだ。フョードルの顔がにわかにけわしく、しかつめらしいものに変わった。そのために敵意を含んだ表情が、くっきりとその顔に浮かびあがった。それから、ドミートリーは部屋に居あわせた人たちに黙ってお辞儀をすると、もちまえの大股なきびきびした足どりで窓のほうに近づき、パイーシー神父の隣りにひとつだけ残されていた椅子に腰を落ちつけた。そして彼は椅子から身を乗りだすようにして、自分が断ちきった話のつづきを聞こうと身構えた。

ドミートリーの登場で手間どったのはわずか二分かそこらだったので、議論はいやおうなく再開された。しかし今度はもう、パイーシー神父の執拗でいらだたしいばかりの問いかけに対し、ミウーソフは返事をする必要はないと考えた。

「この話題はもうおくらにしてもらえませんか」世慣れした、すこしばかりぞんざいな口調でミウーソフは言った。「おまけにこの話題、なかなか厄介ですからね。ほら、イワン君がこっちをみて笑っているでしょう。きっとこの件でも、彼にはなにか面白い考えがあるんですよ。さあ、彼に聞いてごらんなさい」

「いや、ちょっとした感想のほかに、とくにこれといったことはありませんよ」イワンがすぐに答えた。「一般にヨーロッパの自由主義というのは、いやロシアの自由主義的なディレッタント主義にしても、以前からしばしば社会主義の最終的な結論と、キリスト教のそれとをごっちゃにしているんです。こういった野蛮な結論が、むろんその特徴を明らかにしているわけです。しかし社会主義とキリスト教をごっちゃにしているのは、どうも自由主義者やディレッタントばかりじゃなく、多くの場合、憲兵もそのようなんですよ。つまり、むろん外国のですがね。あなたのパリの小話、なかなか味がありましたよ、ミウーソフさん」

「とにかくこの話題を切りあげてくださるよう、もう一度お願いします」ミウーソフはくり返した。「そのかわり、みなさんにもうひとつお話をお聞かせすることにします。ほかでもありません、このイワン君にかんするじつに面白い、味のある小話ですがね。つい四、五日まえのことですが、この町のおもに上流婦人を中心としたある集まりの席で、イワン君は議論の最中に堂々とこう宣言したんです。

つまり、全地上には自分と同類の人間を愛することを強いるようなものは何ひとつ断じてない、人間が人類を愛するような自然界の掟はまったく存在しない、もしもこの地上に愛があり、これまであったとするなら、それは自然の掟から出たものではなく、ひとえに人々がみずからの不死を信じてきたからだ、と。イワン君はそこで、括弧つきながらこう付けくわえたのです。まさにこの点にこそ自然の全法則がある、だから、人類から不死に対する信仰を根絶してしまえば、たんに愛ばかりか、この世の生活を続けていくためのあらゆる生命力もたちまちのうちに涸れはててしまう、と。それだけじゃありません。そのときには、もう不道徳もなにも何ひとつなくなって、すべては許される、人喰いだって許されるというのです。

いや、それでも足りず、イワン君はこう主張して話を終えられました。たとえば現にわたしたちがそうであるように、神も自分の不死も信じない個々の人間にとって、自然の道徳律などといったものは、これまでの宗教的な掟とはまったく正反対のものにたちまち変化するはずだ。悪事を犯すぐらいのエゴイズムは、たんに人間に許されるどころか、その立場においては、不可欠でもっとも合理的な、ほとんど高尚きわまりない帰結としてすら、認められるべきだというわけです。みなさん、ぼくらの愛する奇人逆説家イワン・カラマーゾフ君が公言している、そしてたぶん公言しようとたくらんでいるほかのすべての議論も、このような逆説にしたがって結論できるでしょうね」

「ちょっと、いいですか」思いがけず、ドミートリーがとつぜん声をあげた。「聞きちがいをしないためにうかがいますが、『すべての無神論者の立場からすると、悪事はたんに許されるどころか、もっとも不可欠で、もっとも賢明な結論として認められるべきだ！』と、こういっているわけですね、ちがいますか？」

「まさしく、そのとおりです」とパイーシー神父が答えた。

「頭に入れておきます」

そう言うなりドミートリーは、話に割り込んできたときと同じように、急にふっと口をつぐんだ。一同が好奇の色をうかべて、彼のほうを見やった。

「魂の不死という信仰を人々が涸らした結果どうなるかということについて、あなたはほんとうにそういう信念をおもちなのですか？」だしぬけに、長老がイワンにたずねた。

「そうです。わたしはそう主張したんです。不死がなければ善なんてないんです」

「そう信じておられるなら、あなたはたいそう幸せなお人か、でなければ非常に不幸なお人のどちらかです」

「どうして不幸なんです」そう言って、イワンは薄笑いを浮かべた。

「あなたは十中八九、ご自分の魂の不死も、教会や教会裁判についてお書きになったことも信じておられないからです」

「それは正しいかもしれませんね！……しかしそうはいっても、ぼくはまるきり冗談を言っていたわけじゃありませんよ……」いきなり、イワンはそう奇妙な告白をしてみせたが、その顔はみるみる赤みをましていった。

「まるきり冗談を言っていたわけではない、それはたしかです。この問題はあなたの心のなかでもまだ解決されておらず、苦しめているのです。しかし受難者も、やはり絶望に苦しむかに見せて、ときに絶望で気晴らしを楽しむことがあるものです。いまのところあなたも、絶望で気晴らしをされている。自分の弁証法が自分にも信じられず、胸の痛みをおぼえ、ひそかにそれをあざけりながら、雑誌の論文やら社交界での議論で気晴らしをなさっている……あなたのなかでこの問題は解決されておらず、そこにあなたの大きな悲しみがある。なぜなら、それはしつこく解決を求めているからです」

「でもその問題は、ぼくのなかで解決されるんでしょうか？　肯定的な方向で解決されるんでしょうか？」イワンは、なにか説明しがたい笑みを浮かべて長老をみやりながら、奇妙な質問をつづけた。

「もしも肯定的な方向で解決できないなら、否定的な方向でもけっして解決されないでしょう。ご自分の心のそういう本質は、あなた自身がよくおわかりです。その点にこそ、心のすべての苦しみがあるのです。でも、こうした悩みを苦しむことができる最高の心をあなたに授けた造物主に、感謝なさることです。『高いものを思い、高いものを求めなさい、われわれのすみかは天にあるからです』。どうか神のお恵みにより、あなたがまだ地上におられるうちにあなたの心の解決が得られますように、神があなたの道を祝福されますように！」

　長老は手をあげ、その場でイワンのために十字を切ってやろうとした。ところが、イワンはふいに椅子から立ち上がって長老に近づき、祝福を受けると、その手に口づけをして、そのまま何も言わず元の席にもどった。その顔はきりっとしまり、まじめそのものだった。

　このしぐさと、いつものイワンからは思いもよらない長老とのそれまでのやりとりが、その謎めかした厳かな印象によって一同を驚かせたので、だれもが一瞬押しだまり、アリョーシャの顔にはほとんど怯えにも似た表情が浮かびあった。しかしミウーソフがとつぜん肩をすくめ、同時にフョードルが椅子から立ち上がった。

「神のごとく神聖このうえない長老さま！」と、フョードルがイワンを手で指しながら叫んだ。「これは、わたしの息子です。わたしの血と肉を分けた息子です。わたしの最愛の肉でございます。これは言ってみれば、わたしが敬愛してやまないカール・モールであります。そしてこちら、先ほど入ってまいりましたこちらの息子が、あなたにいま裁きをお願いしておりますドミートリー、こちらはもうまったく尊敬できないフランツ・モールです。二人ともシラーの『群盗』の登場人物でして、となると、このわたしはフォン・モール伯爵ということになりましょうか！　よろしくご判断のうえお救いください！　お祈りばかりでなく、あなたの予言も必要としております」

「ばかなことをおっしゃらず、ご自分の家族をはずかしめるようなことも、おやめなさい」弱々しい、疲れはてた声で長老は答えた。明らかに彼は話が進むほどに疲れをまし、みるからに体力を失くしていった。

「愚にもつかぬ喜劇さ。ここに来るまえからわかってたんだ！」ドミートリーも席から立ちあがり、憤然と声を荒げた。「長老さま、どうかお許しください」彼は長老のほうに向き直った。「わたしは無教養な男ですから、あなたをどうお呼びしてよいかもわかりませんが、あなたはだまされたのです。でもここに集まることをお許しになるなんて、あんまり善良すぎる。親父に必要なのはスキャンダルだけなんで、それがなんのためか……そこは親父にしかわからない。親父にはいつだって下心があるんです。でも、それがなんのためか、今になってわかるような気がする……」

「こうやってみんながわたしを非難する、かさにかかって！」フョードルが負けじと声をあげた。「ほら、ミウーソフさんも非難している。そう、ミウーソフさん、あなたも非難したでしょうが！」そういって彼は急にミウーソフを振りかえったが、当の相手にはその話をさえぎる気などさらさらなかった。

「このわたしが子どもらの金を隠し、全額ちゃっかり自分のものにしたとかいって、非難しているんですよ。でも失礼ながら、裁判というものが存在していないんでしょうかね？　ドミートリー君、出るところに出ればちゃんと数えてくれますよ。君の書いた領収証や手紙や契約にしたがって、そもそも元手がいくらあり、いくら使っていくら残っているか。

それにしてもミウーソフさん、なんだって意見を控えているんですかね？　ドミートリー君はまんざら赤の他人というわけでもないでしょうが。みんなかさにかかってわたしを非難するが、とどのつまりはですよ、ドミートリー君にはまだわたしに借りがあって、それも少額なんてもんじゃない、数千ルーブルにのぼる大金なんです。それにはぜんぶ書類が揃っている！　なにしろこのお方の酒盛りがある日にゃ、町中が割れんばかりの大騒ぎですよ！　以前に勤務していた町じゃ、堅気の娘たちを誘惑するのに、千だの二千だのと平気で札びら切るありさまだったんですからね。ドミートリー君、こっちには何もかもわかってるんだ。内々のこまかい話までね。なんなら証明してあげましょうか……。いいですか、偉大な神父さま、この方ときたら、とびきり上品なお嬢さまをですよ、財産もあれば家柄もいい、元の上官で数々の武勲を立て、聖アンナ十字剣章まで授かった勇敢な大佐の令嬢を夢中にさせ、あげくのはてにプロポーズまでしたものですから、相手の面目は丸つぶれですよ。その娘さん、みなし児になられて今この町に来ておられるんです、フィアンセとしてですがね。ところがこの方はですよ、そんなフィアンセの目もはばからずに、この町のある妖艶な美人の家に通いつめているんですよ。その美人というのが、ある尊敬すべき人物といわゆる内縁関係にあったわけですが、まあ正妻も同然なんです。たいそう独立心の強い性格の持ち主で、だれにとっても難攻不落の砦、なにしろ身持ちがかたい、そう、神父のみなさん、身持ちのかたい女でしてね！　で、ドミートリー君としては、黄金のキーでもってこの砦をこじ開けたい、そのためにこうしてわたしをさんざ愚弄し、金を巻きあげたいわけなんですが、いまのところでも、あの妖艶美人にもう数千という金をつぎ込んでいる始末なんです。ひっきりなしに借金をしているのもそのためですが、それが、いったいだれからだとお思いです？　ここでひとつ、ばらしてもよいですかね、ドミートリー君？」

「お黙りなさい！」ドミートリーが叫んだ。「ぼくが出て行くまでお待ちなさい。ぼくがいる前で、高潔このうえないあの令嬢を汚《けが》すようなまねはやめてもらいましょう……あなたみたいな男にほんのちょっと口にされるだけでも、あの人からすれば屈辱なんだ……ぼくが許しません！」

　ドミートリーは息を喘《あえ》がせていた。

「ミーチャ！　ミーチャ！」涙をふりしぼるようにしながら、フョードルが弱々しく叫んだ。「それじゃ、生みの親の祝福は何になるっていうんだ？　わたしが呪ったりしたら、そのときはどうなる？」

「恥知らずな偽善者め！」ドミートリーは狂ったようにわめき立てた。

「これが親に、父親に向かっていう言葉なんですよ！　これがほかの人だったらどうなるか？　みなさん、いいですか。この町に貧しいながら尊敬すべき人物がおります、退役した大尉です。ある不運に出会って職務を解かれましたが、別に表ざたになったわけでも、軍法会議にかけられたわけでもありません。自分の名誉をしっかりと守り、大人数の家族をかかえて苦しんでおるようです。ところが三週間前、ドミートリー君は居酒屋で大尉のあごひげを引っつかみ、そのまま通りに引きずりだすと、公衆の見ている前でさんざん殴りつけたのです。それというのも、あるちょっとした事件で、大尉が内密にわたしの代理人をつとめたという、たったそれだけの理由なんです」

「そんなもの、ぜんぶ嘘っぱちさ！　外面《そとづら》はたしかに真実でも、中身はぜんぶ嘘っぱちなんだ！」ドミートリーは、怒りで全身を震わせていた。「親父！　自分がしでかした行為を、ぼくはいまさら弁解しない。なんならこの場で正直に認めてもいい。たしかにぼくはあの大尉に対して野獣みたいにふるまった。いまはそのことを後悔しているし、ああいう獣じみた怒りにかられたことをいまわしいとも思っている。

　ただ、あなたの代理人をつとめた大尉はですよ、さっき妖艶美人とかあなたがいった例の婦人のところへ出かけていってですね、あなたの頼みと称し、こういう提案をしているんです。もしも、ぼくが財産の処理のことであなたにあまりうるさくいうようだったら、あなたが持っているぼくの手形を彼女が引きとり、その手形をたてにぼくを監獄にぶちこんでしまえばいい、とです。

　あなたはさっき、ぼくがその婦人に参っているとかいって非難したが、じっさいぼくを誘惑するよう焚きつけたのは、あなた自身じゃないか！　彼女が自分から、ぼくに面とむかって話をしてくれましたよ。あなたのことを笑いながらね！　あなたがこのぼくを監獄にぶち込みたがっているのは、たんにぼくに嫉妬しているからなんだ。その女性に妙な気をおこして言いよっているからなんだ。これまた、なにもかもばれてるんですよ。彼女はやはり笑っていましたよ。いいですか。あなたのことを笑いながら話してくれた。

いかがですか、神父さま方、これがこの男の、道楽息子をやり込める父親の正体ってわけなんです！　ここにおいでのみなさん、どうかぼくのこの腹立ちを許してください。でも、ぼくは前もってわかっていたんです。このずるがしこい老人がここにみなさん全員を呼びあつめたのはスキャンダルを起こすためだとね。ぼくがきたのは、もしも父が許しの手を差し伸べてきたら許し、ぼくからも許しを請うためだったのです！　でも父はさっき、ぼくだけでなく、ぼくが尊敬するあまりその名前をいたずらに口にすることすら憚られる、高潔このうえないあの令嬢を侮辱したのです。ですからぼくは、たとえ相手が自分の父であろうと、そのたくらみを何もかも公にばらしてやろうって腹を決めたのです！……」

ドミートリーはそれ以上話し続けることができなかった。目はぎらぎらと輝き、息をするのも苦しそうだった。だが、庵室にいるほかの人々もみな興奮していた。長老一人をのぞいて、不安のあまり全員が席から立ち上がった。修道司祭たちは険しい顔でにらんでいたが、それでも長老の言葉を待ち受けていた。

長老は顔をすっかり蒼白にし、腰を下ろしていたが、それは動揺のためではなく病気からくる衰弱のためだった。口もとには哀願するような笑みが浮かんでいた。長老は、怒り狂う人たちを制止したいと願うかのように、ときおり手を上げた。むろんこの手ぶりひとつで、目の前の騒ぎを打ち切らせるのに十分なはずだった。だが、長老みずからまるで何かを待ち受けているかのように、自分でもまだ納得がゆかず何かをさらによく見きわめたいと願うかのように、じっと目を凝らしていた。ついにミウーソフが、自分が決定的に卑しめられ辱められたと感じたらしかった。

「ここで起こったスキャンダルは、わたしたち全員に責任があります！」彼は熱っぽく話しだした。「でもここにやって来るとき、わたしはそれでも、これほどとは予想していませんでした。もっとも、自分がだれを相手にしているかは承知してましたがね……こんなことはただちに切り上げるべきです！　長老さま、信じてください。ここで暴露されたこまごました事実について、わたしは何ひとつ正確には知りませんでしたし、信じたいとも思いませんでした。今になってはじめて知ることです……品行あやしい女のことで父親が息子に嫉妬し、その淫売とぐるになって息子を監獄にぶちこんでしまおうなんて……おまけにこんな連中の仲間にされ、むりやりここに連れてこられるなんて……わたしは騙されました。みなさんにはっきり申し上げます。わたしはほかのだれにおとらず騙されたのです……」

「ドミートリー君」別人のような声でフョードルがとつぜん声をあげた。「おまえがわたしの息子でなかったら、即座に決闘を申し込んでいるところだ……ピストルでだぞ、距離は三歩だ……ハンカチごしに！　ハンカチをかぶせて撃つ！」地団駄を踏みながら彼はそう言いきった。

一生のあいだ芝居を演じてきた老いぼれの嘘つきにも、興奮のあまりほんとうに体を震わし、涙をながすほど演技に熱がこもる瞬間があるものだ。もっともそういう瞬間にさえ（ないしはほんの数秒後には）自分で自分にこうささやきかけているかもしれない。《老いぼれの恥知らず、おまえまた嘘ついてるな、『神聖な』怒りとか怒りの『神聖な』瞬間とか、偉そうな口きいても、おまえは今だって、やはり役者にすぎんじゃないか》

ドミートリーはおそろしく顔をしかめ、言いようのない軽蔑をこめて、父親をにらんだ。

「ぼくは思っていたのさ、たしかに思っていた」なぜか低い、落ち着きはらった調子で彼は言った。「心の天使であるフィアンセを故郷に連れて帰り、年とった親父の面倒でもみてやろうかとね、ところがいざ会ってみれば、これが自堕落な女好きで、下劣きわまるコメディアンときた！」

「決闘だ！」一息を切らし、一語ごとに唾を飛ばしながら老人はまたわめき立てた。「で、いいですかミウーソフさん、おそらくですよ、あなたの一門にはあなたがおっしゃった淫売ですかね、大胆にもあなたがさっきそんなふうに呼んだ女性より気だかくて上品な女性はいない、過去にもいませんでしたよ！　それとドミートリー君、君はご自分のフィアンセからこの『淫売』に乗り換えた、つまり、君のフィアンセですら彼女の靴裏にも値しないって、ご自分から宣言されたわけだ！　淫売とやらもなかなか捨てたもんじゃない！」

「恥ずかしい！」一ふいにヨシフ神父が口走った。

「恥ずかしいし、恥ずべきことだ！」ずっと押し黙っていたカルガーノフが、ふいに顔を真っ赤にし、いかにも少年らしい声を興奮に震わせながら叫んだ。

「どうして、こんな男が生きているんだ！」一怒りのあまりほとんど前後の見境いをなくし、両肩をなぜかひどくいからせなかば猫背になったドミートリーが、うつろな調子で唸るようにつぶやいた。「いや、教えてほしい、さらにこれ以上、この大地を汚すようなまねを許してよいものか」彼は老人を手で示しながら、一同をぐるりと見渡した。ゆったりして規則正しい口調だった。

「聞きましたか、修道僧のみなさん、父親殺しの言い分、聞きましたか」ヨシフ神父にフョードルが食ってかかった。「これがあなたの『恥ずかしい』に対する答えなんです。何が恥ずかしいって？　あの『淫売』が、あの『品行あやしい女性』が、ひょっとしたら、ここで修行を積んでおられるあなた方よりも、神聖かもしれないんだ！もしかしたら若いころ、まわりの環境に毒されて身をもちくずしたことだってあるかもしれないが、でもあの女は『たくさん愛した』んだ、それに、キリストがお赦しになったのは、それこそたくさん愛した女じゃないですか……」

「キリストがお赦しになったのは、そういう愛ではありません」温厚で知られるヨシフ神父も、さすがにがまんできず口走った。

「いや、そういう愛なんだ、ほかでもない、そういう愛なんだ。その愛なんですよ、修道僧のみなさん！　あなた方はここでキャベツばかり食べて修行しながら、それでもう、自分たちはただしい人間と考えておられる！　ウグイを食べておられる。一日に一匹ウグイを食べては、そのウグイで神を買うことを考えておられる！」

「そんなことあるもんか、買えるはずがあるもんか！」庵室の隅々から、声がわき起こった。

だが、醜悪きわまりないドタバタ劇におよんだこの騒ぎは、まったく思いがけないかたちで落着した。とつぜん、長老が席を立ったのである。長老の身の上や一同に対する恐怖からほとんど何もわからなくなったアリョーシャは、それでもなんとか長老の手を支えることができた。長老はドミートリーのほうにむかって一歩踏み出し、すぐそばまで辿りつくと、その前でひざまずいた。一瞬、長老が力つきて倒れたかとアリョーシャは思ったが、そうではなかった。長老はひざまずくと、ドミートリーの足もとへ意識的な深いしっかりしたお辞儀をし、地面に額までつけたのだった。アリョーシャは驚きのあまり、長老が立ち上がろうとしたとき、その手を支えてやることもできなかった。長老の口もとには弱々しい笑みがかすかに浮かんでいた。

「お赦しください！　すべてをお赦しください！」回りの客人たちにいちいち会釈を繰り返しながら、長老は言った。

ドミートリーは、愕然《がくぜん》としてしばらくその場に立ちつくしていた。自分の足もとにひれ伏すなんて、いったいどうしたことだ？　そしてついに彼は「ああ！」と叫び、両手で顔をおおったまま部屋から飛び出していった。あとに続いて、ほかの客人たちもみな狼狽のあまり長老に別れのあいさつもせず、会釈すらしないでどっと動きだした。祝福を受けるため、修道司祭だけがまた長老に歩みよった。

「あの方が足もとにお辞儀したのは、いったいなんだったんでしょうね。何かの兆《きざし》なんでしょうかね?」なぜか急におとなしくなったフョードルが話の口火を切ったが、さすがにだれかに声をかける勇気はなかった。そのとき、一行は僧庵の囲いを出るところだった。

「精神病院や精神病患者の責任はもてませんよ」すぐさまミウーソフがいらだたしげに答えた。「そのかわり、あなたのお仲間とはお別れです、カラマーゾフさん、いいですか、永久にですよ。ところでさっきの坊さん、どこへ消えたかな?」

だが、『さっきの坊さん』、つまり修道院長との昼食会の招きを伝えにきた僧侶は、客人たちを待たせることなく姿を現した。彼は一行が長老の庵室の階段から下りると、待ちかまえていたかのようにすぐに出迎えたのだ。

「恐れ入りますが神父さん、わたしとしては、修道院長に深い尊敬の念を抱いております。そのことをお汲みとりになったうえ、どうかお伝え願いたいのです。実に急に予期できなかった事情が生まれ、院長との昼食会、ご一緒したいのはやまやまですが、どうしても出席できません、どうかわたし、ミウーソフをお許しくださいとね」いらいらした様子でミウーソフは修道僧に告げた。

「その予期できなかった事情というのが、このわたしでしてね！」フョードルがすぐさま言葉尻をつかまえて言った。「お聞きですか神父さん、じつはミウーソフさんは、このわたしと同席するのがいやでたまらないんです。そうでなけりゃ、二つ返事で行くところですよ。ミウーソフさん、お行きなさいな。修道院長のところへ行かれたらどうです。ゆっくり召し上がったらいい！　でも、いいですか。遠慮させていただくのはこのわたしであって、あなたじゃないですからね。帰りますよ、さっさと帰ります。食事は家でします。ここじゃあ、わたしも能なし同然ですからね、最愛の親戚ミウーソフさん、そうでしょう」

「わたしはあなたの親戚じゃないし、親戚だったことは一度もありませんがね。まったく下劣ですな、あなたって人は！」

「あなたを怒らせるためにわざと言ったことですよ。親戚づきあいを嫌がるもんだから。しかしどんなにごまかしたって、やっぱりあなたは親戚にちがいない、なんなら教会暦にてらして証明してあげてもいい。イワン君、君も残りたいんなら、頃合をみはからって馬車をこちらに遣《つか》わしてやるからね。で、ミウーソフさん、そろそろ院長のところへお出ましにならないと、失礼にあたりますよ。われわれが向こうでさんざ失礼を働いたことを、ひとことお詫びしなくてはならんでしょうね……」

「おや、ほんとうに帰られるおつもりで？　嘘いっているんじゃないでしょうね？」

「ミウーソフさん、あんなことをしでかしたあとに、どんな面さげて行けるっていうんです！　ついカッとなっちまって、みなさん失礼しました。ついカッとなっちまって！　そうじゃなくても、ショックを受けてるんです！　それに恥ずかしいのもありますよ。みなさん、マケドニアのアレクサンダー大王と同じ心臓の持ち主もいれば、フィデルカの小犬みたいな心臓の持ち主もいる。わたしのはフィデルカの心臓でして、すっかり怖気づいちまいました！　あんな非常識やらかしたあとに、お食事会ってわけにはまいりませんや。修道院のソースでがつがつやるってわけには、どうも。恥ずかしくって、できるもんじゃありません、とにかくこれで失礼しますよ！」

《いまいましいやつめ、まさか騙しはせんだろうが！》遠ざかっていく道化の姿を疑わしげな目で追いながら、ミウーソフは物思いに沈んで立ち止まった。道化は振りかえり、ミウーソフが自分をじっと見送っているのに気づくと、片手で投げキスを送ってきた。

「あなたも院長のところへ行かれるのですよね」ミウーソフはとぎれとぎれの口調でイワンに言った。

「もちろん行きますとも。それにぼくはもう昨日のうちに院長から特別の招待を受けていますからね」

「残念な話ですが、実のところわたしも、このいまいましい昼食会にどうしても顔を出さなくてはと感じているんですよ」修道僧が聞いているのを意にも介さず、ミウーソフは相変わらず苦々しいいらだちを浮かべて、話をつづけた。「われわれがあそこでしでかしたことについて、せめて謝るぐらいのことはしないと。それに、あれはわれわれが悪いのじゃないということを、説明しておく必要がありますよ……いかがです？」

「たしかに、あれはわれわれのせいじゃないってことは、説明しておく必要がありますね。それに、親父もいないことですし」イワンは答えた。

「このうえ、あなたの親父さんが一緒ではね！　まったく、いまいましい食事ですよ！」

それでも、全員が食事会に向かっていた。修道僧は口を閉ざしたまま話を聞いていた。林のなかを抜けていく途中、彼は修道院長がだいぶ前からお待ちで、三十分以上も遅刻しているといちど注意をうながしただけだった。言葉を返すものはなかった。ミウーソフは憎々しげにイワンを見やった。

《ああやって、まるで何事もなかったみたいな顔で食事に向かうんだから！》彼はふ

と思った。《あれが、鉄面皮とカラマーゾフ的良心、ってやつか》

7　出世志向の神学生

アリョーシャは長老を寝室にみちびき、ベッドに腰をかけさせた。それは必要最小限の家具を揃えただけの、ごく小さな部屋だった。鉄製のベッドは細長く、敷布団の代わりにフェルトが一枚敷いてあるだけだった。聖像画のある部屋の隅には経卓が置かれ、十字架と福音書が載っていた。長老は力なくすとんとベッドに腰を落とした。目はかがやいていたが、息づかいは苦しげだった。腰を下ろした彼は、なにか思いをめぐらすようにひたとアリョーシャの顔を見つめた。

「もういいから行きなさい、さあ、行きなさい。わたしのことならポルフィーリーで十分だよ、さあ、急いで。おまえには向こうで仕事がある、院長のところへ行きなさい。食事のあいだ、お仕えしなければ」

「どうか、ここに残らせてください」アリョーシャは哀願するような声で言った。

「向こうのほうがおまえを必要としてるんだよ。向こうには平和がないのでね。お仕えしているうち、何か役に立つこともあろう。争いごとが起こったら、祈りを唱えなさい。息子よ（長老は彼をそう呼ぶことを好んでいた）、今後、ここはおまえがいる場所ではないということを知っておきなさい。いいかね、このことをしっかり覚えておくのだよ。神さまがわたしをお召しになったら、すぐにも修道院を出るのだ。すっぱり引き払ってな」

アリョーシャはぎくりとした。

「どうした？　ここはもうおまえのいるべき場所ではない。俗世での大きな修行のためにおまえに十字を切ってやろう。おまえはこれからたくさん遍歴を重ねなくてはいけない。結婚もしなければならないだろうし、するべきだ。ふたたびここに戻るまでに、すべてを耐えなくてはならない。するべき仕事もたくさんある。でも、わたしはおまえをうたがってはいない、だから送りだすのだ。おまえにはキリストがついておられる。キリストをお守りすることだ。そうすればキリストもおまえを守ってくださる。大きな悲しみを見ることがあっても、その悲しみのなかでおまえは幸せだろう。『悲しみのなかに幸せを求めよ』。これがおまえへの遺言だ。働きなさい。たゆまず働きなさい。これからは、わたしの言葉をしっかり肝に銘じておくといい。これからおまえとはまだ語りあえるだろうが、わたしの命の尽きるときはもう日数どころか、時間で数えられるほど刻々と迫っているのだから」

　アリョーシャの顔に、またしても強い動きが浮かんだ。唇の縁がぴくぴくと震えていた。

「どうした、また？」長老はしずかに微笑んだ。「俗世の人々は故人を涙で見送るが、ここでは、わたしたちは去っていく神父を喜んであげるのだ。喜び、祈るのだ。だから、わたしをひとりにしておくれ。祈らなくてはいけない。さあ、行きなさい、急いで。兄さんたちのそばにいてあげるのだよ。でも、一人のそばではなく、二人のそばにだよ」

　長老は手をあげて十字を切った。アリョーシャはなんとしても留まりたかったが、これ以上逆らうことはできなかった。彼にはまだ、尋ねたいことがあった。「兄のドミートリーへの、頭が地につくほどのあのお辞儀は何を意味しているのですか」という問いがつい口から出そうになったが、尋ねる勇気はなかった。彼にはわかっていた。もしもそれが答えていいことなら、とくに訊かれなくても長老は自分から説明してくれるにちがいない。つまり、長老にはその意志がなかったことになる。あのお辞儀は、おそろしいほどアリョーシャを打ちのめした。あそこには神秘的な意味があると彼はやみくもに信じていた。神秘的で、きっとおそろしい意味が。

修道院長との食事会のはじまりに間に合うよう、修道院をめざして（むろん食事の給仕をするためだけにである）僧庵の囲いを出るとき、彼はとつぜん痛いほど胸が締めつけられるのを感じ、その場に立ちすくんだ。あれほど間近に迫った自分の死を予言した長老の言葉が、ふたたび耳もとで響いたような気がしたのだ。長老が予言してみせたことは、しかもあれほど正確にそれを口にしたからには、確実に起こるにちがいない。アリョーシャは神聖な思いでそう信じたのだった。

でも長老なしで、どうしてここに残れるのか、長老の姿を見ず、長老の声を聴かずやっていけるのか？　それに、自分はどこへ行くのか？　長老は、泣かずに修道院を出るように命じている、ああ！　アリョーシャはもう長いこと、そうした寂しさを味わったことがなかった。僧庵と修道院をへだてる林の道を彼はさらに早足で歩きだしたが、内心の思いに耐えていくことができなかった。それほどに彼の心は押しつぶされていたのだ。

彼は林道の両側に茂る古い松の木立を眺めはじめた。抜け道はさほど長くなく、せいぜい五百歩ほどだった。この時刻ならだれとも行き合うはずはなかったが、最初の曲がり道で彼はふいにラキーチンの姿を認めた。だれかを待ちうけている様子だった。

「ぼくを待ってたんじゃないよね？」相手と肩をならべると、アリョーシャはそう訊いた。

「いや、きみさ」ラキーチンはにやりと笑った。「院長のところへ急いでるんだろう。知ってるよ。食事会があるんだ。パハートフ将軍と大主教を一緒に迎えたとき以来、ああいう食事会ってなかったなあ。ぼくは行かないけどね、君は行きな、ソースを注いで回るんだ。アレクセイ、ひとつぼくに教えてくれないか。あの予言、いったい何を意味してるんだ？　それが聞きたくてね」

「なんの予言さ？」

「ほら、きみの兄貴のドミートリーに、頭を地面にまでつけてお辞儀しただろう。おまけに額をごつんとやったじゃないか？」

「きみが言っているのは、ゾシマ長老のことかい？」

「そうさ、ゾシマ長老のことだよ」

「額をごつんとだって？」

「いや、ちょっと不謹慎な言い方だったね！　でもいいや。それで、あの予言って、いったいなんの意味なのさ？」

「知らないよ、ミーシャ、なんの意味かなんて」

「じゃあ、きみにも教えなかったんだね。そうとは思ってたけど。もちろん、何もふしぎなことなんてありゃしないさ。どうやら、いつものこけおどしみたいだ。でもさ、あの見せ場はわざと仕組んだものなんだぜ。きっとそのうち、町じゅうの信心深い連中がそろって噂しだしてさ、県全体にふれまわるにちがいないんだ。『あの予言は何を意味しているのか』ってね。ぼくに言わせりゃ、あの老人、たしかにものを見ぬく目はある。だから、犯罪の臭いを嗅ぎつけたんだね。きみの家って、へんに臭うじゃないか」

「犯罪って、なんのさ？」

ラキーチンはどうやら、何かを最後まで言ってしまいたいらしかった。

「きみらの家族に起こるんだよ、その犯罪が。きみの兄さんと、きみの金持ちの親父さんとのあいだで持ち上がるんだ。だからゾシマ長老も、将来の万が一にそなえて額をごつんとやったわけさ。あとで何かが起こったときに、『ああ、あれは長老さまが予言されたことだ。やっぱり予言どおりのことが起こった』って言わせるためにね。でもさ、額をごつんとやったことに、いったいどんな予言があるっていうのさ？　それでも、みんなわけのわからんことをいうんだ。あれは兆候だったとか、寓意だったとかね。犯罪を予知していただの、犯人を見抜いていただの、さんざん褒めちぎられて、記憶にとどめられるって寸法だよ。神がかりの連中なんて全部が全部、そうさ。

酒場に向かって十字を切り、寺院には石を投げる。きみの長老さまだって同じだよ。信心深い男を杖で追い返したかと思えば、人殺しの足もとにひれ伏すぐらいなんだからね」

「犯罪って何さ？　人殺しってだれのことさ？　きみは何を言っているんだ？」

まるで釘づけにされたようにアリョーシャがその場に立ちつくすと、ラキーチンも立ちどまった。

「だれのことだって？　まるで知らんふりじゃないか？　賭けをしてもいいけど、きみだってそのことは考えたはずだよ。それにしてもおもしろい話だな。いいかい、アリョーシャ。態度はいつも曖昧だけど、きみはけっして嘘はつかない。で、答えてほしいんだ。そのことをきみは考えたことがあるのかい、それともないのかい？」

「ある」低い声でアリョーシャが答えた。これにはさすがのラキーチンも慌てたらしかった。

「まさか！　ほんとうにきみも考えたことがあるの？」思わず彼は叫んだ。

「ぼくは……その、考えたっていうんじゃない」アリョーシャはつぶやいた。「ただ、ほら、きみがさっきそのことで、とても変な調子で話し出したもんだから、ぼくもそのことを考えていたような気がしたんだ」

「ほうら（きみはじつにはっきりと言ったもんさ）、当たってるだろ！　今日、きみの親父さんとお兄さんのミーチャを見ているうち、きみは犯罪のことを考えたんだよね？　とすると、ぼくは間違っていないことになるね？」

「いやちょっと待って、待ってくれ」アリョーシャは不安そうに話をさえぎった。「どうしてきみにそういうことがわかる？……どうしてきみはそのことに、そんなに関心をもつのかな、このほうが大事だよ」

「そのふたつはそれぞれ別の質問だね、でも、もっともな質問さ。ひとつずつ分けて答えよう。まず、なぜぼくにはわかるか？　もしぼくが今日、きみの兄さんのドミートリーさんのありのままの姿を一度で理解しなかったら、そう、きっとなにもわからなかったろうね。ところがあるひとつの特徴から、ドミートリーさんのすべてが一度につかめた。ああして、ものすごく高潔でも女好きな男には、越えてはいけない一線があるんだよ。もしもそうでなきゃ、あの人は親父をぐさりとやりかねない。きみの親父は飲んだくれで、抑えのきかない道楽人で、節度なんてものは一度だって理解したことがない人間だけど、二人とも堪《こら》えきれなくなったら、溝のなかに一緒にどぶんと……」

「そうじゃないミーシャ、そうじゃないんだ。もしもそれだけのことなら、ぼくだって気が楽さ。どうせそこまでは行きっこないからね」

「じゃあ、きみはなぜそんなに震えているんだ？　きみはああいうことを知ってるかい？　彼はたしかに正直な男だけどね、ミーチャのことさ（彼はおろかだけど正直だからね）、でも女好きだ。ひとことで定義すりゃまさにそういうことだし、それが彼の内面的な本質のすべてってところなのさ。つまり、あのあさましい女好きな性分を彼は父親から受けついだってわけさ。でもアリョーシャ、ぼくもきみにだけは驚くよ。どうしてきみは、そうもうぶなんだ？　きみだってカラマーゾフだろう！　きみらの一家って、女好きが炎症を起こすぐらい深刻だっていうのにさ。ところで、あの女好き三人組、今じゃもう、おたがい後をつけまわしているありさまだものね……靴のなかにナイフ隠してさ。三人が額をごつんとやった。で、ひょっとすると、きみがその四人目ということになるのかな」

「あの女の人のことはきみも誤解しているね。ドミートリーはあの人を……軽蔑しているんだ」なぜかぎくりと体を震わせながら、アリョーシャが言った。

「グルーシェニカのことかい？　待てよアリョーシャ、軽蔑なんかしちゃいないさ。自分のフィアンセを棄てて公然と彼女に乗り換えたくらいなんだ、軽蔑するわけない。あれにはだね……いいかい、アリョーシャ、あれにはきみにわからない何かがあるのさ。男がだね、なにかの美に、女の体や、でなきゃ女の体のある一部分だっていい（こいつは女好きにはわかることなんだ）、いったんこれにほれ込んだら、そのためには自分の子どもだって手放してしまうし、父親だろうが母親だろうが、ロシアだろうが祖国だろうが売り渡してしまうんだ。正直者だって平気で盗みをやる。おとなしい男だって平気で人を切り殺す、忠実な男だって平気で人を裏切るんだ。

女の足の歌い手だったプーシキンはだよ、詩のなかで女の足を讃美している。ほかの連中だって讃えこそしないが、きれいな足ってのは、それこそゾクゾクせずには見られない。何も足にかぎった話じゃないがね……。でもさ、きみ、たとえ彼がグルーシェニカを軽蔑しているとしてもだ、ここじゃ軽蔑が、なんかの足しになるわけじゃないんだ。軽蔑はしていたって、離れられないっていうことが往々にしてあるんだからね」

「それはぼくにもわかる」アリョーシャがふいに口をすべらせた。

「それって、ほんとうかよ？　わかる、なあんてつい口ばしるぐらいだから、きっときみはわかってるんだな」意地悪い笑みを浮かべてラキーチンは言った。「きみは思わず口をすべらせた、つい本音が出たってわけさ。そうなると、その告白はますます価値がでる。つまり、きみはそういう話がもうわかっている、そういうことについて考えたことだってある、セックスのことさ！　ああ、きみって人は、とんだ童貞坊やさ！　ねえ、アリョーシャ、きみはおとなしい男だし、聖人君子のたまごだってぼくも思う。でもさ、おとなしいからって、きみがなにを考えてきたかは知れたもんじゃないし、どんなことを知っているかはだれにもわからないんだ！　童貞坊やのくせして、そんな深いところを抜けてきたなんて……。

きみのことはずっと前から観察してきたんだけどね。きみはやっぱりカラマーゾフなんだな、正真正銘、カラマーゾフなんだ――つまり、血筋や遺伝もそれなりに意味があるってわけだ。父親ゆずりの女好きで、母親ゆずりの神がかりってわけだ。どうして震えてなんかいるのさ？　それとも、痛いところ突かれたのかな。いいかい。グルーシェニカがぼくにこう頼んだのさ。『ねえ、あの人を（ってきみのことさ）連れてきてちょうだいよ、あの人の僧衣、脱がしてみせるから』。そうなんだ、連れてきてね、連れてきてねって、なんど頼んできたことか！　それでちょっと考えさせられた。彼女はいったいきみのどこに興味があるのか。いいかい、あの人だってそうざらにはいない女だからね！」

「ちゃんと伝えるんだよ。ぼくは行きませんとね」アリョーシャが軽く苦笑をもらした。「ミハイル、それより、さっき言いかけたことをちゃんと最後まで話しなよ。ぼくの考えはあとで教えてあげるからさ」

「ちゃんと話すことなんてないよ、なにもかも明白じゃないか。こんなことはさ、きみ、みんな決まりきった話なんだよ。もしもきみに女好きなところがあるとしたら、同じ母親から生まれたきみのイワン兄さんはどうなる？　彼もやはりカラマーゾフなんだよ。要するに、きみたちカラマーゾフ一家の問題というのは、女好き、金儲け、神がかり、この三つに根っこがあるってわけさ！　きみのイワン兄さんだって、ほんとうは無神論者のくせして、わけのわからないばかげた思いつきで神学の論文なんか発表している。いまのところは冗談だけど、自分でもその卑劣さをちゃんと自覚しているんだ……きみのイワン兄さんはね。

しかも、ドミートリー兄さんのフィアンセを横取りしようとしているけど、その目的だってきっと果たすだろうさ。そのやり口ときたらどうだい。ドミートリー本人の了解まで得ているんだぜ。なぜって、ドミートリーさんはフィアンセと縁切りして、すぐにでもグルーシェニカのもとに走りだしたい一心で、自分からフィアンセをイワンさんに譲る気だからさ。すべて、彼らしい気だかい無欲な人柄にもかかわらず、だ。ここが肝心。そうそう、ああいうやけに因果な連中って、いるんだよね！　こうなったらもう、だれにもわかんないんだろうな。だって、自分で卑劣さを自覚しながら、その卑劣さに自分からのめりこんでいくんだもの！　で、まだあるんだ。ところが、ドミートリー兄さんの行く手に老いぼれ親父が立ちはだかった。なにしろその親父が急にグルーシェニカに狂っちまって、彼女を見ているだけでよだれが出てくる始末だ。庵室でさっきあんなスキャンダルを起こしたのだって、もっぱらグルーシェニカが原因なのさ。ミウーソフが彼女のことを淫売呼ばわりした、それだけの理由なんだよ。さかりのついたネコより、始末の悪い惚れこみようさ。以前グルーシェニカは、給料をもらって酒場かなにか、ちょっとした裏のあぶない仕事を手伝っていただけだが、親父さん、それをこのところ急に見直してすっかり頭に血がのぼり、あれやこれや口説きにかかったというわけさ。もちろん、まともな口説き方じゃないけどね。いずれ、親子は同じ道で鉢合わせせって寸法さ。

で、グルーシェニカは今のところ、適当に答えをはぐらかし、二人をからかいながらどっちが得か見定めているんだ。なにしろ、親父さんからがっぽり金を絞りとれても結婚はしてくれない、しまいにひどくけち臭くなって、財布の紐をきっちり締めてしまうかもしれない。そうなると、ドミートリーだって捨てたもんじゃなくなる。金はないけれど、かわりに結婚はできるから。そう、結婚できるからね！　絶世の美女で金持ちで、貴族の生まれで、大佐の娘であるフィアンセのカテリーナさんを捨て、グルーシェニカと結婚するんだ。こっちは、老いぼれの商人《あきんど》で野暮な道楽者の町長サムソーノフの元妾さんだ。こんなふうにネタがそろっていれば、じっさい犯罪めいた衝突が起きたっておかしくはない。で、きみのイワン兄さんが待っているのも、それってことになる。そうなりゃ彼の勝ちさ。憧れのカテリーナも手に入る、持参金六万ルーブルもいただける。彼のようなただの文無しからすりゃ、こいつはもうかなり魅力的なスタートだよ。

で、ここが肝心なんだ。ドミートリーさんを傷つけるどころか、死ぬまで恩に着せることになる話さ。なにしろ、ぼくはちゃんと知っているんだ。つい先週のことなんだが、ドミートリーさんはジプシー女たちと飲み屋で酔っ払って、大声でこう叫んだんだ。おれはフィアンセのカテリーナに値しない男で、弟のイワンこそ値するってね。で、カテリーナさん自身も、むろんイワンさんのような魅力的な人だったら、最後までいやとは言い切れないだろうね。だって、彼女はいまからもう二人のあいだで揺れているんだから。でも、あのイワンのような男に、どうしてきみたちみんなコロリといっちまったのかね、彼の前だとどうして、ああぺこぺこするんだろう？　そのくせ彼のほうは、そういうきみらをせせら笑っているんだ。こちらの思うつぼ、きみらのおごりでせいぜいご馳走になります、とでもいわんばかりにさ」

「きみはどうしてそんなことまで知っているの？　なぜそう自信たっぷりにしゃべれるのさ？」顔をしかめ、きびしい口調で急にアリョーシャがたずねた。

「じゃあ、どうしてきみはそんな質問をして、聞きもしないうちから、ぼくの答えを怖がっているんだい？　つまり、ぼくがずばり真実をついていることを認めている証拠さ」

「きみはイワンが嫌いなんだね。イワンはお金なんかに誘惑されないよ」

「そうかねえ？　じゃあ、カテリーナさんの美しさはどうだい？　ここは金だけの話じゃない。たしかに六万ルーブルというのは、誘惑的な代物だけどね」

「イワンはもっと高いところを見ているのさ。イワンは何万というお金にだって誘惑されたりしない。イワンが求めているのは、お金や、やすらぎなんかじゃないんだ。彼が求めているのは、ひょっとすると苦しみかもしれないんだ」

「また予言の話かい？　きみたちって、どこまでも貴族きどりなんだよね！」

「ああミハイル、イワンは嵐のような魂の持ち主なんだ。頭はあることに凝り固まっている。いだいている思想は偉大だけれど、まだ未解決のまま。何百万というお金を積まれたって振り向かない、ただ思想を解決しなければならない、そういう人間の一人なんだ」

「それは盗作だよ、アリョーシャ。長老が言ったことの、まるでオウム返しじゃないか。それにしてもイワンは、とんだ謎をきみらにかけたものさ！」ありありと悪意をにじませながら、ラキーチンは叫んだ。顔つきまで変わり、唇がゆがんだ。

「それもくだらない謎でさ、解くべきことなんて何もありゃしない。ちょっと頭を働かせれば、すぐにわかることなんだ。彼の論文なんてお笑い草だし、ばかげたもんだよ。最近の彼のくだらない理論、聞いたことがあるかい。『霊魂の不死がないなら善もない。つまり、すべては許されている』とこう来たぜ。（そういえばきみのドミートリー兄さん、『頭に入れておきます』とか叫んでたっけね）。卑怯者には誘惑的な理論さ……こいつは言いすぎたかな、ばかばかしい……卑怯者じゃなくて、《思想の解きがたい深み》にはまったほら吹き中学生とでもしておこう。要するにはったり屋さ、その本質というのが『いっぽうからいえば認めざるをえない、他方からいえばこれまた認めざるをえない』ということなのさ。彼の思想全体が卑劣なんだ！　人類ってのはね、たとえ霊魂の不滅なんか信じてなくたって、善のために生きる力くらい、自分で自分のなかに見つけるもんなのさ！　自由への愛、平等への愛、兄弟愛のなかにね……」

ラキーチンはすっかり熱くなり、ほとんど自制できなくなっていた。ところが急に何かを思い出したように話をやめた。

「まあ、これくらいにしておこう」彼は前よりもさらにゆがんだ笑みを浮かべた。「何を笑ってる？　ぼくのこと、俗悪なやつって思ってるのかい？」

「いや、きみが俗悪なやつだなんてこれっぽっちも思っていない。きみは頭がいいのさ。でも、……よそう。つい、うっかり笑ってしまっただけなんだから。ミハイル、きみが熱くなる気持ち、ぼくにもわかる。きみの入れこみようを見ているうちに、きみ自身がカテリーナさんに関心があるんだなって考えたんだ。じつをいうとね、前々からそうじゃないかって疑っていた。だからイワン兄さんが嫌いなんだって。で、きみは彼に嫉妬しているんだよね？」

「そう、おまけに彼女のお金にも嫉妬している？　そう言いたいんだろう、え？」

「ちがうよ。お金のことなんか、ぼくは何もいっていない。きみを侮辱するつもりなんてないんだから」

「きみがそう言うんなら、信じるよ。でもね、きみも、きみのイワン兄さんも、もうほんとうにくそくらえさ！　きみたちにはわからないよ。たとえカテリーナさんのことがなくたって、イワン兄さんはぜったいに好きになれないってことが、ね。それになぜ、ぼくが彼を好きになれるっていうのさ。滅相もない！　せっかく向こうからぼくの悪口を言ってくれているんだ。それならぼくにだって、彼の悪口をいう権利があるはずだよ」

「良い悪いは別にして、兄さんがきみのことを、ちょっとでも何か言ったなんてまったく聞いたことがないな。きみの話なんて一度だってしてないよ」

「ところがぼくが聞いた話だと、一昨日《おととい》、カテリーナさんの家で彼はぼくのことを、ぼろくそにけなしたそうだぜ。召使みたいにおとなしいこのぼくに、それぐらい関心をもっていたというわけさ。だとしたら、いいかい、いったいどっちが嫉妬しているのかわからないじゃないか！

　なんでも、こんな考えをご披露なすったそうさ。もしもぼくがかなり近い将来、修道院長になる出世の道にあきたらず、頭を丸める決心がつかないとなったとき、ぼくはきっとペテルブルグに出て、中央誌、それも評論部門とコネをもち、十年ばかり論文を書き、しまいにその雑誌を乗っ取ってしまうとさ。それからまた社会主義的な色というか、社会主義のきらびやかさで飾った、これも必ずリベラル派の無神論がかった雑誌を出版するんだそうだ。ただし耳をしっかりそばだてて、つまりじつのところは敵にも味方にも警戒を怠らず、バカどもの目をごまかすというやつらしい。

　きみの兄さんの説によると、ぼくの出世街道はこうやって終わるんだそうだ。要するに、たとえ社会主義の色がついていても当座預金に雑誌の予約金を積み立て、ユダヤ人かだれかの手ほどきをうけて、折りにふれその金を運用し、やがてはペテルブルグに豪勢なビルをおっ建て、そのなかに編集部を移し、残りの階は賃貸に回す。ビルの番地まで指定しているんだ。ネヴァ河にかかるノーヴイ・カーメンヌイ橋のたもとがそこで、この橋というのがいまペテルブルグで計画中の、リテイナヤ通りからヴィボルグ地区をつなぐ橋なのさ……」

「ああミハイル、それならきっと、そっくりそのまま実現するかもしれないよ、一言一句たがわずにね！」こらえきれなくなったアリョーシャが、楽しそうに笑いながら不意に声をあげた。

「アレクセイ君、きみまでいやみをいうわけね」

「そうじゃない、冗談だよ、ごめんね。ぼくはまったく別のことを考えていたんだ。でもね、ちょっと言わせてもらうと、いったいだれがそんなに細かいことまできみに教えたんだい。だれからそんな話、聞くことができたのさ。だって兄さんがその話をしていたとき、きみが個人的にカテリーナさんの家にいたはずもないしさ」

「ぼくはいなかったさ、でもドミートリーさんがいたんだ。この話をぼくはドミートリーさんから自分の耳で聞いたんだ。つまり、彼がぼくに話してくれたといってもいい。ただし、ぼくは盗み聞きしたのさ。もちろんやむをえずだよ。なぜって、グルーシェニカの寝室にいて、隣りの部屋にドミートリーさんがいるあいだ、ずっとそこから出られなかったんだもの」

「ああそうか、忘れてたよ、あの人はきみの親戚だったものね……」

「親戚だって？ グルーシェニカがぼくの親戚って言ったのかい？」ラキーチンはとつぜん顔を真っ赤にして叫んだ。「ひょっとしてきみは気が変になったのか？ ぜんぜん、おかしいぞ」

「どうしてさ？ ほんとうに親戚じゃないの？ ぼくはそう聞いてたけど……」

「いったいどこでそんな話を聞いたんだい？ いやはや、きみたちカラマーゾフ家のみなさんは、どこぞの由緒ある大貴族の末裔をきどって、そのくせ親父ときた日にゃ道化役者さながら、他人《ひと》さまの食事にありつこうと駆けずりまわり、人のお情けで台所にいさせてもらっているだけの男じゃないか。ぼくがたとえ坊主のせがれで、貴族のきみらからみりゃしらみ同然にすぎないとしたって、そうあっけらかんと面白半分に、ぼくを侮辱するのはやめてもらいたい。アレクセイ君、ぼくにだって、いっぱしの名誉っていうものがあるんだからね。ぼくがグルーシェニカの親戚だなんてこと、あるはずがない。あんな売春婦の。そこんとこを、ちゃんとご理解いただきたいものさ！」

　ラキーチンはおそろしく腹を立てていた。

「頼むから許して。そんなことは考えもしなかった。でもさ、どうしてあの人が売春婦なんだい？　ほんとうにあの人は……そういう人なのかい」アリョーシャは急に赤くなった。「もういちどいうけど、親戚って聞いてたんだ。きみはしょっちゅうあの人のところに出入りしてるし、自分でも言ってたじゃないか。彼女とは恋愛関係なんてないって……。だからきみがあの人をそんなに軽蔑しているなんて、夢にも思わなかったよ！　でも、ほんとうにあの人はそう思われてもしかたない人なのかい？」

「ぼくがあの人のところを訪ねるのは、それなりの理由があるからさ。でも、もうきみのお相手はごめんだね。それに親戚ということでいえば、きみの兄さんか親父さんが、いますぐにでもきみを彼女の親戚にしてくれるよ、ぼくじゃなくてきみをね。さあ、やっと着いたぞ。台所に行ったほうがいい。

　あれ！　あれはいったいなんだ、どうしたんだ？　遅刻したかな。あんなに早く食事が終わるはずないぞ。それともカラマーゾフのやつら、あそこでまたなにかやらかしたのか？　きっとそうだ。ほら、きみの親父さんがいる。イワンさんがそのあとから歩いていく。あれは院長のところから飛び出してきたんだ。ほら、イシドール神父が入り口の階段から、やつらに向かって叫んでいる。おや、きみの親父さんも何か怒鳴りかえして、両手をふり回している。きっと悪態ついているんだ。おやっ、見ろよ、ミウーソフも馬車で帰っていくぞ、見えるかい、走っていくだろう。見ろよ、地主のマクシーモフまで走っていく。そうか、あそこで大醜態《スキャンダル》がもちあがったんだ。してみると、食事会はなかったんだな！　連中、院長を殴ったりしなかったろうな？　それとも連中が殴られたかな？　むしろ、そうあって当然だが！……」

ラキーチンが大声をはりあげたのは、それなりに意味があった。事実、かつて耳にしたこともないような大醜態《スキャンダル》がとつぜん持ちあがったのである。すべては「インスピレーション」が原因だった。

8　大醜態

ミウーソフとイワン・カラマーゾフが修道院長の部屋に入ろうとしていたとき、根はまじめでデリケートな人間であるミウーソフの心に、ある微妙な心境の変化がにわかに起こり、腹を立てている自分が恥ずかしいような心持ちになった。実のところ、あのろくでなしのフョードルなど敬意を払うに値しない男なのだから、長老の庵室であんなふうに冷静さを失い、自分を見失うべきではなかった。彼はひそかにこう感じていた。《あの件で、少なくとも修道僧たちはどこも悪いところはない》彼は、修道院長の住む建物の階段でふいにそう考えた。《もしもここにもまともな人間（この修道院長のニコライ神父も貴族の出らしい）がいるなら、彼らにもっとやさしく愛想よく、丁重に接して悪いわけはない》《議論はやめていちいち相槌をうって、愛想のよさでひきつけ……そして……最後には自分が、あんなイソップ爺《じじい》の、あんな道化者の、あんなピエロの仲間じゃなく、他の連中同様、うかつにも罠にはめられたのだということをわからせてやろう……》

係争中の森林伐採や川の漁業権（それらがはたしてどこにあるのか、彼は自分でも知らなかった）を、今日にでもすっぱりと永久に譲ってしまおう、ましてそんなものにろくな値打ちもないのだから、修道院を相手どった訴訟もいっさい取り下げようと彼は心に決めた。

一同が修道院長の食堂に入るにおよび、そうした殊勝な思いは、さらにいっそう強まっていった。もっとも、修道院長のところには食堂がなかった。というのも、実のところ建物全体に部屋はたった二つしかなかったからで、なるほどそれらは長老の庵室よりははるかに広く、使い勝手もよさそうだった。しかし部屋の飾りつけは、やはりとくに立派ということもなかった。応接セットはマホガニー材に革を張ったもので、二〇年代の古いスタイルだった。床板も塗られていなかった。そのかわり、すべてが清潔なかがやきを帯び、窓辺にはたくさんの高価な花が置いてあった。

しかしこの瞬間いちばんの贅沢といえば、当然のことながら、豪華に準備された食卓だった。もっともこの場合、相対的にいっての話である。テーブルクロスは清潔で、食器はぴかぴかに光っていた。みごとに焼き上げられた三種類のパンとワイン二本、修道院で作られた立派な蜂蜜のはいった二つの瓶、近隣でも評判のいい修道院製のクワスが入ったガラスの大きな水差しが置かれていた。ただし、ウォッカはまったくなかった。

ラキーチンがあとで話してくれたところによると、食卓にはこのとき、五種類のメニューが用意されていたらしい。チョウザメのスープに魚入りのピロシキ、つぎに特別のみごとな味つけをほどこした蒸し魚、それに紅魚(チョウザメの総称)のカツレツ、アイスクリーム、コンポート、そして最後がフルーツババロアという取り合わせである。これはすべて、ラキーチンががまんしきれず、それなりにコネのある修道院長の調理場をわざわざのぞきに行って、嗅ぎだしてきたことだった。彼はいたるところにコネをもち、どこからでも話を聞きだしてくるのだった。

彼はひどく落ちつきのない、ねたみ深い心の持ち主なのだった。すぐれた能力を十分に自覚していたが、自惚《うぬぼ》れもあって神経質にそれを誇張してみせるところがあった。自分がなにがしかの事業家になることを、自分なりにしっかりとわきまえていたのだろうが、彼と非常に仲のよかったアリョーシャを悩ませていたのは、友人のラキーチンがほんとうは不正直者でありながら、全然そのことを自覚していないことだった。それどころか彼は、テーブルのお金を盗むようなことはしないのだから、結局のところ自分はきわめて正直な男だと決めこんでいた。そうなると、もはやアリョーシャだけでなく、だれであれ手のうちようがなかった。

ラキーチンはまだ下っ端の身分だったから、昼食会には招かれるはずもなかったが、代わりにヨシフ神父とパイーシー神父、そしてもうひとり修道司祭が招かれていた。ミウーソフ、カルガーノフ、イワンが入っていくと、彼らはすでに修道院長の食堂で待っていた。脇にはさらに地主のマクシーモフも控えていた。

客人たちを迎えるため、修道院長が部屋の中央に歩み出てきた。上背があり、やせぎすながらまだまだ頑健そうな老人で、黒い髪にかなりの白髪がまじり、面長で、いかめしく陰気な顔立ちをしていた。修道院長が客人のひとりひとりに黙ってお辞儀をすると、次に客人が祝福を受けるために歩みよった。ミウーソフは思いきってその手にキスをしかけたが、修道院長はなぜか折り悪しくその手を引っ込めてしまったので、キスは成りたたなかった。そのかわり、イワンとカルガーノフのほうは十分な祝福にあずかった。つまり、ごく素朴で庶民的なやり方でその手に軽くキスをしたのである。

「神父さま、われわれは心からお詫び申し上げなくてはなりません」ミウーソフが、やや歯をのぞかせ愛想よく切りだしたが、それでもやはりどこかもったいぶった、うやうやしい口ぶりだった。「ご招待にあずかった同行のフョードル・カラマーゾフさん抜きで、われわれだけで参りましたことをお詫び申しあげます。フョードルさんは事情により、やむを得ずこの食事会を辞退されました。ゾシマ長老の庵室におきまして、ご子息との不幸な身内あらそいで激昂され、およそ場所柄をわきまえない、ひとことで申しますなら、たいそう不謹慎な言葉をいくつか口にされたのです……それにつきましては、おそらく（彼は修道司祭たちをちらっと見やった）神父さまのお耳にも届いていることかと存じます。そういう次第でして、当の本人も自分の非を認めて心より後悔して恥じ入っておられ、どうしてもその恥に耐えられないとのことで、わたしやご子息のイワンさんに、心からのお詫びと悲しみ、反省の思いをあなたにお伝えくださいと頼まれました……要するに、のちほどその埋め合わせをさせていただき、今はあなたのご祝福を乞い、先ほどのことをどうか水に流していただきたいと希望されております……」

ミウーソフはそのまま口をつぐんだ。長広舌の最後のセリフを言い終えると、彼は自分にすっかり満足し、さっきまでの胸の苛立ちが嘘のように消えていた。彼はふたたび、人類というものを心からきまじめに愛していた。修道院長は、もったいぶった表情で話を聴きおえると、軽く頭をさげて答えた。

「お帰りになった方のことは、まことに遺憾に存じます。もしかするとわたしたちのこの昼食会のあいだに、わたしたちがその方を好きなのと同じように、その方もわたしたちを好きになってくださったかもしれませんのに。ではみなさん、どうぞ召しあがってください」

修道院長は聖像の前に立つと、声にだしてお祈りをはじめた。一同はうやうやしく頭を垂れたが、地主のマクシーモフは格別の敬虔な思いから両の掌を合わせて、人よりもさらに身を乗りだしたほどだった。

フョードルが最後の道化芝居に打ってでたのは、まさにその時だった。ここで断っておくが、彼はたしかに帰ろうという気になりかけていたし、長老の庵室であれほど恥ずべき振るまいにおよんだ以上、いくらなんでも修道院長との昼食会に、平気な顔でのこのこでかけていくわけにはいかないと感じていた。といって、それほど自分を恥じて、責めていたというのではない。ひょっとすると、まるで正反対だったかもしれない。しかしそれでも、食事などするのは失礼だと感じていたのである。

ところが、例のがたぴし音のする馬車が宿泊所の玄関口にまわされ、いざそれに乗り込もうという段になって、彼はふと足をとめた。長老のもとで自分が放った言葉が思い出されたのだ。

「まさしくそう、わたしは人前に出るとき、いつもこう思ってきたんです。おれはだれよりも卑劣だ、だれもがおれを道化あつかいしている。それなら『よし、じっさいに道化を演じてみせようじゃないか、あんたらの意見なんて恐くない、あんたらだってみんな、ひとりのこらずこのおれより卑劣なんだから！』」

彼は、自分がしでかした嫌がらせをねたに、一同にはらいせがしてやりたくなった。以前にいちどこう訊ねられたときのことを、彼は今さらながら思い出した。「あなたはどうして、そうまで人を憎むのですか？」――そしてそのとき、道化役者らしい破廉恥な思いにかられて答えたものだった。「つまり、こういう理由なのですよ。たしかに彼はわたしに何も悪いことはしなかった、でもかわりにこちらから、とてつもなく恥知らずな嫌がらせをひとつしてさしあげたのです、で、それをすると、たちまちわたしはそのことで彼が憎らしくなったんです」

いまそのことを思いだすと、彼はすこしばかり思案にくれて、声もなく憎々しげに笑いをもらした。目がぎらりと光り、唇までぷるぷると震えだした。「なあに、乗りかかった船だ、あとは行くところまで行くだけだ」彼はそう腹を決めた。この瞬間の彼の、言いしれずひそやかな感覚は、こんなふうな言葉で表現できたかもしれない。「今となりゃ、名誉回復なんてどだい無理な話だ。だったら、やつらの顔にとことん唾をひっかけてやろうじゃないか。あんたらに遠慮する気はない、そういってやる、それだけの話だ！」

フョードルはもう少し待つよう御者に命令すると、足早に修道院に引き返し、まっすぐ修道院長のところへ向かった。これから自分が何をしでかすか彼にもまだよくわかっていなかったが、もはや自制がきかず、小さなひと押しで一瞬のうちに何か醜悪のきわみともいうべき、最後の一線にたどり着いてしまうことがわかっていた。ただ、それはたんなる醜悪のきわみなだけで、犯罪まがいのもの、ないしは裁判で罰せられるような悪行などではけっしてなかった。後者のような場合、彼はいつも自分を抑えることができたし、その点については時として自分でも呆れるぐらいだった。

フョードルが修道院長の食堂に入ったのは、お祈りが終わり、一同が食卓のほうに動きだしたまさにその瞬間だった。敷居のうえに立ちどまり、一同をぐるりと見渡すと、不敵にも彼らの目をにらみながら長々と笑い出した。ふてぶてしい意地の悪い笑いだった。

「みなさんはどうやら、このわたしがてっきり帰ったとお思いのようですが、このとおり、ちゃんとここにおりますよ！」食堂全体にひびく声でフョードルは叫んだ。

一瞬、全員が彼の顔をまじまじとみやって口をつぐんだが、これから大醜態をともなう、吐き気がするようなばかげたなにかが持ち上がるにちがいないと直感した。ミウーソフはたちまち、このうえなく穏やかな心持ちから、おそろしく凶暴な気分に変わった。彼の心のなかで消えかかりしずまりかけていたもろもろのものが、一気によみがえり、頭をもたげたのである。

「だめだ、こんなこと、もうがまんできない！」彼は叫んだ。「どうしてもだめだ、絶対にだめだ！」

頭にどっと血がのぼった。舌までもつれていたが、もはや言葉をあやつるどころの話ではなかった。彼は帽子を引っつかんだ。

「あの人、いったい何がだめだって言ってるんですかね？」フョードルはわめきたてた。「なにが『どうしてもだめ、絶対にだめ』なんでしょう？　神父さま、中に入っちゃまずいでしょうか？　食事のお仲間に入れていただけるんですかね？」

「心からそうお願いします」と院長は答えた。「みなさん！　恐れ入りますが」院長はふいに言い足した。「心からお願い申し上げます。いっときの争いごとは忘れ、主への祈りとともに、われわれのこの質素な昼食会のあいだに、どうか愛と親族の睦《むつ》みにて結ばれますように……」

「いや、いや、そんなことはとてもむりです！」われを忘れたかのようにミウーソフが叫んだ。

「もしもミウーソフさんがむりとおっしゃられるなら、このわたしもむりです。わたしは残りません。一緒に帰ります。これからは、どこまでもミウーソフさんにくっついていきます。ミウーソフさん、お帰りなさい、わたしも帰りますから。もしお残りになるのなら、わたしも残ります。院長さま、いまの親族の睦みとかいう言葉がこの人の胸にちくっと刺さっただけですよ。だって、このわたしをご自分の親戚とは認めていないんですから。そうだろう、フォン・ゾーン？　ほら、そこに立ってるのが例のフォン・ゾーンなんですよ。どうだい、元気にしてるか、フォン・ゾーン」

「それは……このわたしに？」地主のマクシーモフが、目を丸くしてつぶやいた。

「もちろんあんただよ」フョードルが叫んだ。「でなかったら、だれだっていうんだ？ 院長がフォン・ゾーンだなんてわけないだろう！」

「ええ、ですが、このわたしもフォン・ゾーンじゃございません、マクシーモフと申します」

「いいや、あんたがフォン・ゾーンなんだ。で、神父さま、あなたはフォン・ゾーンが何ものかご存知ですか？ じつはそういう名前の事件がありましてね。その男が殺されたのは娼窟《しょうくつ》なんですよ。ここではああいう場所を、たしかそう呼んでおられるようですが……。殺されたうえに金品を奪われ、かなりの歳でしたが、箱づめにされ密封されて、荷札つきでペテルブルグからモスクワに貨車で送られたんです。で、箱に釘が打たれているあいだ踊り子たちは歌を歌ったり、グースリ、つまりロシア琴をかき鳴らしていたそうですよ。まさしくそのフォン・ゾーンが、ここにいるこの男なんです。死者が甦ったというわけですよ。そうだな、フォン・ゾーン？」

「それはなんの話です？ どういうことなんです？」修道司祭たちのあいだから声があがった。

「帰ろう！」カルガーノフのほうを向きながら、ミウーソフが叫んだ。

「いいや、お待ちなさい！」部屋の中にさらに一歩足を踏み出すと、フョードルはかん高い声でさえぎった。「わたしに最後までやらせてください。向こうの庵室じゃ、無作法なふるまいをしたとかで悪者扱いにされましたがね、そう、例のウグイについて大声を出したことですよ。どうやら、わたしの親類にあたるミウーソフさんは、話をするときは、*plus de noblesse que de sincérité*（誠実さよりも上品さ）をお好みのようですが、わたしは逆に、話のなかに、*plus de sincérité que de noblesse*（上品さよりも誠実さ）があるほうが好きなんでして、*noblesse*（上品さ）なんぞくそ食らえ、なんですよ。そうだよな、フォン・ゾーン？

失礼ながら院長さま、わたしはたしかに道化者ですし、自分から道化者を名乗ってますが、わたしは何よりも名誉を重んじる男ですから、ここははっきり申し上げておきたいのです。そうです、何よりも名誉を重んじる男ですが、ミウーソフさんなんて、そう、せせこましい自尊心があるだけで、ほかになにもありゃしないんです。わたしがさっき参りましたのも、ひょっとすると様子を一目見て、はっきり申し上げるためだったのかもしれません。ここでは、息子のアレクセイが修行を積んでおります。わたしは父親ですから息子の将来のことが気になりますし、気になって当然です。

わたしはずっと話を聞き、演技もし、こっそり見てもきたんですが、これからみなさんにその最後の一幕を演じてさしあげたいのです。わが国はいったいどうなっているのか？　わが国では、倒れたものは倒れっぱなし。いちど倒れたが最後、永久に倒れたきりなんですから。いったいこのままでいいっていうんですか！　わたしは立ち上がりたい。神父のみなさん、わたしはあなたがたに憤慨しているんですよ。懺悔はたしかに偉大な機密ですし、わたしだってそれには敬虔な気持ちを抱いていて、ひれ伏してもよいとまで思っている。ですが向こうの庵室じゃ、みんながいっせいにひざまずいて声にだして懺悔してるじゃないですか。いったい声に出して懺悔するなんてことが、許されるもんなんですかね。懺悔は耳もとでこっそりというのが神父さんたちの決まりだし、それでこそあなたがたの懺悔は機密になるというもんで、これは昔からの慣わしでしょうが。なのにみんなのいる前で、たとえば、このわたしが、これこれしかじかでありまして……、なんて説明できるわけがない。おわかりですよね？　ときには恥ずかしくて口にできないこともあるでしょうが。そんなことしたら、それこそ大醜態ですよ！　だめですよ、神父さん、あなたたちと一緒にいたら、きっと鞭身《べんしん》派に引き込まれてしまう……。そんなことになったら、わたしは宗務院に直訴状を書いて、息子のアレクセイを家に連れてかえりますよ……」

ここでひとつ注釈を加えておかなくてはならない。フョードルは、世間の噂には耳が早いほうだった。あるとき、（この町ばかりか長老制が確立しているほかの修道院でも）長老たちがあまりにも尊敬されすぎて、修道院長の地位まで危うくしている、なかでも長老が懺悔の機密を悪用しているなどといった悪意に満ちたデマが流され、大主教の耳にまで届いたことがあった。非難はばかげたものだったので、われわれの郡でも、ほかの町でも、ひとりでに立ち消えになった。ところが、神経がたかぶったフョードルを、いずことももしれない恥ずべき深みへ連れこもうとするばかな悪魔が、肝心なところはフョードル本人も理解できない過去のそんな非難を、今そっと耳うちしたのである。

そのことを、しまいまで理路整然と言い切ることなど彼にはできなかったし、ましてや今度の場合、長老の庵室でひざまずいたり、声に出して懺悔するものなどだれもいなかったから、フョードルはそんなものは何ひとつ目にしたはずはなく、適当に思いだした古い噂やデマをたよりに、ただでまかせに話をしていただけのことなのである。だがこのばか話を終えると、われながら愚にもつかぬことを並べたてたものだと感じ、聴き手に、というよりだれよりも自分に対し、自分はけっしてたわごとを言ったわけではないことをすぐにも証明したくなった。そしてこの先はひとこと口にするごとに、すでに並べたてたたわごとに、さらに愚劣なたわごとを上塗りするだけだとはっきりとわかっていたが、もはや抑えがきかず、ついに崖から飛び降りたのである。

「なんて下劣なんだ！」ミウーソフが叫んだ。

「お許しいただきたいのだが」と、修道院長がふいに言った。「昔からこう言われております。『人々はわたしにさまざまなことを言い、ついにいまわしい言葉も口にした。けれどもわたしはすべてを聞き、心に言う。これは、キリストの薬であり、わたしのおごった魂を癒すために送られてきたものである』ですから、われわれも大切な客人であるあなたに、謹んでお礼を申しあげます」

こうして、院長はフョードルに深々とお辞儀をした。

「ちぇっ、これだもんな！　偽善だね。陳腐なせりふさ！　陳腐なせりふに、陳腐なジェスチャー！　陳腐なうそに、お定まりの陳腐なお辞儀！　そういうお辞儀なら、われわれだって知ってますよ。『唇にキスを、胸元に剣を』シラーの『群盗』ですがね。わたしは、神父さん、ごまかしは大嫌い、真実がほしいんです！　ですがね、真実はウグイなんかにありません、わたしが声を大にして叫んだのはそのことですよ。修行中の神父さん、どうして精進になんか励むんです？　どうして精進の報いに天国での褒美なんかあてにするんです？　ほんとうにそんな褒美がいただけるんでしたら、わたしだって精進に励みますよ！　だめです神父さん、他人さまのパンをあてにして修道院にひきこもり、天国でのご褒美を期待するのはやめて、俗世で善行に励み、社会のためになることをやってください――そっちのほうがずっとむずかしいんです。院長さま、わたしだってちゃんと話ができるんです。で、こちらではどんな食事がでるんでして？」

そういって、彼はテーブルに近づいた。「ファクトリーのワインにエリセーエフ兄弟商会の蜂蜜酒ですか、こりゃたいしたもんだ、神父さん！　なにしろウグイとはわけがちがうようで。こりゃまた、豪勢にボトルを並べたもんで、はっ、はっ、はっ！　だれがこんなもの持ち込んだんですかな？　勤勉なロシアの百姓たちがまめだらけの手で稼いだわずかばかりの金を、家族や国家の要は二の次にして、こっちに回しているんだ！　神父さん、あなたがただって民衆の生き血を吸っているんだ！」

「これはたいそう不名誉なお話です！」とヨシフ神父が言った。パイーシー神父は、じっと黙り込んでいた。ミウーソフは部屋から飛び出し、カルガーノフがあとに続いた。

「では神父さん、わたしもミウーソフさんのあとについて出ていきます！　こちらには、もう二度と参りませんよ、膝をついて頼まれたって、もう二度とね。千ルーブル寄進したことがあったもんで、また目ん玉ぎらつかせてお待ちだったんでしょうが、はっ、はっ、はっ！　残念ながらこれ以上、びた一文、上乗せなんてありませんよ。過ぎ去った青春と、わたしが受けたすべての屈辱に仕返しをしてやるんです！」自分がこしらえた感情の発作にとらわれ、彼はテーブルをこぶしで叩きだした。

「この修道院は、わたしの人生にいろんな意味をもっていたんだ！　ここのおかげでどれだけ苦い涙を流したことか！　死んだおキツネさんの女房をわたしに楯つかせたのも、あんたたちじゃないか。七つの教会の会議でこのわたしを呪い、近隣一帯に触れまわったのも、あんたたちだ。もうたくさんだ、神父さん、いまや自由主義時代、汽船と鉄道の時代なんだ。千どころか、百ルーブル、いや、百コペイカだって今後、このわたしからは受けとれませんよ！」

ふたたび注釈を付け加えておこう。この修道院が、フョードルの人生になにか特別な意味をもったことも、彼がそのために苦い涙を流したことも、一度もなかったのである。だが、彼は自分がこしらえた涙にあまりに夢中で、一瞬、自分でもほとんどそのことを信じかけたほどだった。感動のあまり泣き出しそうにもなった。しかし同時に、そろそろ引き時だとも彼は感じていた。フョードルのこの悪意にみちた嘘八百に対して、修道院長は頭を下げ、さとすような態度でふたたび言った。

「こうも言われています。『あなたにふりかかる不本意な辱しめを、喜びとともに堪え、心をみださず、あなたを辱しめる者をけっして憎んではいけない』。わたしたちはそのようにふるまいます」

「ちぇっ、にふんてはいへない、か！　わっけもわからんたわ言ならべやがって！　せいぜい偽善者やってるんですな、神父さんがた、わたしはもう行きますよ！　息子のアレクセイは、父親の権利で今日から永久に引き取らせてもらいますよ！　フォン・ゾーン、なんの用事があってこんなところに居残っている！　いますぐ町なかのおれの家に来い。こっちは楽しいぞ。せいぜい一キロかそこらだ。精進オイルのかわりに、そば粥がついた仔豚をごちそうしてやるからな、一緒に食おうじゃないか。コニャックと、それからリキュールもだしてやる。とっておきのイチゴ酒だ……おい、フォン・ゾーン、せっかくのチャンス取りのがすなよ！」

ジェスチャーたっぷりにわめき立てながら、フョードルは食堂を後にした。外に出てきたその姿をラキーチンがみとめ、アリョーシャに指で示したのが、まさにその時だった。

「アレクセイ！」息子の姿に気づいて、父親が遠くから叫んだ。「今日中にすっかりうちに引っ越して来るんだぞ、枕と布団をかついでな、こっからはにおいまで消しちまえ」

アリョーシャは何もいわず、その光景を注意深く見守りながら、愕然たる思いで立ち止まった。そうこうするうちにフョードルは馬車に乗り込み、そのあとからイワンが、アリョーシャに振り返って別れを言おうともせず、むっつりと口をつぐんだまま馬車に乗りこもうとしていた。

ところがそこでもうひとつ、この日のエピソードの仕上げにふさわしい、道化芝居じみた、ほとんど信じがたい光景が生まれた。馬車のステップに、地主のマクシーモフがとつぜん姿を現したのだ。遅れまいと彼は息せき切って駆けつけてきた。ラキーチンとアリョーシャは、走っていく彼の姿を見ていた。彼はあまりに急いでいたので、がまんできずイワンがすでに左足をかけていたステップに自分の足を乗せ、車体にしがみついて、馬車のなかに飛び込もうとした。

「わたしも、わたしもご一緒します！」軽い陽気な笑い声をたて、至福の色を浮かべて、なんでもござれといった顔のマクシーモフが、馬車に飛び込みながら叫んだ。

「わたしも連れてってください！」

「ほうれ、言わんこっちゃない！」得意満面でフョードルが叫んだ。「フォン・ゾーン！　これぞ死人の国からよみがえった正真正銘のフォン・ゾーンだ！　それにしても、どうやってあそこを抜け出してこれた？　むこうでどんなフォン・ゾーンをやらかした、どうやって食事会をすっぽかした？　よほどずぶとい神経がなきゃできんことじゃないか！　おれの神経もかなりのもんだが、あんたのにはたまげたよ！　さあ乗れ、早く乗るんだ！　やつを通してやれ、イワン、面白いことになるぞ。足もとのあたりに横になればなんとかなるだろう。それでいいか、フォン・ゾーン？　それとも前の御者台に一緒に座るか？……御者台に行け、フォン・ゾーン！……」

ところが、すでに席におさまっていたイワンが、何もいわずいきなり力まかせにマクシーモフの胸を突き、相手は二メートルほども後ろに飛ばされた。彼が転ばなかったのは、たんなる偶然だった。

「出せ！」憎々しげにイワンは御者に叫んだ。

「いったいどうした、イワン？　どうしたんだ？　なぜあんなことをした？」フョードルは叫んだが、馬車はすでに走り出していた。イワンは答えなかった。

「ったく、おまえってやつは！」二分ほど口をつぐんだあと、フョードルは息子を横目でちらりと見やりながら、また言った。「今度の修道院の会は、おまえが自分から計画したんじゃないか。みんなをそそのかして、自分でも賛成しておきながら、今になってなにをそうプリプリしている？」

「ばかな真似はもうたくさんです、いいかげん、少しは休まれたらどうです」イワンはぶっきらぼうに答えた。

フョードルはまた二分ほど黙りこんでいた。

「こんなとき、コニャックをやれたらどんなにいいかね」しかつめらしい口調で彼は言った。だが、イワンは答えなかった。

「家に着いたら、おまえもやるといい」

イワンはなおも押し黙っていた。

フョードルはさらに二分ほど待った。

「ともかく、アリョーシャは修道院から引き取ることにするよ、お宅にはきっと不愉快きわまるだろうがね、心から尊敬するカール・フォン・モール君」

イワンは軽蔑したように肩をすくめ、そっぽを向いて窓の外を眺めだした。それから、家につくまで二人は何もしゃべらなかった。

第1部　第3編　女好きな男ども

1 下男小屋で

フョードル・カラマーゾフの屋敷は、町の中心部にあるというにはほど遠かったが、かといってまったくの郊外でもなかった。屋敷はかなり老朽化していたものの、なかなか感じのよい外観をしていた。建物は中二階のある平屋造りで、一面、灰色のペンキが塗られ、屋根には赤いトタン板が張ってあった。しかしこの先しばらくは倒れそうな気配もなく、なによりも広くて住み心地がよかった。

家の中には、いろいろな納戸だの隠れ場所だの、思いがけない階段だのがたくさんあった。おまけにネズミもかなり棲みついていたが、「とにかく夜ひとりのときは淋しくなくって悪くない」と、フョードルはさして腹を立てることもしなかった。じっさい、夜になると彼は下男を離れに下げてしまい、一晩中ずっと母屋にひとり閉じこもるのである。離れは中庭に建っていて、広々として頑丈な造りだった。母屋にも台所はあったが、フョードルは離れで炊事をさせることに決めていた。それは彼が台所の臭いがきらいなためで、冬でも夏でも料理は中庭を通って運ばれてきた。総じてこの屋敷は大家族用に建てられており、母屋も離れも、ことによるといまの五倍ぐらいの人数が優に住める広さだった。

　だがこの物語の舞台となった当時、母屋にはフョードルと息子イワンのわずか二人、そして召使用の離れには、グリゴーリー老人と老妻のマルファ、まだ若い下男のスメルジャコフの、わずか三人が住んでいるだけだった。

　この三人の従僕たちについては、少しくわしく話さなくてはならない。とはいえ、グリゴーリー・クトゥーゾフ老人については、すでにかなり言を費やしている。グリゴーリーは、もしもなにかの理由で（驚くほど非論理的なことがしばしばだったが）、それが彼の目にまちがいのない真実と映ったなら、その目標をめざして遮二無二突き進む頑固一徹な男だった。総じて彼は正直者で、袖の下がきかない潔癖な男だった。その妻マルファ・イグナーチエワは、生涯をとおして夫の意志に文句ひとつ言わずついてきたが、そのくせ恐ろしいほどこうるさく、夫にまといつくことがあった。たとえば農奴解放後すぐ、主人フョードルのもとを離れて、モスクワに行って何か商いをはじめようと夫にもちかけたことがあった（彼らにはそこそこ金が貯まっていたのだ）。しかしグリゴーリーはただちにきっぱりと、「どんな女も恥知らずなので」平気で嘘をつくし、相手がたとえどんな人物でも、これまでのご主人さまを離れるわけにはいかない、「なぜならそれがいまは自分たちの義務だからだ」と決断した。

「おまえは義務ってものがいったい何なのか、わかってるのか？」彼はマルファに向かって言った。

「義務のことはわかりますよ、あなた、でもね、あたしたちがここに居残ることがいったいどんな義務なのか、そこんところがさっぱりわからないんです」マルファは負けずに答えた。

「わからんでもいいが、そういうことになるんだ。これからは黙っておれ」

で、結局はそのとおりとなって、二人は暇をとらなかった。フョードルは彼らにわずかばかりの給料を決め、給料はきちきちと払ってやった。グリゴーリーはおまけに、自分が主人に対してある確固たる影響力をもっていることを知っていた。彼はそのことを感じていたし、またそれは正しかった。

ずる賢い頑固ものの道化フョードルは、自分でも評してみせたことだが、「人生上のいくつかの事柄」ではたいそう強気なたちのくせに、「人生上の」いくつかの別の「事柄」となると、自分でも呆れるぐらい、からっきし弱気なほうだった。彼自身それがどういう事柄かはわきまえていたし、わきまえていればこそいろんなことを恐れていたのだ。人生上のいくつかの事柄においては、ぴんと耳を立てていなければならない。そのためにはだれか忠実な人間がついていなければ心細かったが、その点、グリゴーリーは申し分なく信頼できる男だった。フョードルはこれまでの人生街道でいくどとなく、それもこっぴどく殴られかけたことがあるが、いつもそのピンチから救い出してくれたのがグリゴーリーだった。ただしグリゴーリーは、主人の不始末のたびごとに、ひとくさり説教を聞かせるならわしだった。

しかしたんに殴られるだけなら、フョードルもたいして怖じけづかなかった。実は、はるかに崇高な、きわめて微妙で複雑なともいえる事態がときどき起こり、そんな折り、フョードルはおそらく自分でも理由がわからないまま、突如一瞬のうちに、だれか忠実で身近な人間がどうしようもなく必要だという、途方もない思いにかられることがたびたびあった。それは、ほとんど病的ともいえる経験だった。このうえなく堕落し、また女好きにかけてはときに毒虫のように残忍なフョードルだったが、酒に酔いまぎれたときなどに、彼はふと自分の心の奥にほとんど生理的にひびいてくる霊的な恐怖と、道徳面での強い不安を感じてきたのである。

「そんなときはおれの魂が、まるで喉もとでぶるぶる震えてるみたいだ」。よく彼は、そんなことを口走った。まさにそういう瞬間に、彼は自分のそばか、たとえ同じ部屋でなくても離れに、しっかり者で信頼のできる自分とはまるで別の、堕落していない人間がいることを好ましく感じるのだった。そういう男は、目の前で行われている放蕩の限りを見、すべての秘密を知りつくしていても、忠義心からすべてを許して楯《たて》ついたりしない。そして肝心なことは、何ひとつとがめだてもせず、現世でも来世でもけっして脅しつけることもない。そしていざとなれば、ああしてしっかり自分を守ってくれる。——でも、だれからか？ だれか得体の知れない、しかし恐ろしい危険な人間からである。要するに、昔なじみで気心の知れた、自分とは別の人間がぜひともそばにいることが肝心なのだ。

自分の心が病みふさがったとき、その男をそばに呼んでただただ顔をながめる。ことによると、何かまるでたわいもない無駄口を一つ二つ交わしあい、相手がそれでとくに気を悪くしなければなんとなくこちらの気も休まり、相手が腹を立てれば多少とも気が沈むにまかせるだけだ。

フョードルはよく(といってもごくまれではあったが)、夜の夜中でもグリゴーリーを起こしに離れに行き、ちょっと母屋に来てくれと頼むことがあった。相手がやってくると、フョードルはおよそ愚にもつかない話をもちだし、時として皮肉や冗談まで口にしながらすぐに相手を戻してしまうのだが、本人はぺっと唾を吐いて横になり、あとはもう聖人のようにすこやかな眠りに落ちるのである。

これに似たことは、アリョーシャが戻ってきてからもフョードルの身に起こった。アリョーシャは、「一緒に過ごして一部始終を見ながら、なにひとつとがめだてしなかった」ことで、彼の「心臓をぐさりとつらぬいた」。それだけでなくアリョーシャは、これまで自分が経験したこともないようなものを持ち帰ってきた。それはフョードルにたいしてまったく軽蔑の念を示さないことであり、逆におよそ彼が値するはずもない、つねに変わらぬ優しさと、心からごく自然にあふれ出る愛着を寄せてくれたことだ。これらすべては、家庭のない年老いた遊び人にとっては天からの贈り物であり、これまで「汚らしいもの」にしか目が行かなかった彼にとっては、じつに思いもかけないことだった。アリョーシャが家を出たとき、彼はこれまで理解しようともしなかったことがいくらかわかったと自認したものだった。

この物語のはじめですでに触れておいたことだが、グリゴーリーは、フョードルの先妻で長男ドミートリーの母であるアデライーダを憎んだ。それとは逆に、二度目の妻で「おキツネさん」だったソフィアを、自分の主人からだけでなく、たとえ相手がだれでも彼女の悪口をいったり軽口を叩いたりするものから守ってきた。この不幸せな女性に対する気持ちは何か崇高なものに変じていて、二十年たった今も、かりにだれかが彼女について遠まわしの悪態をつこうものなら彼はがまんできず、すぐにも相手を撃退しにかかったことだろう。外見をみると、グリゴーリーは冷ややかないかめしい無口な男だったが、口からでる言葉は重々しく、軽はずみとは無縁だった。従順でおとなしい妻を愛しているのかどうかということも、一瞥しただけでは、はっきりしたことはいえなかった。しかしじっさいに彼は妻を愛していたのであり、妻のほうでももちろんそれがわかっていた。

このマルファという女は、けっして愚かでなかったばかりか、夫のグリゴーリーよりもむしろ賢いといえるほどで、少なくとも実生活の面では夫より分別があった。しかしそれでも、結婚したての頃から彼女は不平ひとつ言わず、口答えひとつせずに夫にしたがい、精神的に自分より優れていることを認めて彼を文句なしに尊敬していた。特筆すべきは、二人はそれまで、どうしてもやむをえない目先の用事のほか、たがいにめったに口をきかなかったことである。尊大な態度でどっしりと構えるグリゴーリーは、自分の仕事や心配事はつねに自分ひとりで考えることにしていたので、マルファはだいぶ前から、夫は自分のアドバイスなどまったく必要としていないとすっぱり悟った。夫も自分が無口であることをよしとし、自分の賢さはそこにあると認めてくれているのを感じていた。

グリゴーリーはたったの一回をのぞき、彼女を殴ったことはなかったが、その一回も軽く触れる程度のものだった。アデライーダとフョードルが結婚した最初の年、村で一度、その頃はまだ農奴だった村娘たちや農婦たちが、主人の屋敷にかり集められ、歌ったり踊ったりしたことがある。『草原にて』という歌がはじまったとき、当時はまだ新妻のマルファが歌い手たちの前に跳びだし、一種特別な踊り方で「ロシア舞踏」を披露した。それは農婦たちの田舎風の踊り方ではなくて、富裕なミウーソフ家で女中として働いていたころ、地主一家の私設劇場で踊っていたやり方だった。この私設劇場では、モスクワから招かれてきたダンスの教師が、役者たちに踊り方を教えていたのである。自分の妻が踊ったのを見たグリゴーリーは、それから一時間ほどして自分の小屋に戻ると、彼女の髪の毛を軽く引っぱって仕置きを加えた。しかし仕置きはこの一度だけで、生涯二度と繰り返されることはなく、マルファもそれ以来ぱったりと踊るのをやめてしまった。

二人は子どもを授からなかった。赤ん坊がひとりいたが、その子もすぐに死んでしまった。グリゴーリーはどうやら子どもに目がないらしく、そのことを隠そうともしなかった。つまり、気兼ねせずにそれを口にしたということだ。アデライーダが駆け落ちしたとき、三歳になる幼いドミートリーを引きとり、ほとんど一年にわたってその子の面倒をみ、髪をとかしてやったり、たらいで行水まで使わしてやった。その後、イワンとアレクセイの面倒をみてやったが、逆にそのおかげで平手打ちをくらったこともある。しかしこれらの話は、すでに述べたとおりである。

わが子への期待に胸をふくらませることができたのは、マルファのお腹がまだ大きいあいだだけだった。が、いざ子どもが生まれてみると、彼の心は悲しみと恐ろしさにうちひしがれた。何をかくそう、その子は六本指で生まれたのだ。それを見たグリゴーリーはうちのめされ、洗礼の当日までずっと沈黙を押しとおしたばかりか、口をきかずにすむようわざと庭に出ていた。季節が春だったこともあって、三日間ずっと庭の野菜畑で土を耕していた。三日目に赤ん坊の洗礼を行う手はずになっていたが、グリゴーリーはその時までにはすでに腹を決めていたらしかった。司祭たちの用意が整い、客も集まり、最後は名づけ親としてフョードルまでが個人的に顔をだしたが、グリゴーリーは自分の小屋に入るなり、この子の「洗礼なんぞまるきり必要なさそうだ」ときっぱり申し出た。ただし大声を出したわけでも、べらべらと言葉を連ねたわけでもなく、ひとことひとことを辛うじて押し出すようにして話し、鈍いうつろな目でしげしげと司祭を見やるだけだった。

「それはまたどうしてです？」陽気な驚きを浮かべて司祭が尋ねた。

「どうしてって、こ、こいつは……竜なんですから……」グリゴーリーはつぶやくように答えた。

「なに、竜ですと、何の竜です？」

グリゴーリーはしばらく口をつぐんだ。

「自然の混乱が起こったんでして……」ひどく不明瞭ながら非常にしっかりした口調で彼はつぶやき、どうやらそれ以上は話したくない様子だった。

一同はどっと笑いくずれ、哀れな赤ん坊にはむろん洗礼が施された。グリゴーリーは洗礼盤のわきで一心に祈っていたが、赤ん坊に対する意見は変えなかった。といってなにか邪魔だてするわけでもなく、ただ病気の赤ん坊が生きていた二週間、ろくに顔も見てやらず、ちょっとした注意を払うこともいやがって、大半の時間、小屋を留守にしたままだった。

ところが、生まれて二週間後に子どもが鵞口瘡《がこうそう》で死ぬと、彼は自分の手で子どもの亡骸《なきがら》を棺に納めてやり、深い悲しみを浮かべて、その棺をみやっていた。浅い小さな墓穴に土がかけられると、彼は膝を折り、墓にむかって地面につくほど頭をさげた。それ以来、彼はこの赤ん坊のことをひとことも口にすることはなかったし、妻のマルファも、夫のいる前ではけっしてその子の思い出話をすることはなかったが、たまにだれかと自分の「子ども」の話をするときは、そばにグリゴーリーが居合わせなくてもひそひそ声になった。

マルファの話では、夫は墓前でのあの祈り以来、もっぱら「神がかった」ことを勉強するようになり、そのたびに銀縁の大きな円《まる》メガネをかけ、ほとんどの場合ひとり黙々と『殉教者列伝』を読むのだった。大斎《おおものいみ》の期間をのぞいて、声にだして読むことはめったになかったらしい。彼が好んでひもといていたのは『ヨブ記』であり、またどこからか『われらが神の体得者イサーク・シーリン』の箴言《しんげん》集と説教集の抜書きを手に入れてきて、何年もかけて根気よく読みつづけたが、そこに書かれてある中身は、ほとんど何ひとつ理解できないにひとしかった。おそらくそれだからこそ、この本を何よりもありがたがって愛読していたのだろう。ごく最近になり、近所でたまたまそうした例もあって鞭身《べんしん》派の教えに耳を傾け、理解を深めるようになってどうやらショックを受けたらしいが、改めて宗旨がえする気にはならなかった。「神がかった」本で積み上げた知識のおかげで、当然のことながら、彼の風貌には以前にもまして厳しさが加わった。

もしかすると、彼にはもともと神秘主義の傾向があったのかもしれない。そこに、まるで誂《あつら》えたかのように六本指をした赤ん坊の誕生と死が起こり、時を同じくしてもうひとつの事件が持ち上がった。それはのちに当人が述べたように、彼の心に「焼きごて」をあてた、たいそう奇怪で思いがけない特異な事件だった。

すなわち六本指の赤ん坊を葬ったその日の夜中、ふと眠りからさめたマルファは、生まれたての赤ん坊に似た泣き声を耳にした。彼女はすっかりおびえあがり、夫を起こした。夫はじっと耳を澄ましてから、「あれはきっとだれかが呻《うめ》いているのだ、女の声のようだ」と言った。彼は起き上がって服を着た。かなり暖かい五月の夜のことだった。表階段に出ると、呻き声が庭のほうから聞こえているのがはっきりと聞きわけられた。庭は夜になると内側から鍵をかけてしまうが、庭の周りは頑丈な高い塀でぐるりと囲まれているので、呻き声の主はその入り口を抜けるほか、入り込みようがなかった。

家に引き返すとグリゴーリーはカンテラをともし、庭の鍵をとった。子どもの泣き声が聞こえる、あれはきっとあの子が泣いて自分を呼んでいるのだと言いはり、ヒステリックに恐れおののく妻には目もくれず、彼は無言のまま庭に出た。そこで彼は、呻き声が庭の木戸の近くに建つ風呂場から聞こえてくることと、声の主はまぎれもなく女であることを悟った。風呂場の戸を開け、そのおぞましい光景を見て彼は凝然とした。リザヴェータ・スメルジャーシチャヤというあだ名で知られ、あちこちの通りをうろついている神がかりの女がこの風呂場にたどりつき、たったいま赤ん坊を産み落としたところだったのだ。赤ん坊は母親のそばにころがり、赤ん坊のそばで母親は死にかけていた。女は何ひとつしゃべらなかった。もともと口がきけなかったからである。しかしこれらすべてのことは、別に説明しなければならない……。

2　リザヴェータ・スメルジャーシチャヤ

そこには、グリゴーリーを深くゆさぶった、ある特殊な事情があった。それは、彼がかねてから抱いていた、不快ないまわしい疑いをついにゆるぎないものにした。このリザヴェータ・スメルジャーシチャヤは、死後、信心深い町の老婆たちの多くがしみじみと思い返したように、「身の丈一四〇センチそこそこ」しかない、たいそう小柄な女だった。二十歳になる彼女の健康そうで大きな血色のよい顔は、完全に間のぬけた表情をしていた。つまりその目は、穏やかながらも一点を見すえて動かず、不快な感じがしたのだ。

一生をとおして女は、夏も冬も同じ麻の肌着を身につけたまま、裸足で歩きまわっていた。彼女の頭には、羊の毛のように縮れあがって、驚くばかりに濃い、ほとんど真っ黒といってよい髪の毛が大きな帽子のようにかぶさっていた。おまけにいつも地べたやぬかるみで眠っていたので、髪の毛は土や泥にまみれ、落ち葉や木っ端やカンナ屑が張りついていた。父親は、宿なしの落ちぶれた病気がちの商人イリヤで、ひどい酒飲みのうえ、すでに長年、同じ町の金持ちの商人の家に使用人のようなかたちで居候《いそうろう》していた。リザヴェータの母親はだいぶまえに死んでいた。いつも病気がちで、癇癪もちのイリヤは、リザヴェータが家に帰ってくるたびに、容赦なく彼女を打ちすえた。

もっとも、神がかりだというので町のどこにでも転がりこむことができたため、家にはごくまれにしか戻らなかった。イリヤの主人たちや当のイリヤ、そして主に商人やそのおかみさんなど情け深い町の人々は、リザヴェータに肌着一枚よりはましな格好をさせようとし、冬がくれば決まって革の外套を着せ、足には長靴を履かせてやろうと試みた。しかし彼女は、たいていその場ではおとなしく着せられるままになって出ていくのだが、どこか教会の表階段あたりで、施された一切合財を――ショールもスカートも、外套も長靴も――脱ぎすて、置きっぱなしにしたままもとの裸足に戻り、肌着一枚で立ち去るのである。

あるとき、こんなことがあった。わたしたちの県の新知事が、この町の視察に立ち寄ったさい、リザヴェータを見てひどく良心を傷つけられた。報告を受け、なるほどその女が「神がかり」であることはわかったが、それでも若い娘が肌着一枚でふらふらしていては町の風紀が乱れる、今後はこういうことがないようにと訓令を出した。しかし知事が去ってしまうと、リザヴェータは今までどおりに放っておかれた。

そのうち父親が死ぬと、彼女はかえってそのことで信心深い町じゅうの人々から、孤児として愛される存在になった。事実、彼女はみんなから愛され、子どもたちでさえ、彼女をからかったりいじめたりすることはなかった。ちなみにわが国の子どもというのは、ことに小学生はおしなべて腕白である。またリザヴェータが見知らぬ家に入っていっても、だれも彼女を追い出したりはせず、むしろみんながかわいがって小銭を恵んでやる。しかしもらうのはいいが、彼女は受けとるとすぐ小銭を教会や刑務所へ持っていき、募金箱に投げ入れてしまう。市場で輪っかや三日月のパンをもらっても、必ずそれを道で最初に出会った子どもにくれてしまう。でなければ、だれかこの町でもいちばん金持ちの奥さんを呼びとめ、あげてしまったりする。奥さんも、むしろ喜んでそれを受けとるのだった。その実、本人が口にする食事といえば、黒パンと水だけというありさまだった。

よく金持ちの店に立ち寄って腰を下ろしていることがあった。そこには高価な商品が並べられ、現金が置きっぱなしの場合もあったが、主人たちは一度たりとも警戒したことはなかった。たとえ数千ルーブルのお金が目のまえに置きっぱなしになっていても、彼女がただの一コペイカでも盗んだりしないということがわかっていたからだ。教会のなかに立ちいることはまれで、どこかで眠るにしても、教会の入り口とか、だれかの屋敷の垣根を乗りこえ（わが国ではまだ、今日にいたっても塀の代わりに網垣《あみがき》がたくさん残っている）、その野菜畑で眠るのだった。自宅、といっても死んだ父親が住んでいた主人の家にはだいたい週に一回顔を出し、さすがに冬になると毎日やって来たが、ただしそれも夜遅くのことで、寝場所といえば玄関とか牛小屋だった。

彼女がそうした生活に耐えていけるのにだれもが驚いたが、彼女はたんに馴れていただけのことだった。背丈は小さかったが、体は並はずれて丈夫だったのだ。町の旦那衆のなかには、彼女がそんなまねをするのはたんに自尊心が強いためだなどと言い張るものがいたが、それではどうにも辻褄《つじつま》が合わなかった。彼女はひと言もしゃべれず、ごくたまに舌を動かしてもぐもぐやるだけだったから、自尊心がどうなどというのは、おかど違いもはなはだしかった。

たとえば、こんな出来事があった。あるとき（といってもだいぶ前の話だが）、九月のある明るい暖かな満月の夜、この町にしてはかなりの夜更けに、町の若旦那衆の

五、六人が遊び疲れ酔いつぶれて、クラブから「裏道沿い」に自宅に戻るところだった。裏道の両側には網垣がつづき、その向こうには建ちならぶ家々の野菜畑が広がっていた。裏道は、この町でしばしば小川と呼ばれる、悪臭のひどい長い水溜りにかかる木橋に通じていた。

一行は、網垣のそばのイラクサとゴボウの茂みのなかで眠っているリザヴェータの姿を見つけた。旦那衆は、酔いにまかせてげらげら笑いながらそばに立ちどまり、口からでまかせに卑猥な冗談を浴びせはじめた。ふいに一人の若旦那が、ある突拍子もない話題をめぐって常軌を逸した問いを思いついた。「まあ、だれでもいいが、こういうけだものを女としてまともに扱えるやつっているのかね、たとえば、この場で、いま……」

旦那衆は、みな傲然たる嫌悪の色を浮かべ、それはむりというものだと口々に断じた。ところが、たまたまその仲間のひとりに居合わせたフョードルが、やにわに前に飛び出して言い切った。女として扱える、それもかなりまともに扱える、むしろ一種独特の色っぽさがあって悪くない、等々。

たしかにこの時期、彼はこの町で、あまりにわざとらしいと思えるほどに自分から道化役を買って出、人前にしゃしゃり出ては旦那衆を笑わせるのを趣味にしていた。

むろん見かけは対等でも、その実、彼は旦那衆の前で完全な下司《げす》になりさがっていた。ペテルブルグから最初の妻のアデライーダ・イワーノヴナの訃報を受けとったのは、ちょうどそのころだった。当時彼は、帽子に喪章をつけて飲みあるくなどあまりの醜態をさらしたため、町いちばんの放蕩者のなかにさえ、その姿をみて目をそむける者があったほどだった。

旦那衆はむろん、彼の思いがけないせりふを聞いてげらげら大笑いした。そのうちの一人はフョードルをけしかけようともしたが、ほかの連中は、やはりどはずれにはしゃぎながらもますますはげしく唾を吐き、まもなくさっさと帰宅した。あとになってフョードルは、あのときは自分も連中と一緒に帰ったと十字まで切って言い張った。ことによると彼の言い分どおりだったかもしれないが、事の有無はだれもわからないし、絶対にわかるはずもなかった。ところがそれから五、六ヶ月が経ち、町じゅうの者が、リザヴェータがお腹を大きくして歩きまわっていることに気づいた。そして心からはげしい怒りをこめて噂し、だれの仕業なのか、だれが辱《はずかし》めたのかと尋ねまわり、詮索をはじめた。

そうした矢先、ある奇妙な噂が、にわかに町じゅうに広がった。女を辱めたのは、ほかでもないあのフョードルだというのだ。噂の出所は、はたしてどこだったのか？

あのとき遊びまわった旦那衆のうち、その当時町に残っていたのはわずか一人で、それも家庭と年頃の娘をもつ、すでに年配の尊敬すべき五等官だった。だから事実それに類したことがあったにせよ、好きこのんで言いふらすはずがなかった。おまけに残りの五人ばかりの連中も、その頃はもうほうぼうに散っていた。

だが、噂はずばりフョードルを名ざしていたし、その後も名ざしつづけていた。もちろんフョードルのほうも、それに対してさしてつよく弁解するふうもなかった。そのへんの商人や町人ふぜいをまともに相手にする気などなかったのだろう。当時の彼はやたらとうぬぼれがつよくて、自分が喜ばせる役人や貴族の仲間内でなければろくに口もきかないありさまだった。

下男のグリゴーリーが、精力的に、それこそ躍起になってご主人さまのために立ち上がったのはその頃である。それもたんにご主人さまを中傷から守ろうとしただけでなく、自分から喧嘩や口論まで買ってでて、多くの連中の考えを改めさせたのだった。「あのいやしい女こそ悪いんだ」グリゴーリーは断固たる口調でそう言い、辱めたのはほかでもない、「ねじ釘カルプ」（当時、町中に知られていた恐ろしい囚人のことで、県の刑務所を脱け出してこの町に潜伏していた）だと言い張った。

この推理はなかなかもっともらしかった。カルプの名はみなが覚えていたし、秋口の同じ頃に、夜な夜な町なかをうろついては、三件の強盗を働いたことが人々の記憶にあったからだ。

しかしながら、事件全体とそれにまつわるもろもろの噂は、哀れな神がかりに対する人々の同情を殺《そ》がなかったばかりか、みんながますます彼女を守り、大事にしてやるようになった。コンドラーチエワという富裕な商人の未亡人は、四月の終わりには早々とリザヴェータを自宅に引きとり、お産がすむまでは表に出さないようにと指図したほどである。

厳重な見張りがつづいた。しかし結局そうした見張りの甲斐もなく、リザヴェータは最後の日の夜に、コンドラーチエワの家を急にこっそり抜け出し、フョードル・カラマーゾフ家の庭に姿を現したのである。

そんな身重の体でありながら、彼女がどうやってあの高い頑丈な塀をのり越えることができたのか、謎が残された。「だれかに運びあげられたのさ」と言うものもあれば「もののけが運びあげたんだ」と主張するものもいた。たしかに非常に謎めいてはいたが、事は十中八九、すべてごく自然なかたちで行われたにちがいない。つまり、野宿するためによその野菜畑の網垣をよじ登るのがうまかったリザヴェータは、その夜、カラマーゾフ家の塀も勢いよくはい登り、身重のからだに害がおよぶのも承知で飛び降りたのである。

　グリゴーリーは、マルファのところへすっ飛んでいき、リザヴェータを助けに行かせると、自分は折りよく近くに住んでいた町人の助産婦を呼びに向かった。赤ん坊は一命をとりとめたが、リザヴェータは明け方近くに息を引きとった。グリゴーリーは赤ん坊を抱き上げると家に連れて帰り、妻をすわらせて、その胸に押しつけるようにして膝に乗せてやった。「みなし子っていうのは神の子、みんなの親戚みたいなもんなんだよ、おれたち二人にすりゃなおさらのことだ。この子はおれたちの死んだあの子が授けてくれたもんで、悪魔の息子と信心深い女のあいだにできた子だ。育ててやるんだ、それに、これからはもう泣くんじゃねえ」

　こうしてマルファは、自分の手で赤ん坊を育てることになった。洗礼も受け、パーヴェルの名がついたが、父称についてはだれ言うともなしに、おのずからフョードロヴィチの名で呼ばれるようになった。フョードルはそれに異をとなえることもなく、かえって面白いぐらいに考えていたが、そのくせ、すべてのいきさつについては躍起になって否定しつづけた。フョードルがこの捨て子を引きとったことが、町の人々は気に入った。

　のちにフョードルはこの捨て子に姓まで考えてやった。彼は母親のリザヴェータ・

スメルジャーシチャヤにちなみ、スメルジャコフと名づけた。こうして、このスメルジャコフがフョードル・カラマーゾフの二人目の下男となり、この物語が始まる頃まで、グリゴーリー老人とその老妻マルファとともに離れに住んでいたのである。

彼は料理番として使われた。このスメルジャコフについても、二、三、とくに話しておかねばならないことがあるが、読者の注意を、さしてめずらしくもない召使たちの話にだらだら引きとめておくのも気がひけるので、スメルジャコフについてはこの先、小説が進むにつれておのずと触れることになるのを期待し、物語のつづきに入ることにする。

3　熱い心の告白——詩

修道院を出る馬車のなかから父が叫んだ言いつけを聞いたアリョーシャは、まるでわけもわからずにしばらくその場にとどまっていた。といっても、棒のように立ちつくしていたわけではなく、そもそも彼の身にそうしたことは起こらなかった。それどころか、彼はひどい胸騒ぎをおさえてすぐに修道院長の台所へ向かい、父親が二階で何をしでかしたかを聞きだすことができた。それから彼は、町に向かう道すがら、なんとか自分をいま悩ませている問題を解決してしまおうと念じながら歩き出した。

前もって断っておくが、「枕と布団をかついで」と父親が大声で叫んだ言いつけに、彼はすこしも怖気づいてはいなかった。あんなふうに聞こえよがしな大声で引っ越して来いと叫んだ父の命令が、つい「調子にのった」いわば過剰な演技であることが、アリョーシャにはわかりすぎるほどわかっていたからだ。

つい先だって、同じ町のある町人が自分の名の日祝いでさんざん酔っ払い、ウォッカをこれ以上出してもらえないことに腹を立てて、客人たちの目の前で家の食器を急に叩き割ったり、自分や奥さんの服を引き裂き家具を壊し、あげくのはてに家の窓ガラスまで割ったりしたことがあったが、これまた過剰な演技だった。思えば、これとまったく似たことが、父親の身にも今しがた生じただけなのだ。一夜明けてどんちゃん騒ぎから覚めた当の町人が、割ってしまった茶碗や皿を惜しがったことはいうまでもない。

アリョーシャにはわかっていた。一夜明ければ、年老いた父も、きっとまた自分を修道院に戻してくれるにちがいない、いやことによると、今日中にも帰してくれるかもしれないと。じっさいアリョーシャは、父が、ほかの人間はどうあれ自分を怒らせようなどという気を起こすはずがない、と固く信じきっていた。世界にだれひとり、自分を怒らせようなどという気を起こす人はいない、いや、気を起こさないのではなく、気を起こせないのだとアリョーシャは信じきっていた。アリョーシャからすると、これは理屈ぬきで永久に与えられた一種の公理のようなもので、その意味で、彼はなんのためらいもなく先へ進むことができた。

ところがこのとき、彼の心の中でざわついていたのは、それとはまるきり異なる、ある別の恐れだった。自分でもうまく説明できず、心にますます重くのしかかる女性に対する恐怖——。それはほかでもない、ホフラコーワ夫人から手渡された書きつけで、なんの用事なのか、ぜひ立ち寄ってほしいとつよく懇願しているカテリーナへの恐怖だった。カテリーナのこの要望と、そしてぜひとも行かなくてはならないという事情が、アリョーシャの心にたちまちある重苦しい思いを植えつけた。その思いはその後、修道院や修道院長の食堂その他で起こったいろいろな大騒ぎにもかかわらず、午前中ずっと、時が経つにしたがってますますはげしく、疼くように大きくなっていった。

アリョーシャが恐れていたのは、彼女が何を話し、それにどう答えたらよいかわからないということではなかった。また、女性としての彼女を、恐れていたわけでもなかった。むろん彼は女性というものをほとんど知らなかったが、そうはいっても幼少時から修道院に入るまで、彼は女性ばかりに囲まれて過ごしてきたのだ。彼が恐れていたのは、ほかのだれでもないこのカテリーナという女性だった。

初めて会ったときから、彼はカテリーナを恐れていた。彼女と顔を合わせたのはせいぜい一、二度、多くてたぶん三度といったところで、それもあるふとしたきっかけで、ほんの少し言葉を交わしたにすぎなかった。

カテリーナの姿は、美しくプライドの高い、威圧的な娘として記憶に残っていた。しかし彼を苦しめていたのは彼女の美しさではなく、それとはなにか別のものだった。こうして自分が抱いている恐れを説明できないため、いまやその恐怖がますます募っていくのだった。たしかに、その女性が抱いている目的はこのうえなく気高く、彼にもそのことはわかっていた。彼女は、自分に対して罪を犯した兄のドミートリーを救おうと懸命だったし、そのようにしていられるのは、ひとえに彼女のもつ義侠心ゆえだった。ところが、その美しい寛大な心をきちんと認めてやらざるをえないとわかっていながら、彼女の家が近づくにつれ、アリョーシャはますます背筋に寒気が走るのを感じるのだった。

カテリーナと昵懇《じっこん》の兄イワンとは、彼女の家で鉢合わせする気遣いはない。兄のイワンは今ごろ家で父と一緒にちがいない。もとよりドミートリーが来ていないことは確実だったし、その理由は自分にも予感できた。となると、彼女とのやりとりは差し向かいでということになる。この運命的なやりとりの前に、兄のところに駆けつけてぜひとも会っておきたかった。例の書きつけを見せずに少しは言葉を交わせるだろう。ところがドミートリーの家は遠くにあったし、今ごろはやはり留守にしているにちがいない。一分ほどその場にたたずんでから、彼はようやく腹を決めた。いつものようにそそくさと十字を切り、なぜかすぐににこりとすると、彼はしっかりした足どりで恐ろしい女性の家のほうへと歩き出した。

家のある場所はわかっていた。だがボリショイ通りに出て広場などを通りぬけていくと、かなりの道のりになることもある。小さな町ではあったが、人家がひどくばらばらに広がっているので、ときとしてそうとうな迂回を強いられるのだ。おまけに父が待っていたし、例の言いつけのこともきっと忘れずにいて、すねたりしかねなかった。だからどちらにも間に合わせるためには、とにもかくにも急ぐ必要があった。

そんなことをあれこれ考えたあげく、彼は裏道をつたって近道していこうと決心した。この町のこうした裏道のことは、彼は目をつぶっても行けるくらい知りつくしていた。裏道といっても道らしい道はほとんどなくて、ただ荒れ果てた垣根づたいに、時にはよその家の網垣を飛びこえたり中庭を通りぬけたりしていくのだが、よその家とはいえだれもが彼のことは知っていたし、おたがい挨拶を交わしあうあいだがらでもあった。

この道をとおって行けば、半分の道のりでボリショイ通りに出ることができた。道すがら、彼は実家のすぐ脇を通っていかなくてはならなかった。実家の隣り、窓が四つある古くて傾きかけた小さな家の庭である。知るかぎり、そこの家主はこの町の人で、今は娘と二人暮らしをする足の悪い老婦人だったが、娘はペテルブルグの空気になじんだ元小間使いだった。つい先ごろまで将軍の家ばかりに住み込んで女中として働いてきたが、老婦人が病いに倒れたため、今から一年ぐらい前に帰郷し、粋な衣装をまとってはしゃなりしゃなりと出歩いていた。

ところが、この老婦人と娘がひどい窮乏におちいり、隣人のよしみからカラマーゾフ家の台所に毎日、スープとパンをもらいに通いつめるほどになった。マルファはいやな顔もせずその親子に食事を分けてやった。しかし娘は、スープをもらいにくるくらいなくせに、自分の持ちものである衣装は一枚たりとも売ろうとせず、おまけにその一枚にはやたらと長い引裾《ひきすそ》がついていたのだ。ちなみにこの最後のところは、まったくの偶然から町の生き字引である友人のラキーチンに聞いた話だったが、むろんアリョーシャはその話を耳にするそばから忘れてしまっていた。ところが隣家の庭までやってきたところで彼はにわかにこの引裾のことを思いだし、地面をみつめ考えごとをしていた頭をひょいと持ちあげた。そこで……とつぜん思いもかけない姿に出くわしたのである。

網垣の向こうの隣家の庭から兄のドミートリーが、アリョーシャに向かってこっちへ来いと必死に手招きしていた。何かを足台にして胸まで乗り出している。どうやらだれかに聞かれないよう、叫ぶどころか声にだして何か言うのさえ、恐れている様子だった。アリョーシャはすぐに網垣のほうへ駆け寄っていった。

「おまえから振り向いてくれてよかった。でなかったら、あやうくこっちが声を出すところだったよ」ドミートリーがせかせかした調子で嬉しげにささやいた。「そこから上るんだ！　早く！　ああ、おまえが来てくれて、ほんとうによかった。ちょうどおまえのことを考えていたところなんだ……」

アリョーシャもうれしかったが、ただ網垣をどうやって乗りこえたものか、心もとなかった。しかしミーチャはたくましい腕で彼の肘を支え、跳躍のはずみをつけてくれた。アリョーシャは僧服の裾をからげ、町の素足の少年たちのような身軽さでひょいと網垣を飛びこえた。

「いいぞ、よくやった、さあ行こう！」ミーチャは思わず感激のささやきを洩らした。

「どこへ」アリョーシャもささやき声でいい、四方をぐるりと見わたしたが、自分とミーチャ以外いない、まったく空っぽの庭にいることに気づいた。庭は小さかったが、家主の住む家は、それでも二人から五十歩ほど離れたところに建っていた。

「ここにだれもいないのにさ、どうしてそんなふうに声をひそめて話すの？」

「なに、声をひそめるだって？　ああ、そうだったか、ちくしょうめ」ドミートリーはふいに思いきり大きな声を上げた。「どうして声なんかひそめてるんだ？　そう、見てのとおりさ、人間って、急におかしなことをはじめるもんなのさ。おれはここに隠れて人の秘密を見はってるんだ。説明はあとでするけど、これが秘密だってわかってるから、なんだかしゃべり方まで急に秘密めいてきてしまって。必要もないところで、ばかみたいにひそひそ声をやっている。さあ行こう。ほらあそこだ！　それまではだまっていろ。おまえってほんとうにかわいいやつさ！

この世の気だかいものに栄光あれ
ぼくのなかの気だかいものに栄光あれ

おれはな、おまえが来るちょっと前までここに座って、この文句をくり返していたんだ……」

庭は一ヘクタールほどか、それよりも少し大きめだったが、りんごや樫や菩提樹、白樺などの庭木が植えてあるのは、庭をぐるりと囲んでいる四方の垣根沿いだけだった。がらんとした庭の中央は牧草地にあてられ、夏には四、五十キロの乾草がとれた。女主人は、春になるとこの庭を何ルーブルかで人に貸していた。えぞいちご、すぐり、ふさすぐりの畝《うね》もあったが、それらはみな垣根のまわりだった。屋敷のすぐそばには野菜の畝もあったが、これは最近作られたものだった。

ドミートリーは、屋敷からいちばん離れた庭の隅に弟を連れていった。すると鬱蒼《うっそう》と生いしげる菩提樹や黒すぐり、にわとこ、すいかずら、ライラックなどの古い茂みのあいだから、たいそう古めかしい緑色のあずまやの残骸のようなものが、ふいに姿を現した。格子窓のそのあずまやはすっかり黒ずみ、軒も傾きかけていたが、屋根がついているおかげで雨宿りぐらいならまだできそうだった。

このあずまやがいつ建てられたかはわからない。言い伝えだと、五十年ほど前、当時この小さな屋敷の持ち主だったアレクサンドル・フォン・シュミットとかいう退役中佐が建てたものらしかった。だがあずまや全体はすっかり朽ち果て、床は腐り、すべての床板がぐらついて、湿った木材のにおいを放っていた。あずまやには、地面に固定した緑色の木のテーブルがあり、そのまわりにはまだ座れそうな、やはり緑色の台が並べられてあった。アリョーシャはすぐに兄が上機嫌でいるのに気づいたが、あずまやに入ると、テーブルの上に半分ほど入ったコニャックの壜とグラスが置いてあるのが目にとまった。

「コニャックさ！」そう言って、ドミートリーはからからと笑った。「また飲んだくれてるってお前の顔に書いてある。まぼろしを信じるな、だ。

おろかで、嘘つきの大衆を信じるな
おのれの疑いを忘れよ……

飲んだくれてなんかいない、ちょっと『たしなんでいる』だけだ。あのラキーチンの言い草だがね、あの豚、いずれ五等官になったら、『たしなんでおります』とか、始終ぬかしてるんだろうな。まあ座れ。おれはな、アリョーシャ、おまえをつかんでこの胸にぎゅっと抱きしめてやりたいんだ。つぶれるくらいにな。だって、この世でおれが……ほんとうに……ほんとうに……（よく聞くんだ！　いいか！）愛しているのは、おまえ一人なんだから！」

終わりのひとことを、彼はほとんど無我夢中で口走った。

「おまえ一人、いやもう一人、おれが惚れ込んだあの『卑劣な』女がいる、そのせいでおれは破滅しちまったがね。でも惚れ込むってのは、愛するっていうのとはわけがちがうんだよ。憎みながらでも惚れ込むことはできるんだ。よく覚えておけよ！　これからしばらくは楽しく話そう！　さあ座れ、ほら、ここの席だ。おれはその横にすわって、おまえの顔をよく眺めながら何もかも話しちまうのさ。おまえはずっと何もしゃべらないでいい。おれが何もかもしゃべるからな。だって、そのときがやって来たんだ。でも、いいか、おれの考えだと、ほんとうにひそひそ声でしゃべらなくちゃいけない。なにしろそのあたりで……そのあたりで……聞き耳立ててるやつがいるかもしれないからな。

まあとんでもない話だが、おいおいに、何もかも説明してやる。あとは次のお楽しみっていうだろう。で、どうしてこんなにおまえに会いたがっていたか、ここんところ、そう、この数日ずっと、そしていまもおまえを待ちこがれていたか？（ここに錨《いかり》を下ろしてもう五日目になるんだぞ）。そう、この数日ずっとさ。そのわけはだな、おまえだけにすべてを話しちまおうって思ったからさ。なぜって、そうする必要があるんだよ。おまえが必要だからだ。明日、おれは雲の上から飛びおりる。明日でおれの人生にひと区切りがつき、そこでまた始まるんだ。おまえ、山のてっぺんから穴のなかに落っこちた経験あるか、そんな夢見たことがあるか？　ところがおれがいま飛びおりようとしているのは、夢の話じゃないんだ。でも恐がってなんかいないし、おまえだって恐がることはない。つまり、恐いことは恐いが、そいつがおれには心地いいんだ。いや、心地いいんでもない、歓喜ってやつさ……ええい、ちくしょう、どっちみち同じことなんだよ。強かろうが、弱かろうが、女々しかろうが、その精神にかわりはないいんだ！　自然を称《たた》えるのさ。いいか、お天道様はこんなに照ってるし、空だってきれいだ、葉っぱだって、みんな青々している、まだ夏のさかりじゃないか、午後の三時過ぎだっていうのに、この静けさ！　で、おまえは、どこへ行く途中だった？」

「父のところです、でもその前に、カテリーナさんの家に寄ろうって思ってました」

「彼女と親父のところだって？　ほほう！　そいつは偶然の一致だな！　だって、おまえをここに呼んだのはいったいなんのためだと思う？　あんなにおまえと会いたいと願っていたのは、なんのためだと思う。それこそ藁《わら》をもつかむ思いでおまえを求め、おまえを渇望していたのは、ほかでもない、おまえをその親父のところに使いにやって、それからカテリーナさんの家に行ってもらい、それでもって彼女とも親父とも縁を切るためだったんだ。天使を使いにやるためだったんだ。だれを使いにやってもよかったが、おれとしては天使を使いにやる必要があった。ところがその天使が、自分から彼女と父親のところへ行くっていうんだからな」

「ほんとうに、ぼくを行かせるつもりだったんですか？」痛々しい表情を顔に浮かべて、アリョーシャがふいに口走った。

「ちょっと待て、つまりおまえはそのことを知っていたんだ。どうやらおまえ、すべてをいっぺんに理解したみたいだな。でも、だまってるんだ、しばらくはだまっていろ。憐れんだり泣いたりしちゃだめだぞ！」

ドミートリーは立ち上がると、考え込み、額に指を押し当てた。

「彼女が自分からおまえを呼んだんだな。手紙かなにかを寄こしたんで、それで彼女の家に行くってわけだ、でなかったら、自分からわざわざ出かけていく理由なんてないもんな？」

「これがその書きつけです」アリョーシャはポケットから取り出した。ドミートリーはさっと目を走らせた。

「それで、裏道をとおってやってきたってわけだ！　ああ、神さま！　裏道づたいに弟を遣わして、ここでばったりこのわたしと出会わせてくれたことに感謝します。まるでおとぎ話でさ、年寄りのまぬけな漁師に、金の魚がかかったみたいなものだ。アリョーシャ、よく聞くんだ、いいか聞け。おれはこれからもう、何もかも話しちまう覚悟でいる。だって、だれかには話さなくちゃならないことだからな。天国の天使にはもう話したんだが、地上の天使にも話さなくちゃならない。おまえがその地上の天使ってわけさ。ちゃんと話を聴いて、おまえなりに考えて、許してくれ……おれに必要なのは、だれか高みにいる人間に許してもらうことなんだから。

いいかい、もしもある二人の人間がこの地上全体ととつぜん縁を切ってどこかとんでもないところに飛び立ってしまう。いや少なくともそのうちの一人が、その前、つまりそこに飛び立つか死ぬかする前に、別の一人のところにやってきて、自分のためにこれこれのことをやってほしいと言うとする。ぜったいにだれにも頼めないような、ただし死にぎわなら頼めるようなことをだ。だとしたら、頼まれた相手はそれを実行しないだろうか……もしもそれが親友だとして、兄弟だとして？」

「ぼくなら実行します。でもいったいなんなのか言ってください、早く教えてください」アリョーシャは答えた。

「早くね……さあて。アリョーシャ、そう慌てないでくれ。おまえは慌てているし、不安になっている。いまは急ぐ理由なんてどこにもないんだ。いま、世界は新しい道に踏み出したんだからね。

えい、アリョーシャ、おれが残念なのは、おまえが何か有頂天になるぐらい、考えぬいたことがないことなんだ！　それにしても、自分の弟に向かっておれはいったい何を言ってんのか？　考えぬいたことがないなんて、おまえ相手に！　おれもばかだよ、いったい何言ってるんだ？

人間よ、気だかくあれ！

これってだれの詩だっけ？」

アリョーシャは、ともかく様子を見ることにした。じっさい、自分がなすべき義務は、今はここにしかないのかもしれないと悟ったのだ。ドミートリーはテーブルに肘をつき、てのひらに顔をのせてしばらく考えこんだ。二人ともしばらく沈黙した。

「アリョーシャ」ドミートリーが口を開いた。「笑わないのはおまえだけだ！　おれははじめたかった……告白をさ……シラーの『歓喜に寄せて』からだ。『喜びの歌《アン・ディー・フロイデ》』だよ！　でも、おれはドイツ語がわからない、知っているのは『喜びの歌《アン・ディー・フロイデ》』だけだ。

酔っ払って、くだまいてるとは思わないでくれ。おれはぜんぜん酔っ払ってなんかいない。コニャックはコニャックでも、おれが酔っ払うには、ボトル二本は必要なんだから……。

立ち往生のロバの背で
赤ら顔のシレーンは

でも、ボトルの四分の一も飲んじゃいないし、シレーンでもない。いや、シレーンじゃなくて、シリョーン《つよい》だった。なにしろ、永久に腹を決めたんだから。まあ、いまの駄洒落《だじゃれ》はゆるしてもらおう、駄洒落どころじゃないんだ、おまえには今日、ほかにもいろいろと許してもらわなくちゃならないことがある。

でも、心配はするな、余計なことはしゃべらないから。おれは大事なことを話してるんだから、これからすぐに本題に入るよ。だらだらむだ話をする気はないんだ。でもちょっと待て、あれはどう続くんだっけ……」ドミートリーは頭をあげ、考えこみ、ふいに感きわまった様子で朗誦をはじめた。

「裸の人慣れない穴居の民は
岩の洞窟におずおずと身をひそめ
遊牧の民は草原をさすらい
田畑を荒らし
狩猟の民は槍や弓をたずさえ
傲然と森をかけめぐる……
寄る辺ない岸へと
波に打ちあげられた者こそあわれ
攫《さら》われたプロセルピナを追い
母ケレースはオリンポス山の頂より降りたち
荒れ果てた世をみおろす
女神のための安らぎの住処《すみか》も
もてなしもなく
神殿のいたるところ
神への敬いは見あたらない

野の恵みや甘いブドウの房が
宴の席をいろどることもなく
ただ血まみれの祭壇に
骸《むくろ》のぬくもりが煙立つ
悲しみの目で
ケレースがどこを見ても——
いたるところ、深い恥辱にまみれた
男の姿が見えるだけ！」

ドミートリーの胸から、ふいにすすり泣きがほとばしった。彼はアリョーシャの手をつかんだ。

「アリョーシャ、いいかい、恥辱なのさ、おれはいまも恥辱にまみれているんだ。人間っていうのは、この地上で恐ろしいぐらいたくさんのことに耐えなくちゃならない、恐ろしいぐらい、たくさんのわざわいさ！　アリョーシャ、このおれのこと、将校の肩章をつけた、ただの恥知らずだなんて思わないでくれよな。コニャックくらって、みだらな生活にふけって……おれが考えているのは、ほとんどこれだけなんだよ。おれが嘘をついてないとすりゃ、恥辱にまみれたその男のことだけなんだ。今となっては、もう嘘をついたり、ほらを吹いたりしたくないんだよ。おれがその恥辱まみれの男のことを考えるのは、おれ自身がそういう人間だからなんだよ。

　恥辱の極みから魂の力で
　人が立ち上がるには
　古い母なる大地と
　永遠の契りを結ばねばならない

　ただし、問題はだ、つまりどうやってこのおれが、大地と永遠の契りを結ぶかってことさ。おれは大地に口づけなんかしないし、大地の胸を叩いたりするようなまねもしない。どうしてこのおれが、百姓や羊飼いになれる？　たしかに、おれはこうやって歩いてるよ、その実、おれが踏み入っているのが、悪臭や恥辱なのか、光や歓びなのかわからない。まさにそこが困るところなんだ。なにしろ、地上のすべては謎だからな！

昔、放蕩三昧の暮らしをして、どうしようもなく深い恥辱にまみれてたとき（おれに起こるのはそんなことぐらいさ）、おれはいつも、ケレースと人間をうたったこの詩を読んでいたんだ。で、その詩が果たしてこのおれを矯正してくれたのか？

そんなことは一度もなかったよ。なぜって、おれはカラマーゾフだからね。奈落に飛び込むときはそれこそまっしぐらに、まっさかさまに落ちていくんだ。そして、まさにそういった屈辱的な状態にまみれている自分に満足して、自分にとってはそれこそが美だなんて、ぬかしている始末なんだよ。まさにその恥辱のなかで、とつぜん、賛歌なんかを歌いだすんだよ。おれなんかどうとも呪われるがいいし、低劣だろうが卑劣だろうが、どうでもいいんだ。でもな、おれの神さまがまとってる衣の端ぐらいには口づけさせてほしいのさ。それと同時に、おれは悪魔の後ろにだってついてけるけど、それだっておれは『主よ、あなたの子』なんだし、主を愛しているし、喜びを感じている。この喜びなしじゃあ、それこそ世界なんて成り立ちようも、存在しようもないんだよ。

神の子である魂を
永遠の歓びがうるおし

発酵の奇《く》しき力で
生命の杯を燃やし
一本の草を光へいざない
混沌を太陽に育て
星占いも届かない
宇宙のなかに満ちわたらせた
恵みゆたかな自然の懐で
息づくものすべてが歓びを呑む
生きとし生けるもの、すべての民を
この歓びが引き寄せる
不幸な日には友を
ぶどうの露を、美神の冠を与え、
虫けらには好色をさずけ……
こうして天使は神の前に立つ

でも、詩なんてもううんざりさ！　つい涙なんか流したけれど、ちょっとぐらいは泣かせてくれ。たとえみんなが大笑いするような馬鹿さ加減でも、おまえだけは笑わない。ほら、おまえの目だって燃えてるじゃないか。詩なんてもううんざりさ。おまえに今から話そうと思っているのは、その『虫けら』のことなんだよ。さっきのほら、神さまが好色を授けたっていうやつらのことさ。

虫けらには、好色を！

おれはな、アリョーシャ、まさにこの虫けらそのものなんだ。で、この詩はな、特別におれのことをうたったもんなのさ。そしておれたちカラマーゾフ家の全員が、じつはそういう虫けらだったんだ。だから天使みたいなおまえのなかにも、この虫けらが住みついていて、おまえの血のなかに嵐を引き起こすのさ。そいつは嵐だ。なぜって、嵐のような好色だからさ。いや、嵐以上だ！　美っていうのは、じつに恐ろしいよ！　恐ろしいそのわけってのは、定義できないからなんだが、定義できないそのわけっていうのは、神さまが謎ばかりかけているせいなのさ。

美のなかじゃ、川の両岸がひとつにくっついちまって、ありとあらゆる矛盾が一緒くたになっている。おれはな、アリョーシャ、まったく無教養な男だけど、美のことについてはいろいろと考えたぞ。恐ろしいくらいたくさんの秘密が隠されてるんだ！　あまりに多すぎる謎が、地上の人間を抑えつけているんだ。だからその謎を解けというのは、濡れずに水から出ろというのと同じなんだ。

美か！　おれがおまけにがまんならないのは、別の最高の心と最高の知性をもった人間が、マドンナの理想から出発して、ソドムの理想で終わるってとこなんだな。それにもまして恐ろしいのは、ソドムの理想をもった男が、心のなかじゃマドンナの理想を否定もせず、むしろ心はまるでうぶなガキの時代みたいに、マドンナの理想に心から燃えているってことなんだ。いやあ、人間って広い、広すぎるくらいだ、だからおれはちっちゃくしてやりたい。それがどんなものかだれにもわからない。そのとおり！　理性には恥辱と思えるものが、心には紛れもない美と映るもんなんだよ。ソドムには美があるのか？　信じてくれてもいい、大多数の人間にとっては、ソドムにこそ美がひそんでいるってことをな。こういう秘密を、おまえわかっていたか、どうだ？　恐ろしいのはな、美がたんに恐ろしいだけじゃなく、神秘的なものだってことさ。美のなかじゃ悪魔と神が戦っていて、その戦場が人間の心ってことになる。でもな、それを言うのは痛がっている人間だってことだよ。

さあ、これからがいよいよ本番さ」

4　熱い心の告白——一口話の形で

「向こうじゃ、ずいぶん遊びまくったものさ。さっき親父は、若い女をたらしこむのに何千ルーブルの札びら切ってたとか言ってたけどな。あんなのはろくでもない嘘で、そんなこと一度だってありゃしなかったし、あったとしたって、だいいち『あれ』には金なんてかからないぜ。おれからすりゃ、金なんてたんなるアクセサリーだし、魂の湯気だし、小道具にすぎないのさ。今日のお相手は憧れの彼女だとしたって、明日になりゃ目の前にいるのは町の女ってわけよ。そのどっちも楽しませてやるし、ど派手に金はばらまくし、やれ歌えだの騒げだの、ジプシーだのといった具合なんだ。必要なら金はくれてやったよ。なぜって、やつら受けとるんだから。こいつは嘘じゃないぜ、やつら、血相変えて受けとるんだ。で、もう大々満足でさ、感謝するんだよ。上流の奥さん連中にも惚れられたなあ。むろん、みんながみんなってわけじゃないがね、まあ、そういうことがちょくちょくあったよ。

でもな、おれが好きだったのは、いつも裏町だったんだ。広場の奥のひっそりして暗い路地裏さ——ああいうところには、とんでもないアバンチュールがひそんでるものだ、掃きだめに鶴だよ。おれはな、アリョーシャ、比喩的に言っている。おれたちのいた町に、かたちとしてそんな裏町はなかったけど、精神的にはあったんだ。でも、おまえがもしおれと同じような男だったら、それがどういうことを意味しているかわかるはずだよ。

おれは女遊びが好きだったし、女遊びの、なにか恥っさらしなところがすごく好きだった。残酷なことも好きだったな。でも、こういうおれって、南京虫じゃないか。おれたちの悪い、ただの虫けらじゃないか。要するにカラマーゾフなんだよ！　あるとき町をあげてのピクニックがあった。七台のトロイカに分乗して出発したんだ。あたりは冬の闇だ。おれは橇《そり》のなかでとなりの女の子の手を握り、その子に、強引にキスを迫った。役人の娘で、貧乏だけどかわいくておとなしい従順な子だったよ。暗がりのなかで、いろんなことをさせてくれた。かわいそうにその子は、次の日にもおれがその子の家にいってプロポーズしてくれるものと思ってたんだな（なにしろおれは、いいか、花婿候補として大受けだったからな）。

ところがその後、その子とはひとことも口をきかなかったんだ。五ヶ月間、まるで音なしを通した。ダンスパーティがあったときなんか（しょっちゅうダンスパーティを開いてたよ）、その子の目がホールの隅から、じっとこっちを追いかけてるのがわかったよ。静かに怒りをたぎらせてな、その目がかっかと燃えているのがわかるんだ。でもこういう遊びは、おれがこの体に飼っている虫けらの欲望を、ほどほど満たしてくれるだけだったのさ。五ヶ月後、その子はある役人のもとに嫁いで、町を出ていった……煮えくりかえる思いだったろうけど、でもきっとおれのことを愛していたにちがいないさ。いま二人は幸せに暮らしているよ。

だが覚えておけよ、おれはその子とのことはだれにも漏らさなかったし、噂を流すようなまねもしなかった。たしかにおれは卑しい欲望をもった男だし、その卑しさを愛してもいるが、けっして破廉恥《はれんち》な男じゃあないぜ。おや、顔が赤いよ、眼がぎらぎらしている。こんな汚らわしい話、もううんざりだよな。でもな、いま話したことなんてまだほんの序の口だし、ポール・ド・コック（人情作家）お得意の前口上ってところにすぎないんだ。といってもさ、その残忍な虫けらのやつはもうどんどん大きく育って、おれの心をすっかり占領しちまっていたがね。

アリョーシャ、あそこでの思い出を語ったら、まるまる一冊のアルバムが出来あがるほどだよ。かわいいあの娘たちが、いつまでも健康でいてくれるといいんだがな。

おれは、別れるときでも言い争いはいやだった。だから、ぜったいに秘密は漏らさなかったし、ただの一度だって変な噂を流すようなまねはしなかった。でもこんな話、もういいよ。こんなくだらない話をするためにおまえを呼んだなんて、おまえも考えてないだろう？　そうさ、もっとましな話をしてやるよ。でも驚くな。おれがおまえに気がねしないどころか、変に嬉しそうにしているからといってさ」

「ぼくが赤くなったから、そんなことを言うんですね」アリョーシャが急に口をはさんだ。「ぼくが赤くなったのは、兄さんの話のせいでも、兄さんのしたことのせいでもなくって、ぼくも兄さんとまったく同じだからです」

「おまえが同じ？　おいおい、そいつはちょっと言いすぎだよ」

「いいえ、言いすぎじゃありません」アリョーシャはむきになって答えた（どうやらこの考えは、だいぶ前から彼の心のなかにあったものらしかった）。「すべては同じ階段なんです。ぼくはそのいちばん低いところにいて、兄さんはもっと上の、十三段目あたりにいる。ぼくはこのことを、そんなふうに見ているんです。でも、どっちみち同じことなんです、まったく同類なんです。低い段に足をかければ、いずれかならず上の段にも足をかけることになるんですから」

「てことは、まるきり足をかけずにいるべきなんだな？」

「それができるひとは……まるきりかけずにいるべきですね」

「で、おまえはどうなんだ……それができるのか？」

「むりでしょうね」

「もういい、アリョーシャ、何もいうな、いいか、おれはおまえの手にキスしたい。そう、感動のあまりさ。あのグルーシェニカのばか、なかなか見る目があるよ、いつだったか、おれにこんなことを言ってたっけ。そのうちあの子をたいらげちゃうってな……いや、もうやめる、やめるよ！　こんな汚らわしい話はやめにしよう。ハエくそまみれの野っぱらから、おれの悲劇に話を移そう、ここもまあ、くそだらけといおうか、下劣さまみれの野っぱらにはちがいないがな。要するにこういうことなんだ。あの爺《じじい》、このおれが何人もの生娘をたらしこんだとか大嘘こいたが、実をいうと今回のおれの悲劇にはまさにそういったことがあったのさ。ただし一度こっきりで、それも上首尾ってわけじゃなかった。あの爺《じじい》、ありもしない嘘をならべておれを責めたが、じつはこの話は知らない。おれだってだれにも一度もしゃべったことはないし、いま、おまえにこうして話すのが初めてなんだからな。むろんイワンは例外さ。イワンはすべて知っている。おまえよりずっと前から知っているんだ。ただし、イワンは墓石だからな」

「イワンが墓石だって？」

「そうさ、口が固い」

　アリョーシャはきわめて注意深く話に聞きいっていた。

「あのとき、おれは砲兵大隊の主力部隊にいてな、少尉補の地位にあったんだが、監視つきも同然でまるで流刑囚みたいなものだったよ。でも、町の連中はおそろしくおれを歓待してくれてね。おれもかなり金をばらまいていたんで、おれを金持ちだと信じていたし、おれだってそう信じこんでいた。でも、きっと別の点でも連中の気に入られていたんだろうな。不審そうにうなずいてはいたけど、ほんとうに愛してくれた。ところがおれの上司で、けっこう年寄りの中佐が急におれを毛嫌いしだして、なにかとからんできやがった。でもおれには後ろ盾があったし、おまけに町じゅうを味方につけていたから、そうそうひどい言いがかりはつけられなかった。おれのほうも悪かったのさ。なにしろ払うべき敬意をわざと払わなかったんだからな。天狗になってたのさ。

　この頑固爺さん、根はそんなに悪くなかったし、たいそう客好きなお人よしで、二度結婚して、どっちにも先に逝かれちまった。先妻のほうはどこか庶民の出で、娘を一人残したんだが、これも庶民的だった。その娘というのが、おれがいた頃もう二十

四、五の売れ残りで、自分の親父と、死んだ母親の妹にあたる叔母さんの三人で暮らしていたんだ。この叔母さんというのが無口なおばかさんで、姪のほう、つまり中佐の長女のほうは、これが元気のいいおばかさんだったのさ。

思い出は美しく語るのがおれの好みなんだが、この娘ぐらいね、アガーフィヤって名だったけど、アリョーシャ、性格のいい女には会ったためしがなかったな——いいか、アガーフィヤ・イワーノヴナっていうんだ。ほんとうにいい娘だった。それがロシア風でさ。背が高くて、でんとしてて、肉づきがよくって、すばらしい目をしてて、顔のほうは、そうだな、ちょっとざつではあったがな。二度ばかり縁談があったが、うんといわないんだ。話を断っておきながら明るさを失わない。で、おれは、彼女と仲良しになった。おかしな関係じゃないぞ、ぜったいに、そうだな、純粋な友だちづきあいだった。じっさい、おれはいろんな女としょっちゅう、ほんとうに罪のない友だちづきあいをしてきたものさ。その娘とは今もどきっとするぐらい開けっぴろげな話をしたもんだが、彼女ときたら、ただもうけらけら笑うだけなんだ。

いいか、女ってのはだいたいたい露骨な話が好きなもんだが、その娘はおまけに生娘ときていたから、よけいに愉快だったんだな。おまけにもうひとつこういう事情があった。つまり彼女はぜったいに、いいとこのお嬢ちゃんと呼ぶわけにはいかなかったたってことさ。娘は父親の家で叔母さんと暮らしていたんだが、なぜだか自分で自分を見下していて、社交界のどんな連中ともまともにつきあおうとしないんだ。みんなから好かれていたし、重宝がられてもいたのに。なにしろ仕立て屋としてかなりの腕だったからね。才能があった。おまけに仕立て代を要求せず、仕事は親切心で請け負っていた。ただし、すすめられたときは別にいやともいわずに金を受けとっていたがね。で、中佐のほうだが、これがとんでもない食わせものなのさ。中佐はあの町では指折りの名士だった。豪勢な生活をしていて、町じゅうを夕食会や舞踏会に招《よ》んでいた。おれが町にやってきて砲兵大隊に入るとまもなく、その中佐の次女で、ペテルブルグの貴族女学校を出たばかりのとびきりの美人がやってくるという噂が立ったんだ。この次女っていうのが、ほかでもないカテリーナ・イワーノヴナで、中佐の二度目の奥さんの子どもなのさ。で、すでに死んでしまった二度目の妻というのが、とある高名な大将軍家の出だったんだが、たしかな筋から聞いた話だと、中佐にはびた一文持参金をよこさなかったそうだ。

つまりなかなかの親戚筋ではあったが、たんにそれだけの話ってわけで、先の望みはつなぐことができても、現金はまるでなしってわけだったのさ。それでも、女学校出の彼女がやってくると（ほんのちょっと里帰りしただけのことで、すっかり居ついたわけじゃなかった）、町全体がすっかり若返ったみたいで、町でも名門の奥さん連中は、といっても将軍夫人が二人に大佐夫人が一人、つづいてみんなが彼女を褒めそやして、ご機嫌とりにかかったんだ。となるともう、舞踏会でもピクニックでも女王さまだし、どこぞの家庭教師を助けるために活人画の催しまでやってのけるありさまだった。

おれは知らんふりして遊びまわっていたけど、町じゅうが大騒ぎするようなとんでもないまねをしでかしたのが、ちょうどその頃だった。そう、砲兵大隊長の家で、彼女があるとき、まるでおれを値踏みするみたいにじろじろ眺め回したことがあった。でも、そのときおれは近づかなかった。別にお近づきになれなくたって結構、といわんばかりにさ。おれが彼女に近づいたのはそれから数日後の、これもあるパーティの席なんだが、おれが話しかけると、相手はろくにこっちも見ず、まるで見下したようにぴっと唇を結んだままなんだ。で、思ったんだ。今に見てろ、きっと仕返ししてやるってな。

あの頃のおれってのは、もうたいていの場合、どうにも手のつけられない悪党《ブルボン》で、そのことは自分でも感じていた。大事な点というのは、この『カーチャ』って娘が、うぶな女学校出なんてもんじゃない、意志がつよくてプライドの高い、じつに高潔でなにより知性と教養にあふれる女なんだが、このおれにはそのどっちもないということを自分が痛感してたことなんだ。どうだ、そんなおれがプロポーズする気になったと思うか？　とんでもない。おれはたんに仕返しがしたかっただけさ。こっちがこれだけいい男なのに、向こうは見向きもしないってことにさ。でもまあ、しばらくはあちこち遊びまくって、暴れまくっていた。

そこで中佐はとうとう、おれを三日間営倉にぶちこんだ。で、親父が六千ルーブルの金を送って寄こしたのは、ちょうどこの頃のことだった。おれが正式の権利放棄書を送りつけ、これできれいさっぱり清算するし、これ以上は何も要求しないと書いてやったのを受けて送金してきたってわけだ。あの頃のおれはなにもわかってなかったんだな。いいかアリョーシャ、おれはここに来るまで、いや、ほんの数日前まで、いやひょっとすると今日の今日まで、親父とのこういった金銭上のトラブルについて何ひとつわかってなかった。しかしそんな話はどうだっていい、あとにまわそう。

で、そこで六千ルーブルを受けとったおれは、ある友人からの手紙で、おれからすりゃとてつもなく面白い事実をとつぜん知らされたってわけなんだ。ほかでもない。おれたちの中佐が公金横領の疑いで当局ににらまれている、というか、まあひとことで言やあ反対派が仕組んだ罠だった。で、すぐに師団長がやってきて、やつをこっぴどく絞り上げた。それからしばらくして、辞表を出せという命令がきた。事件の顚末についてこまごま話すのはやめとくが、やつに敵がいたことは事実なのさ。で、町では、やつや、やつの家族に対してどはずれに冷たくなって、まるで潮が引くみたいにだれも寄りつかなくなった。

そこでおれは最初の手を打った。長女のアガーフィヤに会ったのさ。彼女とはずっと仲のいいつきあいだったからな。で、言ってやった。『なんてったって、あなたの親父さんが管理してた四千五百ルーブル相当の公金が消えたんですからねえ』『なんですって？　どうしてそんなことをおっしゃるの？　このまえ将軍がみえたときは、ちゃんとありましたわ』……『あのときはあったんですが、いまはないんですよ』。ものすごい驚きようだったな。『どうか驚かさないください、その話、どなたからお聞きになったんです？』で、おれは言ってやった。『心配は無用です。だれにも言いやしませんよ。あなただって知ってるでしょう。こういうことにかけてぼくの口が固いことは。ただこの件について、まあ〈万が一〉のためですが、ちょっと言っておきたいことがあったんです。あなたのお父さんが四千五百ルーブルの返還を求められ、万が一それがないとなれば、そりゃたちまち軍法会議ものですよ。それからあのお年にもかかわらず、一兵卒に降格ということになります。そのときにはどうか、女学校卒のあなたの妹さんを、そっとぼくのところに寄こしてください。ぼくはちょうど送金があったばかりなんで、四千ルーブルぐらいならたぶん貸してあげられるし、神に誓って秘密は守りますからね』

そうしたら、こう言うんだ。『あなたって相当に悪い人ね！（このとおり言ったんだ）……相当に悪い人だわ！　よくもそんなことがいえるわ！』そのまま恐ろしい剣幕で行ってしまった。でもおれはもう一度、うしろから大声で叫んでやった。秘密はどんなことがあってもぜったいに守りますよとね。前もって言っておくが、女二人は、つまりアガーフィヤと叔母さんの二人の女たちは、この一件ではもう天使みたいに潔白だったよ。高慢ちきなカーチャを心から敬い、自分たちはへりくだって小間使いも同然だった……ただアガーフィヤはこのことを、つまりおれたちのこのやりとりを、すぐに妹に伝えていたんだな。あとから洗いざらい聞きだしたから、はっきりわかっている。彼女は、包み隠さずに話したんだよ。そう、むろん、それがおれのねらい目だったってわけさ。

そこへとつぜん大隊の引きつぎのために、少佐が新たに赴任してきたんだ。で、いよいよ引きつぎがはじまった。老中佐は、急に病いに倒れて動くこともできない。二昼夜というもの家に閉じこもったきり、公金の引渡しにも応じない。クラフチェンコという町の医者が、正真正銘、彼は病気だと言いはった。でもおれだけは、前々からことの一部始終をひそかに知っていたんだ。

つまり、毎度のことだがその金は、すでにこの四年、当局による監査がすむと一時的に消える仕組みになっていたのさ。つまりだな、中佐はその金を年寄りの男やもめで町の商人の、非常に信頼できる人物に貸し付けていたんだよ。金縁のめがねをかけた髭の男で、トリーフォノフっていう名だ。男は市場にいって、その金をうまいこと転がし、すぐさま全額耳をそろえて中佐に返すのさ。おまけに、市場から手みやげをもって帰る、手みやげと利息つきってわけだ。

ところがこのときばかりは（当時おれは、この話もまったく偶然に、トリーフォノフの跡とり息子の甘ったれ坊主から聞いたんだ。この坊主ってのが、また世にもまれな極道息子なんだが）、いいか、トリーフォノフは、市場から帰っても何ひとつ返さなかった。で、中佐はやつの家にすっ飛んで行った。ところが戻ってきた返事がこうなのさ。『あなたから何も受けとった覚えはありませんし、受けとるはずもないじゃないですか』。てなわけで、家に閉じこもった中佐は頭にタオルを巻き、三人の女たちに氷を当ててもらうありさまだ。

そこへとつぜん、帳簿と指令書をもって伝令が現れた。指令書には『ただちに、二時間後に、公金を引きわたすこと』と書いてある。中佐はサインした。おれはこの帳簿のサインを、あとになって見たよ。で、彼は立ち上がり、軍服に着替えなければといって寝室に駆けこむと、二連発式の猟銃を手にとり火薬をこめ、兵士用の弾を装塡《そうてん》したんだ。で、右足の長靴を脱いで銃口をしっかり胸にあてがい、つま先で引き金を探しにかかった。そのとき、おれのさっきの言葉を覚えていて前々からおかしいとにらんでいたアガーフィヤが、忍び足で寝室に近づいてゆき、絶妙のタイミングでその様子を目撃したのさ。彼女は勢いよく中に駆けこみ、後ろから父親に抱きついたもんで、銃は天井に向けて発射された。おかげでケガはなかった。残りの二人も部屋にとびこみ、父親をつかまえ銃をもぎとって両手を押さえた……おれはあとから一部始終を、ほんとうに細かいところまで知ることができたんだ。

その頃おれは家にいた。夕方だった。外出しようと服を着がえ、髪もとかし、ネッカチーフを首に巻き、フロックコートを手にとったそのときだった。とつぜん部屋のドアが開いておれの目の前に、おれのアパートにだぞ、カテリーナが現れたんだ。

不思議なことってあるもんなんだよ。そのとき、通行人のだれひとり、カテリーナがおれのアパートに入ってくるのに気づかなかった。だから町ではまったく知られずじまいだった。おれがアパートを借りていたのは役人の未亡人二人でさ、二人ともよれよれの婆さんだった。まあ、よくできた女たちでさ、おれにはよく仕えてくれたし、どんな話でも聞いてくれた。で、おれの言いつけどおり、その後もまるで鉄の台座みたいに口をつぐんでくれた。むろん、おれはすぐさま事情をのみこんださ。相手は部屋に入るなり、まっすぐこちらを見つめている。暗い感じの目が大胆不敵なぐらいに決然とおれを見つめているんだが、唇と口もとには躊躇《ちゅうちょ》が見てとれる。

『姉に聞きました。もしわたしが、自分で……こちらへ取りにうかがえば、四千五百ルーブルくださると……。で、まいりました……ください！……』耐えきれなかったんだな。息が切れてたし怯《おび》えていたよ。声が途切れてしまい、唇の端と口のまわりが震えだしたんだ。おいアリョーシャ、聞いてるのか、眠ってるのか？」

「ミーチャ兄さん、わかってます。兄さんが真実をあらいざらい話してくれるってことぐらい」アリョーシャは、どきどきしながら答えた。

「そうだよ、おれはその真実をしゃべろうとしているのさ。でもさ、真実をあらいざらいとなると、これはもう手加減をくわえずに、ありのままをしゃべることになる。そう、最初に浮かんだ考えというのは、カラマーゾフ的なものだった。おれはね、アリョーシャ、あるときムカデに刺されて熱を出し、二週間ばかり寝込んだことがあるんだ。ところが今度もいきなり、ムカデに心臓をちくりと刺されたような気がしたのさ。たちの悪い害虫だよ、そうだろう？　今度はおれが品定めをする番だった。おまえ、彼女に会ったことがあるだろう？　美人だよな。でも、彼女のあのときのきれいさってのは、今とはちがっていた。彼女があのときやけにきれいに見えたわけっていうのはだな、こういうことなんだ。

彼女の気だかさにひきかえ、おれはもう卑怯者だ、彼女は持前の義俠心を発揮し、父親の犠牲になろうとしている。なのに、おれときたらまるで南京虫みたいなものなんだ。ところが、その南京虫で卑怯者のおれのさじ加減ひとつで、彼女のすべてがだよ、そう、なにもかも、心も体も、どうにでもできるんだ。体の線がくっきりと見えた。おまえには隠さずにいおう。この浅ましい考え、ムカデの考えにさ、心臓をむずとつかまれ、おれはもうあまりの悩ましさに、それこそどろどろに溶けてしまいそうだった。内心の葛藤などあったもんじゃないという気がした。そりゃもう、同情なんてすべてかなぐり捨て、それこそ南京虫か毒蜘蛛《どくぐも》らしくふるまいたかった……もう息がとまりそうだった。

いいか、だっておれは、明日にも出かけていってプロポーズできるんだ。すべてをこのうえなく公明正大に片づけ、だれにも知られず、だれも知りようがないといったかたちにおさめるためだよ。なにしろおれという男は、たしかに卑しい欲望にまみれてはいるけど、根は誠実な男だからな。

そしてその瞬間、おれの耳もとで、ふいにこう囁きかける声があるんだ。『でもな、ああいう女は明日おまえがプロポーズに行ったところで、顔もださず、御者に言いつけて、おまえを屋敷から追んだすにちがいないさ。そしてこう言うんだ。なんなら町じゅうに言いふらすといいわ。あんたなんてちっとも怖くないんだから、とな』で、おれは娘のほうをちらりと見た。心の声は嘘をついていない。むろんそのとおりだ、そうなるに決まっている。首をつかまれて追い出されるのがおちだ。目の前の顔を見ただけで、もう、そう判断できた。すると、どうにもむかついてきて、豚か商人《あきんど》みたいに、なにかとてつもなく卑劣なまねをしてやりたくなったんだ。せせら笑いながら彼女の顔を眺めて、彼女がまだ目のまえに立っているあいだに、商人にしかできないような口ぶりで相手のどぎもを抜いてやる。

『ええ、ええ、あの四千ルーブルですね！　あれはちょっと冗談で言ってみただけなんですよ、それがまたどうかしましたか？　そんなふうな金勘定をなさるなんて、お嬢さん、ちょっと甘すぎやしませんか。そりゃ二百ルーブルかそこらでしたら喜んで工面してさしあげますがね、しかし四千ルーブルともなると、こりゃもうお嬢さん、そうそう気まぐれにぽんと出せる額じゃございませんよ。むだなご心配をおかけしましたね』

いいかい、そんなことしたらおれはすべてを棒にふるし、彼女は逃げかえったろうね。でもかわりに、世にもすさまじい復讐に成功するのさ。それはもう、ほかの何にも代えられない。それから死ぬまで悔し泣きをすることになっても、いまはこのばかげたセリフを言ってみたくてたまらない！　信じられるか？　相手がたとえどんな女でも、こんなことは一度もなかった。こういう瞬間、憎しみにかられて相手をにらみつけるなんてことは。

だが、誓ってもいい。おれはあのとき三秒から五秒ぐらい、恐ろしい憎しみを感じながら相手をにらんでいた。そう、恋なんだ、気がくるうほどのはげしい恋と、紙一重の憎しみを感じながらだ！　おれは窓のほうに寄っていき、凍ったガラスに額を押しあてた。今でも覚えている。額がまるで火で焼かれるような感じだった。長く引きとめることはしなかった、心配するな。おれは振り返ってテーブルに寄り、引き出しを開けて、無記名の債券を取りだした（おれのフランス語の辞書の間に挟んでおいたんだ）。額面五千ルーブル、五分利つきさ。それから何もいわずに彼女にそれを見せ、二つに折って手渡し、自分から玄関のドアを開けてやった。そして一歩後ろに下がってから、これ以上ないというぐらいうやうやしく、思いのかぎりをこめてお辞儀したんだ、ほんとうに！

　彼女は体をぎくりとさせ、じっとこちらを見つめ、血の気が引いた。そう、テーブルクロスみたいだった。それから急に、やはりひとことも口をきかずに、発作的というんじゃなく、じつにソフトに深く静かに体を屈めると、おれの足もとにそのままひざまずいて、床におでこをつけてお辞儀したんだ。女学生流なんかじゃない、純ロシア式だった！　それからいきなり跳ね起きると、駆け出していった。

　彼女が部屋から出て行ったとき、おれはちょうど腰に軍刀をぶら下げていたんだ。で、おれはそれを抜きとり、その場で自殺しようと思った。なぜかはわからない。むろん恐ろしくばかげたことにはちがいないさ。でも、きっと有頂天だったんだろうな。おまえにわかるか。ある種、感動の極みでも人は自殺できるってことが。だがおれは死ななかった。そのかわり軍刀にキスをし、元の鞘に収めた。でもまあ、こんなことはおまえに話さなくてよかったかな。それにいま、こんなふうにいろんな内心の葛藤の話をしていても、少々尾ひれをつけているような気がする。自分をよく見せるためにな。しかしそんなことはもうどうでもいいんだ。人の心を外から嗅ぎまわるスパイなんぞくそくらえさ！　カテリーナとおれとのあいだで起こった『事件』というのは、まあこういったところだ。つまり、今やこの話を知っているのは、イワンとおまえの二人、それですべてということになる！」

ドミートリーは立ち上がると、興奮にかられて一歩、そしてもう一歩踏み出し、ハンカチを取りだして額の汗を拭ってから、ふたたび腰を下ろした。しかしそれはさっきとは別の、向かい側にある別の壁にちかいベンチだったので、アリョーシャはぐるりと向き直らなくてはならなかった。

5　熱い心の告白──「まっさかさま」

「これで」とアリョーシャは言った。「事件の前半はわかりました」

「前半はおまえにもわかる。これは言ってみればドラマで、向こうで起こったことだ。で、後半は悲劇で、これはこれからここで起こる」

「後半は、まだ何もわかっていませんけど」アリョーシャが答えた。

「じゃあ、おれはどうかって？　おれはわかってるっていうのか？」

「ちょっと待って、ドミートリー、ぼくはいまどうしてもある大事なことがひっかかるんです。ちゃんと答えてくださいよ。兄さんは婚約しているんですよね、いまも婚約中なんですよね？」

「おれが婚約したのはすぐじゃなくて、その一件があってから三月《みつき》ばかりあとのことなんだ。その一件が持ち上がった翌日、おれは自分に言い聞かせた。これで一件が落着した、続きはないってな。いまさらプロポーズしにのこのこ出かけていくなんて、下劣すぎるじゃないか。ところが彼女のほうも、同じ町にそれからまる六週間も過ごしていながら、一行だって便りを寄こさなかった。

ただし、一度だけ例外があった。彼女がうちに来た翌日のことだ。彼女の家の小間使いがこっそりやってきて、ひとこともいわず封書を手渡したんだ。表には、だれそれへって宛名が書いてある。で、開けてみると、これが例の五千ルーブル債券のおつりなのさ。彼女に必要だったのは、ぜんぶで四千五百ルーブル。五千ルーブル債券を売ったとき、約二百ルーブルの損が発生したってことらしい。ぜんぶでたしか、二百六十ルーブルだったかな、はっきりとは覚えてないが送り返してきた。ただし現金のみで、手紙もなけりゃひとことの挨拶も釈明もなかった。で、鉛筆書きした跡でもないものかと包みのなかを探ってみたんだが、やっぱりないんだな、これが！　まあいいかってわけで、しばらくはその残りの金で飲んだくれてたもんだから、新任の少佐のほうも痺れを切らしてこのおれを譴責《けんせき》処分にせざるをえなくなった。

で、中佐のほうは無事に公金を返還できたもんだから、まわりのみんなはもうびっくりだった。中佐の家にその金がまるごと残っているなんて、だれも予想してなかったからな。

　ところが、返却をすませると中佐は急に病気になり、三週間ばかり寝込んでから急に脳軟化症を起こして、五日でぽっくり逝っちまった。退役はまだだったから、葬式は軍葬ってやつだった。カテリーナ、姉、そして叔母の三人は、父親の葬式が済むと五日ほどしてモスクワに発った。ところがその出発の直前というか、連中が旅立っていったその日（おれは連中に会っていないし見送りにも行かなかったがね）、おれは青い小さな封書を受けとったんだ。透かし入りの紙でその上に鉛筆で一行、こう書いてあった。『手紙を書きます、お待ちください。K』。それだけだった。

　ここからは手短かにやるな。で、モスクワに行くと、彼女たちの暮らしぶりはそれこそ電撃的にっていうか、アラビアン・ナイトのおとぎ話みたいに一変した。彼女にとって大事な親戚の将軍夫人が、いちばん近い相続人だった二人の姪を一度に失くしてしまったのさ。一週間のうちに二人が天然痘で死んでしまった。で、茫然自失した未亡人は、カテリーナが戻ってきたのを、生みの親のように喜んだわけだ。救いの星だったんだな。で、彼女に飛びつかんばかりに、彼女のためにただちに遺言状を作りかえたが、これは言ってみれば、まあ先の話さ。で、さしあたりは直接、彼女に八万ルーブルを渡して、これがおまえの持参金だ、好きに使っていいと言ったのさ。ヒステリックな女なんだな、その後モスクワに戻ってから、その未亡人に会ってわかった。で、おれは郵送でとつぜん、四千五百ルーブルを受けとることになった。むろん事情もわからず、まるで狐につままれたみたいな気持ちだったよ。

それから三日後、約束の手紙も届いた。その手紙はいまも肌身はなさず持っているし、死ぬときは一緒に棺おけに入れてもらうつもりでいるよ。見せてやってもいい。一読する価値はある。なぜって、これが結婚の申し込みなんだから。彼女が自分から申し込んできたんだ。『あなたを死ぬほど愛しています、あなたがわたしを愛してくださらなくてもかまいません。ただ、わたしの夫になってください。驚かないでください。あなたを縛るようなことはいっさいしません。あなたの家具になります、あなたが歩きまわる絨毯でもいいです……あなたを永遠に愛したい、あなたをあなたから救ってあげたい……』。アリョーシャ、おれには、この言葉を口にする値打ちさえありゃしないのさ。おれのこの卑しい言葉、卑しい口調、絶対に治せない、いつもの卑しい口調じゃな。この手紙が今の今になっても、まだこの胸に突き刺さっているんだ。いったい今のおれが気楽だとでもいうのか。今日のおれは気楽だとでもいうのか。

で、おれはすぐに返事を書いた（おれとしてはどうしてもモスクワに行けなかった）。涙ながらに書いたのさ。おれはあることを永久に恥ずかしく思っている、とね。つまり、あなたは持参金付きの金持ちだが、おれはたんに成りあがりの貧乏士官にすぎない。そう、金のことを書いたんだ！ ここはがまんのしどころだったが、ついペンが滑ってしまった。そこで、モスクワにいるイワンにすぐに手紙を書いて、できるかぎりすべてを打ち明けたんだ。便箋に六枚もだ。で、イワンに彼女のところに行ってもらった。アリョーシャ、どうしてそうじろじろおれを見る？ まあいい、で、イワンは彼女にまいってしまったってわけだ。いまもまいっている。おれはそれを知っているんだ。おまえ流というか、世間流にいえば、おれはばかなことをしたことになるんだろうな。でもな、みんなを救えるのは、いまじゃこの馬鹿さ加減だけなんだよ！ ああ！ ほんとうにわからないのか。彼女がどんなにイワンを敬い、尊敬しているか？ おれたち二人をくらべ、彼女がこんなおれみたいな男を愛せるっていうのか。おまけにここじゃ、あんなすったもんだが起きてるっていうのに？」

「でもぼくは、あの人が愛しているのは兄さんのような人で、イワンのような人じゃないと思います」

「彼女が愛しているのは自分の善行なんで、おれなんかじゃない」ドミートリーの口から思わずほとばしった言葉には、ほとんど憎しみすら感じられた。彼はすぐに笑いだしたが、一瞬ののちにはその目をぎらりとさせ、顔じゅうまっかになって、思いきりテーブルをこぶしで叩きつけた。

「アリョーシャ、嘘じゃない！」自分に対する恐ろしいばかりの真摯さのあまり、ドミートリーは怒りにかられて叫んだ。「信じようが信じまいが勝手さ。だがな、神聖な神さまにかけて、キリストが主であることにかけて、おれはほんとうのことをいう。さっき彼女のけだかい感情をせせら笑ったけど、おれにはわかってる。おれの魂なんて彼女よりも百万倍も下劣だってこと、それに彼女のあの見上げた心ってのは、天国の御使《みつか》いのように誠実なものだってことがね。要するに悲劇っていうのは、おれがそのことを正確にわかっているっていうところにあるのさ。人がちょっとばかり熱弁をふるったからといって、なんだというんだ？　おれはほんとうに熱弁をふるっていないか？　だって、おれは真剣なんだぞ。ほんとうに真剣なのさ。

で、イワンはどうかっていえば、おれにはちゃんとわかっている。やつがいまどんなにいまわしい気持ちで事実を見つめざるをえないか。おまけに、あれだけの知性をもっていながら！　だれが、何が、選ばれてたっていうんだ？　選ばれているのは、人でなしのおれのほうだ。フィアンセのくせして、みんなが見てる前で、自分の乱行を抑えきれなかった人でなしじゃないか。おれはそれを、婚約者のいる前でしでかしたんだ。婚約者の前でだぞ！　なのにおれみたいな男が選ばれ、やつは撥ねつけられた。でも、いったいなんのためだ？　ひとりの娘が人に恩義を感じ、自分の人生と運命をむりやり変えることを望んだからなんだよ！　ばかげている！　こういう意味では、おれはイワンにいちどもなにも話したことはないし、イワンだってもちろん、このことについてひと言どころか、どんなにちっぽけなほのめかしだって口にしたことはないさ。

だがな、いずれはふさわしい人間がふさわしい立場に立ち、ふさわしくない人間は永久に路地裏に姿を消すというのが人の世の定めなのさ。汚らしい路地裏だ、その男にふさわしいお気に入りの路地裏さ。その路地裏で、泥と悪臭にまみれて快楽をかみしめながら、自分から進んで身を滅ぼしていくんだ。なんだか嘘っぽい話をずらずら並べたてし、おれのしゃべる言葉はどれもこれも陳腐きわまりなくて、まるでまかせみたいに聞こえるかもしれない。だがな、おれが言ったとおりになるんだ。おれは路地裏に沈み、彼女はイワンと結婚する」

「ちょっと待って、兄さん」極度の不安にとらえられたアリョーシャがふたたび話をさえぎった。「これまでの話でも、兄さんはやっぱり肝心なことを説明してくれてませんよ。だって、兄さんは婚約者でしょう。兄さんはそれでもまだ婚約者なんでしょう？　いいなずけのあの人がいやだっていってないのに、どうして兄さんは破談にしたいんです？」

「おれはたしかに正式の婚約者だし、祝福も受けたよ。すべてはモスクワですんだことだ。おれが到着してすぐのことさ。教会で盛大に祝ってもらった、理想的なかたちさ。将軍夫人が祝福してくれたんだが、いいか、カテリーナにもお祝いの言葉をかけてくれた。おまえはいい人を選んだ、わたしにはこの人の良さがよくわかると言ってくれた。ところが、いいか、夫人はイワンのことが好きになれなくてお祝いの言葉もかけなかったんだ。モスクワでおれはカテリーナといろんなことを話し合って、自分という人間についてあらいざらい話して聞かせてやった。潔く、ありのままに、真剣にさ。で、しまいまで聞きとおしてくれた。

愛らしいとまどい
やさしい言葉……

そう、言葉は自信に満ちていたよ。そこで彼女はこのおれから、素行《そこう》を改めるっていうとんでもない約束をとりつけたんだ。おれは、たしかに約束した。ところがだ……」

「ところが、どうしたんです？」

「こうして、おれはおまえを呼びとめ、今日ここにひっぱりこんだ……今日という日を忘れるな……そのわけっていうのはだな、おまえを、やはり今日のことだが、カテリーナのところに使いにやって……」

「で？」

「こう言ってもらうためなんだ。おれはもう二度とあなたの家には行かないので、どうぞよろしく、とな」

「そんなことがほんとうにできるんですか？」

「できっこないから、代わりにおまえを行かせるんじゃないか。おれがかりに行けるとしたって、どうやって自分の口からそんなことが切り出せる？」

「じゃあ、兄さんはどこへ行くんです？」

「路地裏だよ」

「ということは、グルーシェニカのとこってことですね！」アリョーシャは、両手を打って悲しげに叫んだ。「だとすると、ラキーチンが言ってたことは実際にほんとうだったんですね？　兄さんは気晴らしにちょっと通《かよ》ってるだけで、もうおしまいにしていると思っていました」

「婚約者の身で通えるっていうのか？　そんなことがほんとうにできるのか。あんな立派な婚約者がいながら、おまけに世間の目もあるっていうのに？　こんなおれでもプライドってものはある、たぶんな。グルーシェニカの家に通いはじめると、おれはたちまち婚約者でもプライドをもった人間でもなくなってしまったんだ。じっさいおれには、そのことがよくわかるんだ。なんだってそんな目で見る？　いいか、おれはそもそも彼女を一発ぶんなぐるために出かけていった。今じゃはっきりとわかっていることだが、おれはあることを聞き込んだ。つまり、このグルーシェニカにだな、おれの名義の手形が渡った。親父の代理人をつとめている例の二等大尉をとおしてだ。つまり、おれを骨抜きにして、手を引かせる魂胆だったのさ。びくつかせたかったんだな。

で、おれはグルーシェニカを一発ぶんなぐるために出かけていったわけさ。彼女の姿は、以前にもちらっと見かけたことがあった。でも、そう驚きもしなかったよ。老いぼれの商人のことは知っていた。その商人が、おまけにいまは病気で弱りきって寝たきりだが、ものすごい大金を彼女に残すつもりらしいってこともな。金もうけが大好きらしいってことも知っていた。ひどい利率で貸しつけては金を貯め込んでいる、情け容赦もない古だぬきのペテン師って話だった。で、一発ぶんなぐるために出かけていって、そのままそこに泊まりこんじまった。雷が落ちたのさ、ペストにかかったんだよ、感染したと思ったら、もう今日の今日まで感染しっぱなしなんだ。わかってるさ。すべてがおじゃんになって、ほかにはどうしようにも道がないってことがな。運命のサイクルが一回転したんだ。

で、おれの話ってのはこういうことさ。そのとき、貧乏人のおれのポケットに、まるで誂《あつら》えたみたいに三千ルーブルが入っていた。そこでおれたちはモークロエにくりだした。ここからだいたい二十五キロだ。ジプシーたちを呼びあつめて、土地の百姓たちにシャンペンをふるまってやった。老いも若きもひとり残らずさ。そこで、数千の金をばらまいた。三日後にはもう素寒貧《すっかんぴん》だったが、鷹になった気分だったよ。で、その鷹がいったい何を手に入れたかって思うだろう？

それが、ちらとも拝ませてくれなかったんだ。おれが言いたいのは、曲線美っていうやつさ。あのペテン師のグルーシェニカのやつ、ものすごい体の線してるんだ。その線があいつの足にも出ているし、左足の小指にまで現れているんだよ。それを拝んでそれにキスをして、それっきり。嘘じゃない！『お望みなら結婚してあげてもいいわ、だってあんたは乞食同然だもの。ただし、あたしをぶたないって約束なさい、したいことはなんでもさせてくれるって約束なさい、だったら結婚してあげてもいいわ』なあんて言いながら、けらけら笑っている。いまも笑っているよ！」

ドミートリーはほとんど怒りにかられて椅子から立ち上がった。立った姿はまるで酔っ払っているようだった。目が急に血ばしってきた。

「で、兄さんもほんとうにあの人と結婚したいんですか？」

「向こうがその気になるならすぐにでもするし、いやだっていうならこのまま残る。あいつの家の庭番でもやらしてもらうよ。おいおい、アリョーシャ……」そういって彼はアリョーシャの前に立ちどまり、つかんだ肩を、ふいに思いきり揺すりだした。「純真な坊やにわかるかな、何もかも寝言だってことが、考えられもしない寝言だってことが、なにしろこれは悲劇だからな！　よく聞け、アリョーシャ。おれは卑しい人間かもしれない、卑しい、むだな欲望をかかえた人間かもしれない。だがな、このドミートリー・カラマーゾフは、絶対に泥棒やスリや空巣ねらいになれるはずがないんだ。が、いまはこのことも知っておけ、そのおれが今や泥棒でスリで、空巣ねらいだってことをな！

一発なぐってやろうとグルーシェニカの家に向かったその同じ日の朝、カテリーナがおれを呼びだし、しばらくのあいだだれにも知られてはだめ（なぜかはわからないが、たぶんそうする必要があったんだな）、絶対に内緒よといって、県庁のある町に行き、モスクワに住むアガーフィヤさんに、郵便為替で三千ルーブルを送金してほしいっていうんだ。その町までわざわざ出かけていくのは、この町のだれにも知られないためさ。

ところが、おれはその三千ルーブルをポケットに忍ばせてグルーシェニカの家に行き、その金でモークロエまで遠出したってわけさ。そのあとおれは、町に行ってきたふりをしたんだが、書留の受取証はみせずに、送金は無事すませた、受取証はあとで持ってくるといったまま、まだ持っていっていない。忘れてましたってことにしてさ。で、おまえどう思う。今日これから出かけて行って、彼女にこういう。『兄からよろしくとのことでした』。すると、彼女はおまえにこういうよ。『で、お金は？』。そしたら、おまえは言ってもいい。『兄は最低の女好きです、感情を抑えられない卑しい人間なんです。あのとき、兄はあなたのお金を送らずぜんぶ使い果たしてしまいました。なにしろ兄は、自分を抑えられない卑しい動物なんです』とでもね。しかしまあこんなふうに付け加えてもいいかな。『でも兄は泥棒じゃありません。そのしるしにほら、ここに三千ルーブルあります。返して寄こしたんです。ご自分でアガーフィヤさんに送金なさってください、兄からよろしくとのことでした』。そしたら、彼女は驚いてすぐにきくさ。『で、そのお金、どこにあるんです？』」

「兄さん、兄さんはいま不幸なんですね、ほんとうに！　でも、それだって、兄さんが考えるほどじゃないですよ。絶望に負けちゃだめです。負けちゃだめですからね！」

「おまえは、なに、その三千ルーブルが手に入らなくてこのおれがピストル自殺するとでも思ってるのか。問題はそこだよ。おれは自殺なんかしない。いまはとてもできない。いずれはやらかすかもしれんが。で、これからグルーシェニカのところへ行く……こうなったらもう行くところまで行くしかないんだ！」

「でも、あの人のところへ行ってどうするんです？」

「あいつの亭主になるのさ。一緒になってもらうんだ。愛人《おとこ》がきたら別の部屋に引っ込んでやるさ。男友だちの泥だらけの靴を磨いたっていいし、湯わかし器《サモワール》の火も起こしてやる、使い走りもしてやる……」

「カテリーナさんはなにもかも理解してくださいます」アリョーシャがふいに、神妙な口ぶりで言った。「兄さんの悲しみを底の底まで理解し、許してくださいます。あの人には最高の知性があります。だっていま兄さんより不幸な人はいないってことは、あの人にもわかりますから」

「いや、何ひとつ許しちゃくれんよ」ドミートリーは口をあけて笑った。「アリョーシャ、これにはどんな女でも絶対に許せないことが隠されているんだ。じゃあ、どうするのがいちばんいいか？」

「どうする？」

「三千ルーブルを返すことさ」

「どこから集めるんです？　そうだ、ぼくのところに二千ルーブルあるし、イワンも千は出してくれますよ。これで、合計三千です。それを、持っていって返せばいいんです」

「でもその三千、いつ手にはいる？　おまけにおまえはまだ未成年だろ？　何がなんでも今日じゅうに、彼女によろしくと言ってもらわなくてはならないんだ。金を持っていくにせよ手ぶらで行くにせよ、だ。なにしろおれはもうこれ以上、先延ばしできないし、事態はそれぐらいせっぱつまってるからな。明日じゃもう遅い。手遅れなんだ。そこでおまえには親父のところへ行ってもらう」

「お父さんのところへ？」

「そうさ、彼女の家に行く前に親父のところだ。親父に三千を頼んでみてくれ」

「でも、兄さん、くれっこないです」

「もちろんさ、くれないのはわかってる。わかるかアレクセイ、絶望ってどんなものか？」

「わかります」

「いいか。法的にやつはおれに一銭の借りもない。でもいまは特別なんだ。あいつからもらうものはすべてもらった。すべてだ。それはわかっている。だが、やつは道義的におれに借りがある。そうだろう？　だって、やつはおふくろの二万八千ルーブルを元手に十万ルーブルの金を作ったんだからな。二万八千のうちのせめて三千ぐらいは、このおれによこしてもよさそうなもんじゃないか。たった三千だぜ。たった三千でおれの魂は地獄から引き上げられて、やつもごまんとある罪が帳消しになるんだ！　おまえに約束するが、おれはだな、この三千で清算するし、やつはもう、おれのことはこれ以上なにも耳にしないですむ。あいつが父親になる、最後のチャンスを与えてやるんだ。やつに言えよ。このチャンスは神さまがみずからお授けになるものですってな」

「兄さん、でもお父さんはぜったいにくれません」

「くれないのはわかっている。そんなことは百も承知だ。とくにいまは、な。それだけじゃない。おれはこんなことも知っている。いまというか、つい最近、ひょっとしたら昨日のことかもしれないんだが、やつははじめて本気で考えはじめたんだ（本気でってところに気をつけろよ）。つまり、グルーシェニカがひょっとすると冗談ぬきで自分の頭ごしに、おれと結婚する気になるかもしれないってな。やつは彼女の気性がわかっているから。あのメス猫みたいな気性がな。だからさ、自分でも気が変になるくらい熱をあげている親父が、そんなおれのチャンスを後押しするために、金まで出してくれるなんてあるはずないだろう？

しかも、話はそれだけじゃない。おまえにはまだまだ聞かせてやることがあるんだ。じつは五日ぐらいまえ、親父は持ち金から三千ルーブルを取り出してそれを百ルーブル札にくずし、大きな封筒に包んで五つも封印し、その上から赤い紐を十字にかけた。どうだ、詳しいだろう！　封筒には、こう表書きがあるんだ。『わたしの天使グルーシェニカに。もしもここに来る気持ちがあるなら』。

自分でがりがり書いたらしい。こっそり内緒でね。やつの部屋にその金《かね》が眠っているなんて、だあれも知らない。召使のスメルジャコフひとりをのぞいてな。親父はあの男の正直さを、まるで自分の分身みたいに信じきっているんだよ。てなわけで、親父がグルーシェニカを待ちつづけて三日、いや四日目になる。封筒を取りにくるものと期待している。彼女にそのことを知らせたら、彼女は『たぶんうかがいます』ってな返事を寄こしてきたらしい。で、あの女が老いぼれのところにやって来でもしたら、おれはもうあいつと結婚するわけにはいかんだろう。これでわかったよな。どうしておれがこんなところで張り込んで、何を見張っているか」

「あの人ですね？」

「彼女さ。ここの家主のあの売女《ばいた》どもから、フォマーって男がひと部屋借りているんだ。フォマーはここの土地の出で、兵隊あがりでな。やつはこの家に仕えていて夜は家の見張りをし、昼は山鳥を撃ちにいったりして生計を立てている。で、おれはそいつのとこに転がりこんでいるんだが、こいつにも家主にも秘密は知られちゃいない。つまり、おれが何を見はっているかってことは」

「スメルジャコフだけが知ってるってことですね？」

「あいつひとりだ。彼女が親父のところに来たら、知らせてくれる手はずになっている」

「包みのことを教えてくれたのは、彼なんですね？」

「やつだ。でも極秘だからな。イワンだってこの金のことやそのほかのことについては何も知らないんだから。で、おやじは二、三日の予定で、イワンをチェルマシニャーに遣《や》るつもりでいるんだ。あの林の伐採権を八千ルーブルで買うって男が現れたもんだから、親父はイワンを口説いているらしい。『人助けと思っておまえが行ってくれんか』とか言ってな、つまり二、三日の予定ってことらしい。そうしてイワンが留守をしているあいだに、グルーシェニカを引っぱり込む腹づもりなのさ」

「ということは、今日もグルーシェニカを待っているってことですね？」

「いや、今日は来ない。思い当たるふしがある。だから、たぶん来ない！」ドミートリーはふいに叫んだ。「スメルジャコフもそのつもりだ。親父は今ごろイワンとテーブルを囲んで酒を飲んでいる。アリョーシャ、さあ行くんだ、三千ルーブルを頼みこんでくれ……」

「兄さん、ねえ、どうしたんです！」アリョーシャはベンチから飛び上がり、極度に興奮しているドミートリーを見つめながら叫んだ。一瞬、ドミートリーの気が変になったのではないかと思った。

「なにがどうした？　変になっちゃいないよ」まじまじとどこか神妙な顔つきで相手を見つめながら、ドミートリーははっきり言った。「びくびくするな、おまえには親父のところに行ってもらうが、自分が何をいっているかぐらいちゃんとわかっている。おれは奇跡を信じているんだ」

「奇跡ですって？」

「そうさ、神の采配さ。神さまはおれの気持ちがわかっている、絶望にうちひしがれたおれを見ている。いっさいの顚末を見ている。だったらこれから起こるかもしれない恐ろしい事態を、神さまはむざむざ見のがしておくか？　アリョーシャ、おれは奇跡を信じているんだ、さあ、行ってこい！」

「じゃあ、行ってきます。でも兄さんはここで待っててくれますね？」

「ああ、待ってるとも。話がすぐにまとまるはずなんてないし、入っていっていきなりドンとぶつけるわけにもいかんじゃないか！　親父は酒に酔ってるし。待ってるとも。三時間でも、四時間でも、五時間でも、六時間でも、七時間でも。でもな、これだけは覚えておいてくれ。今日、たとえ真夜中でも、おまえはカテリーナさんのところへ行くんだ。金を持とうが持つまいが。で、言うんだ。『あなたによろしくとのことです』となる。このひとことだけは、どうしても言ってもらわなくちゃならない。『あなたによろしくとのことです』だ」

「兄さん、でも、もしグルーシェニカさんが今日とつぜん顔を出したら……今日じゃなくても、たとえば明日とか明後日《あさって》とかに？」

「グルーシェニカが？　見つけしだい踏み込んで邪魔してやるさ……」

「でも、もし……」

「もしもの場合は、そのまんまぶち殺しちまうさ。とても耐えきれんよ」

「殺すって、だれを？」

「親父だよ。彼女は殺さないさ」

「兄さん、なんてことを！」

「でも、じっさいはわからない。どうなるかわからない……ひょっとしたら殺すかもしれない、でも殺さないかもしれない。おれが恐れているのは、いざという瞬間、やつの顔がとつぜん憎らしく見えることなんだ。おれは憎くてたまらないんだよ。あいつののど仏、鼻、目、恥知らずな笑いがさ。人間として嫌悪を感じる。恐れているのはそういうことなんだ。これぱっかりは抑えが利きそうにないからな……」

「じゃあ兄さん、行ってきます。恐ろしいことが起きないよう、神さまがなにもかもうまく取り計らってくれるとぼくは信じてます」

「じゃあ、おれはここに座って奇跡を待ってるさ。でももし奇跡が起こらなかったら、そのときは……」

アリョーシャは悲しげな様子で父の家にむかった。

6　スメルジャコフ

アリョーシャが立ち寄ったとき、父親はまだ食卓についていた。屋敷には本来の食堂もあるにはあったが、いつもの習慣で食事は客間に用意されていた。

屋敷ではこの客間がいちばん広い部屋で、見せかけばかりの古い家具が据えつけられてあった。家具は白塗りのたいそう古めかしいもので、古ぼけた赤い半絹のカバーが掛かっていた。窓と窓の間の壁には、古めかしい彫りもののある、これまた白地に金をあしらった枠に収まった鏡が掛かっていた。ところどころひび割れのある白いラシャ紙を貼った部屋の壁には、二つの大きな肖像画が人目を引いたが、うちひとつは三十年も前、この地方出身の将軍で県知事をつとめていたさる公爵を描いたもので、もうひとつは、これまたこの世を去ってすでに久しいある大主教の肖像画だった。

正面の隅には何枚かの聖像画《イコン》が置いてあり、夜になるとその前には灯明がともされた……といってもそれは敬虔さからというより、むしろ夜、部屋のなかを明るくしておくのが目的だった。フョードルは毎晩ひどく夜更かしし、床に就くのはだいたい午前の三時から四時と決まっていた。その時間まで彼は、ずっと部屋のなかを歩き回ったり、肘掛椅子に腰をしずめたまま考えごとをするのである。そういう習慣がすっかり身についてしまっていた。

彼はときどき下男を離れに退かせてから、屋敷のなかにすっかり閉じこもって夜を過ごすこともあったが、たいていは下男のスメルジャコフが一緒に部屋に居残るならわしだった。彼の寝場所は、玄関においてある長い櫃《ひつ》の上だった。

アリョーシャが入ってきたとき、食事はすんでいたが、テーブルにはジャムとコーヒーが出ていた。フョードルは食事のあと、甘いものをつまみにコニャックを飲《や》るのが好きだったのだ。イワンもやはりテーブルに向かってコーヒーをすすっていた。下男のグリゴーリーとスメルジャコフがテーブルのそばに侍《はべ》っていた。

主人たちも下男たちも、はた目に異常なほど陽気な気分にひたっていた。フョードルはげらげらと高笑いをしたり、冗談を飛ばしたりしていた。玄関口ですでに、前から聞きおぼえのある甲高い笑い声を耳にしたアリョーシャは、その声の様子から、父親が泥酔にはまだ遠く、さしあたりはせいぜいほろよい加減といったところだとすぐに察知した。

「おう、来たか、待ってたぞ！」アリョーシャが来たのをひどく喜んで、フョードルがとつぜん大声をあげた。「さあ、こっちにこい、ここにすわって、一緒にコーヒーを飲め。――なあに、精進用のミルクぬきだ、熱くてうまいぞ！　コニャックを勧めるわけにはいかんな、なんてったって修行中の身だもんな。でもちょっとぐらいどうだい？　いや、おまえにはリキュールを勧めたほうがいいか、ものはかなりいいぞ！……スメルジャコフ、棚を見てこい、二段目の右だ。ほら鍵だ、早くしろ！」

リキュールはいいです、とアリョーシャは断りかけた。

「どっちみち、おまえのために出すんじゃないさ」フョードルは顔を輝かせた。「で、食事はもうすませたのか、それともまだか？」

「すませました」アリョーシャはそう答えた。が、そのじつ、修道院長の台所でパンを一切れとクワスをコップで一杯口にしただけだった。「ホットなら喜んで」。

「そうか！　それがいい！　アリョーシャがコーヒーを飲むとさ。温めなくていいかな？　いや、だいじょうぶだ。まだ煮立っている。こいつがなかなかうまくてな、スメルジャコフ・コーヒーっていうんだよ。コーヒーと、そう、パイにかけては、うちのスメルジャコフはたいした腕だよ。ああ、そう、魚スープもだ、嘘じゃない。そのうち魚スープをためしに来んか。そのときは前もって知らせるんだぞ……が、ちょっと待て、そういや、さっきおまえに命令したばかりだったな。布団と枕をまとめて今日にも戻ってこい、ってな。布団は抱えてきたか？　は、は、は！……」

「いや、もってきていません」アリョーシャもそういって笑った。

「でも驚いたろう、さっきはほんとうに驚いたろう。驚いたよな？　なあ、アリョーシャ、おまえを侮辱するなんてこと、このおれにできると思うか？　いいかイワン、おれはたまらんのだ、こいつがこんなふうにこっちの目を見てにこにこしてると、まともに見ておれんのだよ。腹わたから笑いがこみあげてきてな。ほんとうにかわいいよ！　アリョーシャ、父親としてひとつ祝福を授けてやろう」

アリョーシャは立ち上がったが、そのあいだにフョードルはもう気が変わっていた。

「いや、いい、いい、いまは十字を切るだけにしておくよ、これでよし、さあ座れ。じつはおまえが喜びそうな話があるんだ。まさにおまえにうってつけの話だ。うんと笑えるぞ。てのは、だ、うちのバラムのロバが急に口をききだしたんだよ。おまけにその話のじつにうまいこと、うまいこと！」

バラムのロバというのは、下男のスメルジャコフのことだった。スメルジャコフは二十四、五歳といった若さながら、恐ろしく人づきあいの悪い無口な男だった。が、それも、内気で何かを恥ずかしがっているというわけでは断じてなかった。むしろそれどころか、傲慢といってもよい性格の持ち主で、すべての人を見下しているようなところがあった。

　このスメルジャコフについて、せめてひとことなりとも触れておかなくてはならない。いまがまさにそのときである。彼を育てたのはマルファとグリゴーリーの夫婦だが、グリゴーリーの言にならうと「いっさいの恩を感じることなく」、世の中を隅っこからうかがうような人嫌いの少年に成長した。子どもの頃、彼は子猫を縛り首にし、そのあとお葬式のまね事をしたものだ。そのために彼は僧衣がわりにシーツをまとい、子猫の亡骸を見おろしながら歌ったり、香炉の代わりになにかを振りまわすのだった。すべては極秘裏にこっそりと行われた。

　あるときその現場をグリゴーリーに見つけられ、鞭で大目玉を食らったことがあった。少年は隅にひっこみ、一週間ばかりそこから横目でにらんでいた。「あいつはおれたちのことが好きじゃないんだ、あの人でなしめが」グリゴーリーは、マルファに言った。「いや、だあれのことも好きじゃないんだ。おまえ、それでも人間か？」彼は急にスメルジャコフのほうをまっすぐふり向いた。「おまえは人間じゃない、湿気た風呂場から沸きでたちんけなやつ、それがおまえなんだよ……」

　あとでわかったことだが、スメルジャコフはグリゴーリーのこの言葉をけっして許すことができなかった。グリゴーリーは少年に読み書きを教えてやり、その少年が満十二歳になると、聖書の話を教えだした。だが、そのもくろみはたちまちのうちに水泡に帰した。あるとき、まだ二度目か三度目の授業のときに、少年はふいににやりと笑ったのだ。

「その笑いはなんだ?」グリゴーリーは、メガネの奥から恐ろしい目つきで少年をのぞきながら訊ねた。

「なんでもないんです。神さまが世界をお造りになったのは最初の一日目ですよね。で、太陽とか、お月さまとか、お星さまは四日目でしょう。だったら世界って、最初の一日目はどうやって光ってたんだろうって?」

グリゴーリーは棒立ちになった。少年はあざけるように先生を見ていた。その目にはなにか傲然とした輝きがあった。グリゴーリーはたまりかねて、「こうやってだよ」と一声叫ぶと、生徒の頬っぺたにすさまじいびんたを一発見舞った。少年はひとことも抗弁せずびんたに耐えたが、それから数日間、またしても部屋の隅に引っ込んでしまった。まさにそうした矢先だった。この事件から一週間後に、彼の身に生まれてはじめて、その後も長く彼の一生につきまとう癲癇《てんかん》の症状が現れたのだ。

そのことを知ったフョードルは、少年に対する見方を一変させた。それまで彼は、いちども叱ったりしたことはなかったし、顔をあわせればいつも一コペイカをくれてやったものだが、なぜか無関心な目で少年を眺めてきた。機嫌がよいときには、ときどきテーブルのお菓子を届けてやることもあった。

ところが病気のことを知ると、急に親身になって少年の世話をやくようになり、医者を呼んで治療にあたらせたが、結局完治の見込みがないことがわかった。発作は月に平均一回の割合でやって来たが、時期はさまざまだった。発作の程度もまちまちで、軽い場合もあれば非常に重いときもあった。フョードルはグリゴーリーに対し、少年に体罰を与えることを厳重にいましめ、自分の部屋に上げてやるようになった。当面は何かを教えることも禁じた。

しかしあるときフョードルは、すでに十五歳になっていたこの少年が、書棚のあたりをうろうろし、ガラスの扉ごしに本のタイトルを読んでいるのに気づいた。フョードルはかなりの数の、百冊あまりの本を所蔵していたが、当の本人が書物に向かっている姿にはだれも一度もお目にかかったことがなかった。フョードルはただちに書棚の鍵をスメルジャコフに手渡してやった。「さあ、自由に読んでいいぞ。庭でぶらぶらしてるより、家の図書係にでもなったらましさ。腰を落ち着けて読むんだ。まずこれから読め」。そういってフョードルは、ゴーゴリの小説『ディカーニカ近郷夜話』を抜き出した。

一読して、少年は大いに不満だった。にこりともしなかった。それどころか、しまいには顔をしかめたのである。

「なに？　おもしろくない？」フョードルは訊ねた。スメルジャコフは黙りこくっていた。

「返事をしないか、このばか」

「書いてあることはぜんぶでたらめです」薄笑いを浮かべて、スメルジャコフがもぐもぐ言った。

「まあ勝手にしろ、下男根性。おっと、じゃあスマラグドフの『世界史』を貸してやろう。ここに書いてあるのはぜんぶ事実だぞ、読んでみろ」

だがスメルジャコフは、このスマラグドフの本を十ページも読み進めることができなかった。退屈に思えたのだ。こうして書棚はふたたび閉じられてしまった。まもなくマルファとグリゴーリーがフョードルに報告してきた。スメルジャコフのなかで、何だかひどい潔癖さが少しずつ頭をもたげだしたというのだ。スープの前にすわり、スプーンでスープの中身をしらべたり、体をかがめてためつすがめつしては、中身をスプーンですくって、それを光にかざしたりしているという。

「油虫でも入っていたか？」グリゴーリーはなんども訊ねた。

「蠅でしょう、きっと」マルファは答える。

潔癖症の若者は一度も返事をしたことがなかったが、パンだろうが肉だろうが、どんな食物でも同じことを繰りかえした。食物のかけらをフォークに刺して光にかざし、顕微鏡をのぞくかのようにしげしげと見やり、しばらく迷ったすえにようやく意を決してかけらを口に運ぶのである。「どうだい、どこぞの若旦那じゃあないか」彼を見やりながら、グリゴーリーはつぶやいた。

スメルジャコフのこの新しい資質を聞きつけたフョードルは、ただちに彼を料理人にすることに決め、モスクワへ修業に出した。数年を修業で過ごし、戻ってきたときはひどく顔つきが変わっていた。なぜか異様なくらい老けこみ、年齢とまったく不相応なほど皺がふえ、顔も黄ばんで、去勢《きょせい》派宗徒みたいな感じになっていた。

しかし精神面では、モスクワに出るまえとほとんど変わったところはなかった。相変わらず人嫌いをとおし、どんな仲間づきあいの必要性も感じていなかった。あとで伝えられた話だと、彼はモスクワでもずっと沈黙を押しとおし、モスクワそのものになぜか異常なぐらい興味を示さなかったため、町のことは二つ三つ知るだけで、ほかのことには注意すら払わなかったという。一度は劇場に出向いたことがあるが、そのときも口をきかず、不満足そうな顔をして帰ってきた。

そのかわり、彼はモスクワから帰郷してきたとき、なかなか上等な身なりをしていた。こざっぱりしたフロックコートとシャツを着込み、一日に二度、かならずブラシでひどく入念に服の手入れをおこない、子牛革のしゃれたブーツは、英国特製のワックスで鏡のようにピカピカになるまで磨きをかけるのをひどく好んだ。

料理人としての彼の腕前は申し分なかった。フョードルは彼に俸給を決めてやったが、その俸給をほとんどまるごと衣服やポマードや香水などにつかっていた。ところが、彼は女性を男性と同様に軽蔑しているらしく、女性に対しては礼儀正しく、ほとんど相手が寄りつかないようにふるまっていた。フョードルは彼をいくらかちがった視点から眺めるようになった。要するに癲癇の発作がひどくなると、そういう日の食事はマルファが用意してくれるのだが、それがフョードルの口にまったくあわなかったのだ。

「どうして発作がひどくなったのかな？」ときどき彼は、新しい料理人の顔を横目でにらみながら言うのだった。「だれかと結婚したらどうだ、女房が欲しけりゃ世話してやるぞ？……」

だが、スメルジャコフはその言葉を聞いても、いまいましそうに顔を青くするだけで、何ひとつ返事はしなかった。フョードルはお手上げといった身ぶりをして、その場を立ち去るのだった。

大事なのは、フョードルが彼の正直さを信じ、ものをとったり盗んだりすることなど絶対にないと、固く信じていた点である。あるとき酒に酔ったフョードルが、受け取ったばかりの虹色の百ルーブル札三枚をついうっかり自宅の庭のぬかるみに落としたことがあった。彼は翌日になってはじめてそれに気づいた。ポケットのなかを慌てて探しにかかったが、見ると、思いもかけず百ルーブル札三枚が、テーブルのうえに載っている。

どこからかスメルジャコフが拾い、昨日のうちに持ってきていたのだ。「いやはや、おまえみたいなやつは見たことがない」フョードルはそのときそういって十ルーブルをくれてやった。

さらに付けくわえておくと、フョードルはたんに彼の正直さを信じきっていたばかりか、なぜか彼を愛してもいたのだった。そのくせ相手は、まだひよっ子ながら、他人同様に彼を横目でにらみ、ずっと黙りこくっていた。自分から口をきくことなどはめったになかった。もしもそういうときにだれかが彼を見て、この若者は何に興味を抱いているのか、もっとも頻繁に考えていることは何か、といった問いを発する気になっても、やはり彼を見て答えを出すことはとても不可能だったろう。

ところで、彼はしばしば家のなかで、あるいは中庭や通りの真ん中でふと立ちどまり、何か考えごとをしながら十分ちかくも立ちつくしていることがあった。かりに人相学者がそんな彼の顔をのぞきこんだら、物思いも考えごとも彼はしていない、なにか瞑想にふけっているだけだと答えたことだろう。

画家のクラムスコイに『瞑想する人』という題のすばらしい絵がある。冬の森が描かれ、その森の道で、このうえなく深い孤独にさまよいこんだ百姓が、ぼろぼろの外套にわらじというなりでひとり立ったままもの思いにふけっているのだが、彼はけっして考えているのではなく、何かを「瞑想している」のである。もしも彼の背中をとんと突きでもしたら、彼はぎくりと身をふるわせ、まるで眠りから覚めたように相手の顔を見るだろうが、そのじつ何も理解していない。

じっさい、すぐにわれに返るが、立ったまま何を考えていたのかと問われてもおそらく何も思い出せないにちがいない。しかしそのかわり、瞑想中の自分が抱いていた印象は、おそらく心のなかに深くしまいこんでいるのだ。彼にとってはこの印象こそが大事なのであり、彼はおそらくそれらをこっそりと自分でも意識しないままに蓄えているのである。ただしそれがなんのためであり、なぜかということもむろんわかっていない。多くの年月にわたってこれらの印象を溜め込んだあげく、ふいに彼はすべてを捨てて放浪と修行のためにエルサレムに旅立ったり、もしかすると故郷の村をとつぜん焼き払ったり、ことによるとその二つを同時に起こしたりするのかもしれない。民衆のなかにはかなりの数の瞑想者がいる。

思えばスメルジャコフもまた、おそらくはそういう瞑想者のひとりであり、自分でもなぜかはほとんど分からず、おそらくはむさぼるようにして自分の印象を溜めこんでいたにちがいない。

7 論争

ところが、このバラムのロバが急に口をききだしたのである。話題からして、奇妙だった。その日の朝早く下男のグリゴーリーは、商人ルキヤーノフの店に買いだしにいったおりに、あるロシア兵士の話を主人から聞きだした。

その兵士というのは、どこか遠い国境でアジア人の捕虜となり、キリスト教を捨てイスラムに改宗しなければ殺されるという、もはや猶予なしの苦しい死の恐怖にさらされたが、自分の信仰を裏切ることをよしとせずに受難を受け入れ、生き皮をはがれながらもキリストを称え息絶えたというのだ。その英雄的な美談は、ちょうどその日に配達された新聞にも載っていた。食事のさいにグリゴーリーが持ちだした話題というのが、まさしくそれだった。

フョードルは以前から、毎回食後のデザートのときは、たとえ相手がグリゴーリーでもしばらく話に打ち興じるのを好んでいた。そしてこのときも彼は、軽やかで心地よくくつろいだ気分にひたっていた。コニャックを飲み、伝えられたニュースをしまいまで聞き終えた彼は、そういう兵士はすぐにも聖人として祀り、剝がされた皮はどこかの修道院に送るべきだと注釈をくわえた。「そうすりゃ人がわんさか押しかけて、賽銭《さいせん》も集まるしな」。フョードルが少しも感動するそぶりを見せず、いつもの癖から罰当たりな物言いをはじめるのを見て、グリゴーリーは眉をひそめた。

戸口に立っていたスメルジャコフがふいににやりと笑った。スメルジャコフはこれまでも、食事の終わり頃になるとときどきテーブルのそばにはべることを許されていたが、イワンがこの町に到着してから、昼食時にはほとんど毎日のように顔を出すようになっていた。

「なんだい、それは?」その薄笑いにすぐに気づき、しかもその笑いがグリゴーリーをあてこすったものとみて、フョードルが訊ねた。

「先ほどのお話ですが」スメルジャコフがとつぜん、思いがけず大声で話しだした。「もしこの賞賛すべき兵隊さんの行いがたいそう立派なものだとしましてもです。こうした不慮の出来事でキリストの名や自分の洗礼を斥《しりぞ》けることになったからといって、なんの罪にもあたらないと思うんですよ。それで命が助かれば、その先いろいろと善行を積むことができますし、何年もかけて自分の臆病をあがなうことができますからね」

「どうしてそれが罪にならない？　でたらめ言うな。そんなことを言ってると、おまえこそ地獄に突きおとされ羊肉《マトン》みたいにじゅうじゅう焼かれちまうぞ」フョードルがすかさず話を引きとった。

アリョーシャが入ってきたのは、ちょうどそのときだった。すでに述べたとおり、フョードルはアリョーシャがやってきたのをひどく嬉しがった。

「おまえにうってつけの話だ。うってつけの話だ！」彼はうれしそうに笑い、話のつづきを聞かせるためにアリョーシャを座らせた。

「羊肉について申しますが、それはまちがいです。さっきのような言い方をしたからって、地獄でそんなひどい目にあうことはないです、そんなこと、あるはずもございません。どう公平に見つもってもです」スメルジャコフが、まじめくさった顔で口をはさんだ。

「なんだ、その、どう公平に見つもってってのは？」アリョーシャを膝でこつんと突きながら、フョードルがますます陽気な声で叫んだ。

「卑怯者め、これがやつの本性なのさ！」ふいにグリゴーリーが口走った。彼は憤然としてスメルジャコフの目をにらんだ。

「卑怯者につきましてはちょっとお待ちください、グリゴーリーさん」落ち着いた控えめな口ぶりでスメルジャコフは反論に出た。「それよりか、ご自分で判断されたほうがよいです。かりにぼくがキリスト教の迫害者の捕虜になり、彼らがこのぼくに、神の名を呪い、神聖な洗礼を拒否するように求めてきたとしたら、ぼくはそれを完全に自分の理性で決めることができるんですよ。なにしろそこにはどんな罪もないわけですから」

「それはさっき言ったことじゃないか。くだくだやってないで、さっさと証明してみな！」フョードルが叫んだ。

「へぼ料理人のくせして！」グリゴーリーが蔑むようにつぶやいた。

「へぼ料理人につきましても、ちょっとお待ちください。どうか悪態などつかず、よくご判断なさってください、グリゴーリーさん。だってこのぼくが迫害者にむかって

『いいえ、わたしはキリスト教徒ではありませんし、自分のほんとうの神さまを呪っています』と口にするが早いか、神さまの最高の裁きによってぼくはたちまち特別に呪われた破門者にされ、神聖な教会から異教徒扱いされて、すっかり追放されてしまうんですからね。もう、同じ瞬間にといってもいいくらいで、口にするが早いか、なんてもんじゃなく、そう言おうと思ったとたん、ということになります。ですからぼくが追放されるまで、ものの四分の一秒もかからないのです。そうじゃないですか、グリゴーリーさん?」

スメルジャコフはしたり顔でグリゴーリーに言った。しかしそのじつ、彼はもっぱらフョードルの問いに答えていたにすぎなかった。彼はそのことを重々承知しながら、その問いがいかにもグリゴーリーから出たみたいなふりをしていたのだ。

「イワン!」フョードルが急にどなった。「ちょっとこっちに耳をかせ。いいか、あれはな、みんなおまえ目当てでやってることなんだ。おまえに褒められたい一心でな。だから、褒めてやれ」

イワンは悦にいった父親のひとことを、やけにまじめくさった顔で聞いていた。

「待て、スメルジャコフ、しばらくだまってろ」フョードルがまたどなり声をあげた。

「イワン、もういちどこっちに耳をかせ」

イワンはまたまじめくさった顔をして体をかがめた。

「おれはおまえが好きなんだ、アリョーシャとおんなじぐらいな。おまえが嫌いだ、なんて考えてくれるなよ。どうだ、コニャックは？」

「いただきましょう」《それにしてもご当人、ずいぶん酔っぱらってるじゃないか》イワンはそう思いながら、まじまじと父親の顔を見つめた。そのいっぽうで異常なくらいの好奇心をいだきながらスメルジャコフを観察していた。

「おまえは今だって呪われた破門者なんだよ」グリゴーリーがふいにどなり声をあげた。「あんなことぬかしておいて、よくまあ下らん理屈がこねられるな、かりにも、だ……」

「やめろ、グリゴーリー、悪態つくな！」そういってフョードルが話をさえぎった。

「まあ待ってください、グリゴーリーさん、ほんの少しのお時間で結構ですから、続きを聞いてください。まだ全部は話しきってないんですから。このぼくがたちまち神さまに呪われたそのとき、まさにその最高の瞬間にですよ、ぼくはもう異教徒と同じことで、洗礼も解かれてしまい、なんの責任もなくなってしまう。このあたりはいいですか？」

「結論を言え、おい、先に結論を言うんだ」うまそうにグラスを飲み干してからフョードルが急《せ》きたてた。

「でももし、ぼくがすでにキリスト教徒でないとしたら、『おまえはキリスト教徒か、それともキリスト教徒ではないのか』と迫害者に訊ねられたときも、嘘はつかなかったことになるわけです。だってぼくはもう当の神さまから、キリスト教徒としての資格を奪われているんですからね。迫害者たちにひとことも口をきかないうちに、心のなかでそう思ったというだけの理由です。でも、すでに資格を奪われているのだったら、あの世に行ってから、ぼくは、キリストを棄てたことに対し、いったいどういうやり口で、どういう正義にのっとって、キリスト教徒とおんなじ責任を問われなくちゃならないんでしょう。まだ信仰を棄ててないうちにほんのちょっと頭のなかでそう思っただけで、洗礼はもう無にされているっていうのに。もしもぼくがキリスト教徒じゃないなら、キリストを棄てるわけもないんですよ。なにしろ棄てるべきものがなにもないんですから。

グリゴーリーさん、かりに異教徒のタタール人が天国に行ったとしてですよ、キリスト教徒に生まれつかなかったことをだれが責めたりするものですか。一頭の牡牛から二枚の皮が剝げないことぐらいわかってますからね、そんなことでだれもその男を罰したりしませんよ。万物の支配者である神さまが、かりにそのタタール人の責任を問うにしたって、その男が死ぬときに何かいちばん軽い罰をお与えになるだけだと思います（なにしろその男をまるきり罰しないというわけにはまいりませんものね）。異教徒の両親から異教徒としてこの世に生まれたからといって、当の本人には何の罪もないと判断されてです。主なる神さまにしたって、むりやりタタール人をとっ捕まえてきて、この男もキリスト教徒だったなんて言うわけにはいかないでしょう？　そんなことをしたら、万物の支配者である主がとんでもない嘘をついたことになるじゃないですか。だいたい天と地の支配者である主が、たとえひとことだって嘘をつけるもんなんですか？」

グリゴーリーはかっと目を見開いたまま、呆気《あっけ》にとられたような顔で、とうとうしゃべりまくる相手を見やっていた。そこで言われていることがよく理解できていたわけではないが、わけのわからないたわごとから彼は急に何かをさとって、いきなり壁に額をぶつけた人間のような顔つきをしたまま動かなくなった。フョードルはグラスをぐいと飲み干すと、甲高い声をあげて笑いだした。

「アリョーシャ、アリョーシャ、聞いたか！　いやはや、おまえってやつはたいした詭弁の持ち主だよ！　イワン、こいつはどっかのイエズス会にもぐりこんできたにちがいないぞ。いやはや、臭いイエズス会士だねえ。それにしてもおまえ、いったいだれに教わってきたんだ？　といってだな、イエズス会士、おまえの言ってることなんてたんなる嘘っぱちにすぎんのだぞ、嘘っぱち、嘘っぱち、嘘っぱちなんだ。泣くんじゃない、グリゴーリー、こんなやつ、これからおれたちが粉みじんにやっつけてやるから。いいか、ロバ、このおれにはちゃんと答えろよ。おまえがたとえ迫害者のまえでは正しいとしてもだ、おまえはやっぱり心のなかで、自分から信仰を捨て、そのとたんに呪われた破門者になるって言ったじゃないか。で、いちど破門者になったら、よくぞ破門されたとかいって地獄で頭をなでてもらえるわけじゃないんだ。そこんところはどう考える、お偉いイエズス会士？」

「心のなかで信仰を捨てたことに、疑いはございません。でも、それがなにか特別な罪になるなど、ございません。もし罪があったにしても、ごくごくありきたりなものです」

「なんだ、そのごくごくありきたりなものってのは？」

「嘘をつけ、この、ば、ば、罰あたり！」グリゴーリーが言い立てた。

「ご自分でお考えなさいよ、グリゴーリーさん」勝ちを意識したスメルジャコフは、敗れた敵を寛大な気持ちで憐れむといった口ぶりで淡々と礼儀正しく話しつづけた。

「ご自分でお考えなさいよ、グリゴーリーさん。聖書にだって書いてあるでしょう。

あなたの信仰がたとえ麦粒みたいにちっぽけでも、山に向かって海へ入れと命じたら、あなたの最初の一声で山は少しもためらわずに海に入っていくだろうってね。どうです、グリゴーリーさん、かりにぼくが不信心者で、あなたがひっきりなしにぼくを罵倒できるぐらい立派なキリスト教徒でおありなら、ためしにご自分であの山に言ってみるといいんです。なにも海の中とはいいません（なにしろここから海まではだいぶありますからね）、庭の向こうを流れている臭いどぶ川だっていっこうにかまいません。そしたらすぐにおわかりになりますよ。どんなに大声を張りあげたって何ひとつ動いてくれやしない、そっくり元のままだってことがです。で、これはつまりグリゴーリーさん、あなたがちゃんとしたやり方で信仰しておられず、なにやかやと他人を叱りつけてるだけってことなんです。おまけに今の時代は、あなただけじゃなく、だれ一人、ほんとうにだれ一人、そう、いちばん立派な人からいちばん下の百姓まで、だれ一人山を海に押し出すことなんてできやしないんです。地上全体でただ一人、いやせいぜい、二人をのぞいてですがね。でもその人だって、どこかエジプトの砂漠の奥でひそかに修行しているかもしれませんから、二人を探し出すなんてどだい無理な話です。だとしたら、そう、もしも残りのみんなが不信心者だとわかったら、この残りのみんな、ってことは、さっきの二人の隠遁者《いんとんしゃ》以外の地上全体の住人をですよ、神さまはあれほど知られた慈悲深さにもかかわらず、一人のこらず呪って、だれも許そうとはなさらないでしょうか？　というわけで、ぼくも期待しているのです。一度は神さまを疑った身でも、後悔の涙を流しさえすれば許していただけるだろうってね」

「ちょい待った！」感きわまってフョードルが金切り声をあげた。「ってことは、山を動かせる人間が二人はいるってことだな。おまえもやっぱりそういう人間がいると考えているわけだな？　イワン、しっかり覚えておけ、こうメモするんだ。ロシア人の面目ここにあり、とな！」

「まったくおっしゃるとおりで、これは、信仰面でのロシア的な特徴といっていいですね」好意的な笑みを浮かべながらイワンはうなずいた。

「同意するんだな！　つまりおまえが同意するなら、その通りってことだ！　アリョーシャ、本当だよな？　なにせロシア的な信仰って、まったくそういうもんだろうが？」

「いいえ、スメルジャコフの考えは、全然ロシア的な信仰じゃありません」まじめな顔でアリョーシャは断言した。

「おれの言っているのは、やつの信仰のことなんかじゃない。その特徴、つまり二人の隠遁者がいるってとこだけだ。だってこれこそロシア的だろう、まるでロシア的だろう？」

「ええ、そういうところはまるでロシア的です」アリョーシャは微笑みながら答えた。

「おいロバ、おまえのさっきの話は金貨一枚の値打ちがある。今日にでも届けてやるからな。ただし、ほかの点はやっぱり嘘っぱちだぞ、なにもかも嘘っぱちだ。いいか、このバカ、おれたちみんなほんものの信仰をもてないのは、たんに軽率だからだが、それはおれたちに暇がないからなんだ。第一に仕事がきつい、第二に神さまは少ししか時間をくださらなかった、一日にたった二十四時間しか割りふってくださらなかった、だから懺悔どころか、十分に眠るヒマだってありゃしない。ところがおまえがむこうで迫害者に屈し、信仰を捨てたのは、信仰以外に何ももう考えることがなかったときだし、まさしく自分の信仰を示すべきときだったんだよ！　そういうことになると思うが、おい、どうだ？」

「たしかにそういうことになるんですが、でも、ご自分でお考えなさいよ、グリゴーリーさん。そういうことになるからこそ、こちらの気も楽になるってわけですから。かりにぼくが、あちらでほんとうに正しい信仰を持っていながら、自分の信仰を守るための苦しみを受け入れず、汚れたムハンマドの教えに改宗などしたとなれば、たしかに罪深いです。でもそのときは、受難にまではいたらないでしょうよ。だって、その瞬間に山に向かって、動け、迫害者を押しつぶせといいさえすれば、山は動きだして、ただちに迫害者を油虫みたいに押しつぶしてくれるでしょうし、ぼくのほうはまるで何もなかったみたいに、神さまをほめたたえながら引き上げてこれるでしょうからね。

で、もしもぼくがまさにその瞬間、それらすべてを試しつくしたすえ、山に向かって、あの迫害者どもを押しつぶしてくれと叫んでも、山が連中を押しつぶしてくれなかったら、ぼくはすぐにも疑いを抱かずにはいられないでしょうね。それもあんな、とてつもない死の恐怖のおそろしい瞬間ですよ。おまけに、天国なんてとても得られないってことが自分でもわかっているんです（だって自分のひとことで山が動いてくれなかったところをみると、ぼくの信仰なんて天国ではまともに信じてもらえてないってことで、あの世でぼくを待っているご褒美もそうたいしたものじゃなさそうですからね）、それならぼくはいったいなんのために、おまけになんの得もないっていうのに、敵に自分の皮膚をひん剝《む》かせるんです？

背中の皮膚をもう半分もひん剝かれてるのに、自分が叫んだり喚《わめ》いたりしてるのに、それでも山は動いてくれないんですよ。そんな瞬間には、もう疑いが起こるだけじゃなくて、恐ろしさのあまり分別だってなくすかもしれませんよ。そうなったら、物事の判断なんてまったく不可能です。だったら、どうしてぼくは特別に罪深いことになるんです、この世にもあの世にも利益や褒美が見つからず、せめて自分の皮膚を守ろうとすることが？　ですから、ぼくはひどく神さまのお慈悲を当てにして、すっぱり許していただけるだろうっていう望みをいだいているわけなんです……」

8　コニャックを飲みながら

議論は終わったが、奇妙なことにあれほど上機嫌だったフョードルが、話の終わり近くになってにわかに顔を曇らせた。眉をひそめコニャックをぐいとあおったが、これはもうまったく余分な一杯だった。

「おまえら、イエズス会士ども、さっさと下がれ」フョードルは召使たちに向かって叫んだ。「下がれ、スメルジャコフ。約束した金貨は今日じゅうにも届けてやるから、下がるんだ。泣くんじゃない、グリゴーリー、マルファのところへ行けば慰めて寝かしつけてもらえるわ。ペテン師どもが、食後の一休みもさせてくれんじゃないか」

命令にしたがって下男たちが部屋を出ていくと、フョードルは急に忌々《いまいま》しげに言い放った。「スメルジャコフは食事時になると毎回ここにもぐりこんでくるが、よっぽどおまえにご執心とみえるな、どうやってああ手なずけた？」彼はイワンに向かってつけくわえた。

「なにもしてませんよ」イワンは答えた。「ぼくを勝手に尊敬する気になっただけでしょう。あんなのは、ただの召使で下司《げす》にすぎませんよ。そりゃ、時代がくれば、肉弾にもなれるでしょうがね」

「肉弾だと？」

「ほかにもっとましな連中もいずれ現れるでしょうが、ああいう手合いも出てくるってことです。最初はああいう手合いが出てきて、その後にいくらかましなのがつづくんです」

「で、いつその時代ってのはくるんだ？」

「そのうち、のろしが上がりますよ。でも、上がりきらないかもしれない。今のところ民衆は、あの手の料理人ふぜいにはあまり耳を貸したがりませんからね」

「そうなんだ、イワン、あのバラムのロバが、あれこれ物事を考えているとはなあ。でもまあ、どこまでちゃんと考え抜いているかは、知れたもんじゃないさ」

「思想を貯め込むんでしょうね」イワンはにやりと笑った。

「で、だ。おれにはちゃんとわかってるんだよ。あいつが、ほかのみんなと同じにこのおれのことも我慢できないでいることがな。おまえのことだって同じだぞ。たとえおまえの目に『勝手に尊敬する気になった』ように見えてもだ。アリョーシャのことなんか、きっとボロクソだぞ。やつはアリョーシャを上から見くだしているんだから。ただし、やつは人のものをかっぱらったりしない、そこが肝心なとこだな、それに陰口もたたかない、根が無口だからな。それに、家のごたごたを外に持ち出すこともない。パイの焼き方なんかみごとなもんじゃないか。おまけに、正直いって何ごとにつけしゃくなくらいにソツがない。でも、こんなふうにあんな男のことしゃべる意味なんてあるのか？」

「もちろん、ないですよ」

「あいつが腹のなかで何をひねりだすかって点についていや、ロシアの百姓どもは概して、びしびし鞭をくれてやる必要があるってことなんだよ。ロシアの百姓っていうのはペテン師だからな、憐れんでやる価値なんてない。今でもときどき鞭が使われてるのは、むしろけっこうなことだよ。ロシアの大地は白樺でもってるんだ。森をばさばさ伐《き》り倒していったら、ロシアの大地なんてそれこそ屁みたいに消えちまう。おれは頭のいい連中の味方だな。おれたちは利口すぎて百姓に鞭を使わなくなったが、そしたらやつら、自分たち同士で勝手に鞭を使いつづけてる始末さ。それはそれで結構じゃないか。聖書にもおのが裁きで裁かれる、とかなんとかあるだろ……要するに因果応報ってやつさ。それにしても、ロシアってのは最低の低だよ。おれがどんなにロシアを憎んでるかわかってくれたらな……いや、ロシアの全部っていうわけじゃない、あれやこれやの悪徳だよ……だがまあ、それがロシアってことになるんだろうが。*Tout cela c'est de la cochonnerie.*（すべては愚劣きわまれり）おれが何を好きか知ってるか？　おれが好きなのは、ウイットなんだ」

「また空けてしまいましたね。そろそろやめにしたらどうです」

「だめだ、おれはもう一杯やる、もう一杯。それで終わりにするから。でも、ちょっと待て、おまえ、話の腰を折ったな。そうだ、この前通りすがりに立ち寄ったモークロエでな、土地の爺《じい》さんにきいたんだがこんなことを言っていたぞ。『おれたちの何よりの楽しみっていや、村の女《むすめ》っこに鞭打ちの罰をくらわせることでな、鞭打ちはいつも村の若い衆にやらせるんですわ。そのあと今日鞭打ったその女《むすめ》っこを、明日は若い衆が嫁に迎えるもんで、村の女《むすめ》っこにしてもそいつがなんとも愉快なんですな』。こいつはサド侯爵も顔まけじゃないか、え？　なんと言っても、ウイットに富んでいる。おれたちもちょっくら見物にいきたいところだよな、おや？　アリョーシャ、赤くなったか？　恥ずかしがらんでもいいぞ。

悔しいのは、さっきの院長の食事会に出られなかったことだよ。あの坊主どもにあのモークロエの女《むすめ》っこたちの話を聞かせてやりたかったな。アリョーシャ、さっきはおまえんとこの院長さんをさんざん怒らせたが、どうか悪く思わんでくれ。つい意地になってしまうんだ。だって、もしも神さまがいるなら、悪いのはむろんこのおれなんだから、責任はとる。

だが、もしも神さまがぜんぜんいないってことになったら、あの連中、おまえんとこのあの神父たちなんかあの程度じゃすまされなくなるんだぞ。じっさいそうなったら、首をはねられるぐらいじゃ足りない。なにしろ進歩を遅らせているのは、あの連中だからな。イワン、おまえには信じてもらえるかな。おれが気にかかっているのは、じつはいま言ったようなことなんだ。いや信じてないな。目をみればわかる。おまえは他のやつらの話を信じて、このおれはただの道化者ぐらいにしか思っていない。アリョーシャ、おまえは、おれがただの道化じゃないってことを信じてくれるか？」

「ただの道化じゃないって、信じてます」

「おまえがそう信じてくれていることはおれも信じる。心からそう信じてくれていることをな。目が真剣だし、話し方も誠意に満ちてるよ。だが、イワンはそうじゃない。

イワンは傲慢だ……でも、それでもおれは、おまえのいる修道院と縁を切りたいんだ。ロシアの大地にひろがるあの神秘をもろとも一気に引っぺがしてだな、修道院を閉鎖し、あのばかどもの迷いを最終的に解いてやる。そうなりゃ、べらぼうな金や銀が造幣局に入るって仕組みさ！」

「でも、どうして閉鎖なんかするんです？」イワンが訊ねた。

「真実が一日もはやく輝きだすためにさ。それが理由だ」

「でもですよ、その真実とやらが輝きだしたら、まず最初にまる裸にされるのがあなたで、閉鎖はその先ですよ」

「そうかね！　まあひょっとすると、おまえの言うとおりかもしれん。ああ、おれはやっぱりロバか」フョードルがふいに声をあげ、額をポンと軽く叩いた。「ふうん、そういうことならアリョーシャ、修道院はそのままにしておくか。で、おれたちみたいに頭のいい人間は、どこかあったかい部屋にしけこんで、コニャックでも愉しんでりゃいいってわけか。いいかイワン、これはだな、神さまがきっとわざとそう仕組んでくれてることにちがいないぞ。イワン、答えてくれ。神さまはいるのか、いないのか？　待て、ちゃんと答えろよ、まじめに答えろよ！　なにをまた笑ってる？」

「ぼくが笑っているのは、お父さんがさっきなさった、気のきいたコメントのことですよ。山をも動かせる世捨て人が二人いるっていう、あのスメルジャコフの信仰のことでね」

「じゃあ、今のがそれに似てるってわけか？」

「おおいにね」

「ってことは、おれもロシア人なんだ。おれにも、ロシア的ななにかがあるってことだ。で、哲学者のおまえにもそういう類のなにかがあるってわけだ。なんなら見つけてやるぞ。どうだ、ひとつ賭けをしようじゃないか。明日にでも見つけてやる。だが、な、とにかく答えてくれ。神さまはいるのかいないのか？　ただし、まじめにだぞ！おれはいま真剣なんだから」

「いません、神なんていませんよ」

「アリョーシャ、神はいるか」

「神さまはいます」

「イワン、じゃあ、不死ってあるのか。っていうか、なにかその、たとえ取るにたらないちっぽけなものでもいいから？」

「不死もありません」

「全然？」

「全然です」

「ってことは、完全なゼロか、何かがあるんだ。ひょっとして、なにがしかはあるんじゃないかね？　どっちにしろ無ってことはなかろう！」

「完全なゼロです」

「アリョーシャ、不死はあるのか？」

「あります」

「じゃあ、神も不死もか？」

「神さまも不死もです。神さまのなかに不死もあるのです」

「ふうん。どうやら、イワンのほうが正しそうだな。しかしまあ考えてみろ。人間はいったいどれだけの信念を捧げ、どれだけの力をこんな絵空事のためにむなしく費やしてきたか、しかも何千年にもわたってだ！　いったいだれが、こんなふうに人間を愚弄しているんだ？　イワン、最後にもう一度、はっきりと答えてくれ。神さまはいるのか、いないのか？　これが最後だ！」

「じゃあ、最後にもう一度いいますよ。いません」

「じゃあ、人間を嗤《わら》っているのはだれなんだ、イワン？」

「悪魔ですよ。きっとね」イワンはそこでにやりと笑った。

「じゃあ、悪魔はいるのか？」

「いません、悪魔もいません」

「そりゃあ残念。ちくしょう、だったらおれには、神さまを最初に考えだしたやつがどうにも始末できないってわけだ！　ヤマナラシの木に吊るしても足りないくらいなのに」

「でも、もし神を考えださなかったら、文明なんてまるきりなかったでしょうね」

「なかっただと？　神さまがいなかったら？」

「そう。それにコニャックもなかったでしょうね。しかしまあそのコニャック、そろそろ引き取らせてもらいますよ」

「ちょっと待った、待った、待ってくれ、すまん、もう一杯。アリョーシャを侮辱しちまったからな。アリョーシャ、怒ってないよな？　かわいいアリョーシャ、そうだな、アリョーシャ！」

「もちろん、怒ってなんかいません。お父さんの考えはよくわかってますから。お父さんは頭よりも心のほうがすばらしいんです」

「なに、このおれが頭より心のほうがすばらしいだって？　ああ、いったいほかのだれにこんなことがいえる？　イワン、おまえはアリョーシャが好きか？」

「好きですよ」

「かわいがるんだぞ」（フョードルはひどく酔っ払っていた）「いいか、アリョーシャ、おれはさっき、おまえの長老にとんだ無礼を働いちまった。でもな、おれはかっかきてたんだ。しかしあの長老には、ウイットってもんがあるじゃないか、どうだい、イワン？」

「きっと、あるんでしょうね」

「あるんだよ、あるんだ。*Il y a du Piron là-dedans.*（やつにはピュロンめいたところがある）。あれはイエズス会士だな。ロシアのだよ。育ちのいい人間てのはえてしてそうだが、長老も心のなかじゃふつふつと怒りが煮えたぎっているんだよ。演技して……むりにも聖人ぶらなきゃならないってことにだ」

「でも、じっさい長老は神を信じていますよ」

「そんなことあるもんか。おまえ、知らなかったのか？　じぶんの口からみんなに言いふらしてることだぞ。むろん、みんなってわけじゃないがな。修道院にやってくる頭のいい連中相手にだ。県知事のシュリッツにはあからさまにこう断言したそうだ。*Credo*（わたしは信じています）。でも、何を信じているかはわかりません、とな」

「嘘でしょう？」

「いや、ほんとうなんだ。でも、おれはやつを尊敬している。やつのなかには何かメフィスト的なものがある。レールモントフの『現代の英雄』に出てくる……アルベーニンとかいったかな、それとも……つまりだな、いいか、やつはエロ爺《じじい》なんだよ。やつはそうとうなエロ爺《じじい》だからな、おれに娘や妻がいて、やつのところへ懺悔にでも出かけていったら、それこそ今ごろは心配でいても立ってもおられんよ。あの男がどんなふうに話をはじめるか知ってるか……二年前におれたちをお茶に招いたことがあってな、リキュールも出たりした（リキュールは奥さま連中の届けものさ）。で、いきなり昔話をおっぱじめたもんだから、おれたち、腹をかかえて大笑いだよ。それから……とくに面白かったのは、弱りきった女を治療したときの話だったな。『足さえ痛くなければ、ひとつ得意の踊りをご披露したいところですがね』なあんていうんだ。で、どんな踊りだと思う？　『こう見えても、若いころはけっこう遊びまわったものでして』ときたもんだ。デミードフっていう商人からは、六万ルーブルもだましとっているんだ」

「えっ、だましとった？」

「やつを善人と見込んで、デミードフはその金を持っていった。『神父さん、明日、家宅捜索があるんで、この金を預かってください』とな。で、やつは預かった。ところやっがあとで『教会に寄進されたんじゃありませんか』ときた。おれはやつに言ってやったよ。『あんたは卑怯者だ』とな。すると、こう言い返してきたんだ。いいえ卑怯者なんかじゃありません。わたしは心が広いんです……いや、これはやつの話じゃないかもしれん……そう、別の男だ。別の男と勘違いした……気がつかんかった。さあ、もう一杯やれば十分だ。ボトルを下げてくれ、イワン。おれは嘘をついちまった。なぜ止めなかった、イワン……なぜ嘘だって言ってくれなかった？」

「自分からおやめになることがわかってましたからね」

「嘘をつけ、おまえが止めに入らなかったのは、おれに対する悪意からなんだ、悪意しかない。おまえはおれをばかにしているんだ。おれの家にきておれの家で暮らしながら、おれをばかにしている」

「それなら出て行きますよ。コニャック、かなりまわってますね」

「お願いだから、チェルマシニャーに行ってくれっていってるのに……一日か二日の予定で。なのに、行こうとしない」

「そんなにおっしゃるなら、明日にでも行きますよ」

「行くもんか。おまえはここでおれを見張っていたいんだ。それがおまえの望みなんだ。ねじまがった根性め。そのせいだろ、おまえが行かないのは？」

　老人は抑えがきかなくなっていた。それまでは静かにしていた酔っ払いが、急にむかっ腹をたて、どうしても威張りちらしたくなる一線というのがあるが、彼の酔いはその限界に行きついていた。

「なんだってそうおれをにらむ？　その目つきはなんだ？　おまえの目はおれにこう言ってるぞ。『ひでえ酔っ払い面だ』とな。胡散臭い目つきだ、こばかにした目つきだ……ここに戻ってきたのはなにか下心があるな。ほら、アリョーシャがこっちを見てる。だが、やつの目は輝いてる。アリョーシャはおれをばかにしてない。アリョーシャ、イワンなんか好きになるんじゃないぞ……」

「兄さんを怒らないでください！　兄さんを悪くいうのはやめてください」とつぜん、アリョーシャがすがるような口調で言った。

「まあそうだな、そうするか。ああ、頭ががんがんする。コニャックを片づけてくれ、イワン、これで三度目だぞ」彼はしばらく考え込んでから、ふいにゆっくり、ずるそうな笑みを浮かべた。「こんなろくでなしの老いぼれに腹を立ててるな、イワン。おれを毛嫌いしてるのはわかっている。でも、まあ腹を立てるな。おれなんか好かれるわけがないんだ。チェルマシニャーへ行ってくれ、おれもあとから行くからさ、手みやげ持ってな。向こうで娘をひとりおまえに紹介してやるよ。前から目をつけてた娘だ。

今んところは裸足で走りまわってるがな。だがな、裸足娘だからといってびくつくことはない、ただしばかにもできんぞ。これがなかなかいける玉なんだから！……」

そういってフォードルは自分の手に軽くキスをした。

「おれにいわせりゃあ」得意の話題に入ると、フォードルは一瞬、酔いがさめたかのように全身がにわかに活気づいた。「おれにいわせりゃあ……おい、ガキども！　おまえたち、尻の青いおまえらにはわからんだろうが、おれの人生に醜女《しこめ》なんてひとりも存在しなかったんだ、これがおれの信念だよ！　おまえたちにわかるか？　いや、わかるわきゃない。おまえらの体を流れてるのは血じゃなくて乳だし、皮もろくに剝けてないじゃないか！　おれの信念でいうとだな、どんな女だって、ほかの女には見つけられない非常に面白いものが見つけられるものなんだ。ただし、それを見つける能力が必要だ。そこが肝心なんだ！　才覚っていったっていい！

おれには、醜女なんて存在しなかった。女ってことだけでもう全体の半分はカバーしてるんだ……おまえらにはわからんだろうよ！　相手がどんな行き後れだって、ときにはそういうとこが見つかっておったまげることがあるほどさ。世間のばかども、なんでまあこれだけの女にむざむざ年をとらせ、これまでなんにも気づかずにきたのかってな！

裸足娘や醜女ってのは、最初にアッといわしちまうのが手なんだ。これが確実に相手をものにするコツさ。知らなかったろう？　アッといわせなくちゃあならない。有頂天になるぐらい、ぎくっとするぐらい、恥ずかしくなるくらいにな。自分みたいな下賤な女をこんなに立派な旦那さまが好きになってくれた、って思わせる。どんなときも、召使と主人がいるってのはすばらしいことじゃないか。床洗いの女がいて、それを見初める主人がいるのはそのためにだし、人生の幸せに必要なものっていえば、じつはそれだけなんだよ！

まあ、まあ……聞くんだ、アリョーシャ。おれは、おまえの死んだ母さんのことはいつもアッといわせてきたもんさ、ただし、さっきのとはちがうやり方だがね。彼女に一度だってやさしくしてやらなかったが、頃あいをみて、急に、そう、お世辞なんかやたらふりまいたり、膝をついてはいまわったり、足にキスしたりして、いつもいつも（なんだか昨日のことみたいに覚えているよ）最後には彼女をくすくす笑わせてやったもんさ。その笑い声っていうのが、また独特なんだよ。ころころがるみたいで、大声じゃないがようく響く、神経質な声なんだ。あれはあいつにしかない笑い声だったよ。そんなふうにして、いつも病気がはじまるのがわかったもんさ、ははーん、明日にも『おキツネさん』みたいにギャーギャーおっぱじめるってな。だからその小っちゃい笑い声が、喜びなんかちっとも表してないことがわかるんだが、たとえ嘘でもうれしそうには見えるわけだ。どんなことにもその徴《しるし》をみつける才っていうのは、このことだよ！

　あるとき、ベリャエフスキーが――その頃、そういう美男の金持ちがいたのさ――おまえの母さんの尻を追いまわしてな、ここの家にしげしげ通ってきたもんだが、あるときそいつがとつぜん、このおれにびんたを食わせやがった。あれのいる前でだ。そしたら、あれがだよ、羊みたいにおとなしいと思ってたあれが、そのびんたの件を怒って、殴らんばかりにおれに食ってかかるじゃないか。『あなた、あなたはいまぶたれたのよ、ぶたれたのよ、あの人のびんたを食らったのよ！　あなた、わたしをあの人に売ろうとしたのね……わたしの前で、よくもぶったりできたもんだわ！　もう二度とわたしのそばに寄ろうとなんて思わないで。二度と！　さあ、今すぐ追いかけてって、決闘を申し込んでちょうだい！』とこうきたもんだ。で、おれは彼女を鎮めるために修道院に連れていき、坊主にたしなめてもらった。でも、アリョーシャ、おまえには誓っていうが、おれは一度だって『おキツネさん』だったおまえの母さんを侮辱したことはないぞ！

　一度だけだ。ほんとうに一度かぎりだ、まだ結婚したての最初の年のことだ。その頃からもう祈ることしか頭になくって、とくに大事にしていた聖母の祭りなんかのときは、書斎におれを追っ払うんだ。そこでおれは、あいつの体からその迷いをたたき出してやろうと考えた。『わかるか、ほら、おまえの聖像だ、ほらこれだ、おれはいまからこれを外してみせる。見てろ。おまえはこれを奇跡の泉みたいに考えているようだが、おれはいまおまえの目のまえでこれに唾を吐きかけてやる、それでもおれの身にはなにも起こらないぞ！……』

そのときの目つきのすごさといったら、いまにも殺されるかと思ったほどだよ。ところがあれは、ただ立ち上がり、両手をぴしゃっと打って、それから急に両手で顔をおおい、全身をがくがくさせて、床にくずれおちて、そのまま倒れこんだんだ……。アリョーシャ、アリョーシャ！　おまえ、どうした、どうした？」

老人はびっくりして立ち上がった。彼が母親の話をはじめたときからアリョーシャの顔が少しずつ変わりはじめていた。顔が赤くなり、目はらんらんと輝き、唇をぴくりとふるわせた……アリョーシャの身に、ふいに何やらきわめて奇妙なことが起こるその瞬間まで、酔った老人はしきりに唾を飛ばしていたので、何ひとつ異変に気づかなかった。そしていま彼が「おキツネさん」の話をはじめたとたん、彼の身に、母親とまったく同じことが繰り返されたのである。

アリョーシャは、テーブルからつと立ち上がると、話のなかで彼の母親がしたのとまったく同じように両手をぴしゃりと打ち合わせ、それから顔をおおい、なぎ倒されるようにして椅子の上に崩れおちた。そしてとつぜん体を揺すりたてて声もなくしゃくりあげながら、ヒステリーの発作に全身をふるわせはじめた。老人をとくにうちのめしたのは、その姿が死んだ母親と異常なぐらい似ていたことだった。

「イワン、イワン！　早く水をのませてやれ。まるで母親だ、母親と瓜二つだ。あのときの母親と同じだ！　口で水をふっかけてやれ、おれもあれにそうしてやった。こいつは自分の母親のために、母親のために……」彼はしどろもどろになってイワンにつぶやいた。

「でも、ぼくの母親も、これの母親と同じだったわけでしょう、そこは、どうなんです？」

イワンがとつぜん、たまりかねたように、軽蔑の色をにじませて怒りを爆発させた。イワンのぎらりと光ったまなざしに、老人はぎくりとなった。だがそのとき、ほんの一瞬ながらも、なにかとてつもなく奇妙なことが起こった。アリョーシャの母親がイワンの母親でもあるという考えが、老人の頭からすっぽり抜け落ちてしまったらしかった……。

「おまえの母親がどうしたって？」わけがわからずにフョードルはつぶやいた。「おまえ、なに言ってる？　だれの母親のことだ……いったいあれが……ああ、ちくしょう！　そうか、あれはおまえの母親でもあったか！　ちくしょう！　イワン、おれは頭がぼうっとして、こんなことは一度もなかったことだ、悪かった、でも、おれはてっきり、イワン……は、は、は！」フョードルはそこで口をつぐんだ。なかば無意味な、酔っ払い特有の間のびしたふくみ笑いが顔全体に広がっていった。とそのとき、玄関口からいきなり、恐ろしい物音と騒ぎ声がひびき、凄まじい叫び声が聞こえてきた。かと思うと、ドアがさっと開き、ドミートリーが広間に飛びこんできた。老人はぎょっとしてイワンのほうに駆けよった。

「殺される！　殺される！　おれを守ってくれ、守ってくれ！」イワンのフロックコートの裾にしがみついたまま、老人は叫んだ。

9　女好きな男ども

ドミートリーのすぐ後ろから、グリゴーリーとスメルジャコフの二人が広間になだれこんできた。二人は玄関口でドミートリーともみ合い、中に通すまいと争っていたのだ(数日前にフョードルがじきじきにだした指図にしたがっていた)。グリゴーリーは、広間に飛びこんできたドミートリーが、まわりの様子をうかがおうと一瞬立ちどまったその隙をねらってぐるりとテーブルを迂回し、広間に入るドアとは反対側の、奥の寝室に通じる両開きの扉を閉めると、大手を広げてその前に立ちはだかった。そして彼は、いわば決死の覚悟でこの入り口を守りぬいてみせる、といった構えをみせた。それを見たドミートリーは、叫ぶというより金切り声に近い声を上げてグリゴーリーに飛びかかった。

「ははあ、女はそこか! そこに匿《かくま》っているんだな! どくんだ、くそ野郎!」

そういうなり彼はグリゴーリーをぐいとつかみかけたが、グリゴーリーはそれを押し返した。怒りにわれを忘れたドミートリーは、腕を振りあげて力まかせにグリゴーリーを殴りつけた。老人はなぎ倒されたようにその場に転がり、その上を跨《また》ぐようにしてドミートリーは戸口に押し入った。スメルジャコフは、真っ青な顔で震えながら広間の奥の端にとどまり、フョードルにぴたりと体を押しつけていた。

「女はここにいる」ドミートリーは叫んだ。「さっきこの目でみたんだ。あいつがこの家のほうに曲がったのをな。こっちはただ追いつけなかっただけだ。女はどこだ?

女はどこだ？」

「女はここにいる」の叫び声が、およそ理解しがたい印象をフョードルにもたらし、いっさいの怯えが彼から吹き飛んだ。

「やつを抑えろ、抑えるんだ！」彼はわめき立て、ドミートリーのあとから寝室に突進した。そうこうする間にグリゴーリーは床から起き上がったが、意識はまだ朦朧《もうろう》としていた。イワンとアリョーシャが父親のあとから走り出した。奥の部屋でとつぜん何かが床に落ち、がしゃんと割れる音が聞こえた。それは大理石の台に置いてあったガラス製の大きな花瓶で（高価な品ではなかった）、脇を走りすぎたさい、ドミートリーが体をひっかけたのである。

「あれをつかまえろ！」老人はわめき立てた。「助けてくれ！」

イワンとアリョーシャが老人に追いつき、力ずくで広間へ連れもどした。

「どうして後を追ったりするんです！　殺されてもいいんですか！」イワンは怒ったように父を怒鳴りつけた。

「イワン、アリョーシャ。ってことは、あの子はここにいるんだ。グルーシェニカがここにいる。やつが自分で言っていた。ここに駆け込んでいくのをみたとな……」

むせて言葉にならなかった。今日ばかりは、グルーシェニカが来るなどと思ってもいなかったところへ、彼女がここにいると告げられて、彼はとたんに正気を失くしてしまったのだ。体全体をがくがくいわせ、まるで発狂したかのようだった。

「彼女が来てないことは、あなただって見てたじゃないですか！」

「でも、ひょっとして裏口から？」

「でも、あそこの裏口は鍵がかかっているし、鍵はあなたがお持ちでしょう……」

　ドミートリーがふいにまた広間に姿を現した。彼はむろん、裏口の鍵が閉まっていることをたしかめてきたし、閉じられた戸口の鍵は、じっさいフョードルのポケットのなかにあった。どの部屋の窓にも鍵がかかっていた。つまり、グルーシェニカはどこからも入りようがなかったし、どこへも飛び出していきようがなかったのである。

「あれをつかまえてくれ！」ドミートリーの姿をふたたび認めると、フョードルはわめき立てた。「寝室の金を盗んだ！」イワンから身を剝がすと、彼はふたたびドミートリーに飛びかかった。

　しかし相手は両腕を振り上げ、老人のこめかみにかろうじて残る髪をいきなり引っつかんで、どうっと床に叩きつけた。さらに倒れている老人の顔をすかさず二、三度、踵《かかと》でけり上げた。老人はつんざくような声でうめきだした。イワンは、兄のドミートリーほど腕力はなかったが、両手で彼に抱きつくや、力いっぱい老人から引きはなした。アリョーシャも懸命になって彼を助け、抱きかかえるようにして、兄を前に押しやった。

「ばか、親父を殺す気か！」イワンが叫んだ。

「自業自得だよ！」ドミートリーは息を切らせながら、わめき立てた。「今回は見逃してやるが、また殺しに来てやる。用心しようたって無駄だぜ！」

「ドミートリー！　いますぐここから出てってください！」アリョーシャが威圧的な声で叫んだ。

「アレクセイ！　せめておまえだけは言ってくれ、おまえだけは信じてやる。彼女はさっきここにいたのか、いなかったのか？　おれはこの目で見たんだ。彼女が網垣のそばをとおって、横丁からこっちにさっと走りぬけていくのをな。声をかけたら逃げてった……」

「誓っていいます、あの人はここには来ていません、だれもあの人が来るなんて思ってませんでした！」

「でも、おれはたしかにこの目で見たんだ……つまり、彼女は……彼女がどこにいるか、これから確かめてみるさ……じゃあな、アレクセイ！　こうなったら、イソップ爺《じじい》に金の話なんか持ち出すな、ぜったいに。これからすぐカテリーナさんのところに行って、必ずこういうんだ。『よろしくと申しました、よろしくと申しました、よろしくと！　いいか、よろしくと、くれぐれもよろしくと！』だぞ。で、今日のこの騒ぎを話してやれ」

その間、イワンとグリゴーリーは老人を助け起こし、肘掛椅子に座らせた。老人の顔は血だらけだったが、意識はたしかで、ドミートリーの叫び声に一心に聞き耳を立てていた。グルーシェニカが今も家のどこかに隠れているような気がしていたのだ。帰りしな、ドミートリーは憎しみをこめて老人を見やった。

「あんたの血を流したからといって、おれは後悔してない！」ドミートリーは叫んだ。「せいぜい達者でな、ご老人、夢を大事にな。こっちにだって夢はあるからな！　こっちこそあんたを呪ってやるよ、これであんたとはすっぱり縁切りだ……」

ドミートリーは部屋から飛びだしていった。

「あの子はここにいる。きっとここに来ている！　スメルジャコフ、スメルジャコフ」指でスメルジャコフを呼びよせながら、老人は消えいるような声で叫んだ。

「いいえ、来てませんよ、来てませんたら。じいさん、すっかりいかれちまって」イワンは憎々しげに老人にどなった。「おっと、気絶してる！　おい、水とタオルだ！早くしろ、スメルジャコフ！」

スメルジャコフは水をとりに駆けだした。老人はとうとう服を脱がされ、寝室に運びこまれてベッドに寝かされた。濡れたタオルが頭に巻かれた。コニャックの酔いとひどいショックと、ケガのせいでぐったりした老人は、頭が枕にふれるやすぐに目を閉じ、そのまま意識を失った。イワンとアリョーシャは広間に戻った。スメルジャコフは割れた花瓶のかけらを運びだし、グリゴーリーは暗い顔でうなだれたままテーブルのわきに立っていた。

「あなたも頭を湿布して、ベッドに休まれたほうがよくないですか」アリョーシャがグリゴーリーに声をかけた。「ここはぼくたちが面倒をみますから。兄にひどく殴られたでしょう……頭のところを」

「よくも、わたしに、あんな、ひどいことを！」グリゴーリーは暗い顔で、言葉を区切りながら言った。

「よくも、生みの親にあんな『ひどいことが』できたもんさ、おまえどころの話じゃない！」イワンは不満そうに口をゆがめた。

「桶で行水までさせてやったのに……あんな、ひどいことを」グリゴーリーは繰り返した。

「勝手にしろ、おれがやつを引き離さなかったら、あのままきっと殺しちまってたぞ。

あんなイソップ爺さん、そうは手がかからんからな」イワンが、アリョーシャにつぶやいた。

「とんでもない！」アリョーシャが叫んだ。

「なにが、とんでもないだ！」憎らしげに顔をゆがめ、なおも小声でイワンはつづけた。「毒蛇が毒蛇と食いあうたとえさ、行きつく先は同じだよ！」

　アリョーシャはぎくりとした。

「もちろんこのおれが人殺しなんて許しやしない、さっきみたいにな。アリョーシャ、しばらくここに残っててくれ、おれはちょっと庭を歩いてくる、頭が痛くなった」

　アリョーシャは寝室の父のもとに向かい、枕もとの衝立のかげに、一時間ばかりすわっていた。すると老人はふいに目を開け、どうやら何かを思いだし、あれこれ考えをまとめようとしているらしく、何もいわずにしばらくアリョーシャを見つめていた。

　ただごとではない興奮がふいにありありとその顔に浮かびあがった。

「アリョーシャ」心配そうな声で老人はつぶやいた。「イワンはどこだ？」

「庭にいます、頭が痛いんですって。ぼくたちの番をしてくれてるんです」

「そこの鏡をとってくれ、ほら、そこにあるやつだ、そいつをとってくれ！」

　アリョーシャは引き出しの上に立てかけられていた折りたたみ式の丸い鏡を老人に

渡してやった。老人は鏡のなかをじっとのぞきこんでいた。鼻がかなり腫れあがり、左眉の上の額の部分に紫色のひどい痣《あざ》ができていた。

「イワンはなんて言ってる？　アリョーシャ、いいか、ほんとうのひとり息子よ、じつは、おれはイワンが恐いんだ。あれよりも、イワンのほうが恐い。恐くないのはおまえだけだ……」

「イワンのことも恐がらないでください。イワンは、腹を立ててはいても、お父さんを守ってくれます」

「アリョーシャ、で、あれは？　グルーシェニカのとこに飛んでったんだな！　お願いだから、ほんとうのことを言ってくれ。さっきグルーシェニカはここに来てたのか、来てなかったのか？」

「あの人のことはだれも見てません。あれは錯覚です。来てません！」

「でも、ミーチャはあれと結婚する気だよ、結婚する気だ！」

「あのひとは、兄さんとは一緒になりません」

「そうだよな、一緒になるもんか、なるもんか、ならない、ならない、ぜったいにならない！……」今この瞬間、これ以上に喜ばしい言葉はかけてもらえないとでもいうふうに、老人は嬉しげに体をふるわせた。彼は喜びのあまりアリョーシャの手をとると、自分の胸もとにきつく押し当てた。その目には涙さえ光っていた。「これがさっき話した聖像だがね、聖母さまの像だが、これをおまえにやるから持ってお行き。それに修道院に戻ってもかまわんよ……あのとき言ったのは冗談だからな、怒るなよ。ああ、頭がいたい、アリョーシャ……アリョーシャ、おれの心を鎮《しず》めてくれ、お願いだから、ほんとうのことを言ってくれ！」

「あの人が来たか、来なかったかなんて、父さん」アリョーシャは悲しげに言った。

「いやいや、そうじゃない、そこはおまえのいうことを信じるよ、つまりこういうことだ。おまえ、ひとつグルーシェニカのところへ行くか、会うかしてくれんか。早く、できるだけ早くあれに聞いて、その目で確かめてもらいたいんだ。どっちを取る気でいるのか、こっちか、あっちか？　うん？　どうだ？　やってくれるか、それともむりか？」

「あの人に会えたら聞いてみますが」アリョーシャはどぎまぎして言いさした。

「でも、おまえにはいわんだろうな」老人がさえぎった。「あれは気の多い女だからな。おまえにキスして、あんたんとこにお嫁に行く、なあんていいだすに決まってるよ。あれは嘘つきで、恥知らずな女なんだ、だめだ、あれのところに行っちゃだめだ、ぜったいに！」

「ええ、行くのはよくありませんよ、お父さん、ぜんぜんよくないです」

「あの男はさっき、おまえをだれんとこに使いにやろうとしてたんだ。叫んでたろう、『行ってこい』って。帰りぎわに？」

「カテリーナさんの家です」

「金が目当てか？　金を借りるためか？」

「いいえ、お金じゃありません」

「だって、あの男はびた一文ないんだぞ。いいか、アリョーシャ、おれはこれからひと晩寝てようく考える。だから、もうおまえは帰っていい。ひょっとしたらあの女に会うかもしれない……ただし、明日の朝早くかならずここに寄ってくれ、かならずだぞ。明日、おまえにひとこと話しておきたいことがあるから。寄るか？」

「ええ、寄ります」

「来るときには自分から来たようなふりをしろよ、お見舞いにきましたって顔でな。おれに呼ばれたことはだれにもいうな。イワンにはひとことも言っちゃだめだぞ」

「わかりました」

「じゃあな。さっき、おまえはこのおれをかばってくれたな、死ぬまで忘れんよ。明日、おまえにひとこと話しておきたいことがあるんだ……ただ、その前にもう少し考えなくては……」

「で、いまの気分はどうです？」

「明日はもう大丈夫だ、明日になったら起き上がって、でかけるよ。すっかり元気になってるさ、すっかりな、すっかりだ！……」

　中庭をとおりすぎていくとき、アリョーシャは門のベンチに腰を下ろす兄のイワンと顔をあわせた。イワンは鉛筆で手帳になにごとかを書きつけていた。アリョーシャは、老人が意識を取りもどし、修道院に泊まることを許してくれたとイワンに伝えた。

「アリョーシャ、明日の朝おまえに会えると非常にうれしいんだが」軽く腰を浮かせてイワンが愛想よく言った。その愛想のよさは、アリョーシャにとってまったく思いがけないものだった。

「ぼくは、明日ホフラコーワさんのお宅にうかがいます」とアリョーシャは答えた。

「カテリーナさん宅にもこれから行って、もし会えなければ、やはり明日ということになるかもしれません……」

「でも、これからカテリーナさんのところへ行くんだろう？　例の『くれぐれもよろしく、くれぐれもよろしく』って用で？」イワンが、ふいににこりとした。アリョーシャはどぎまぎした。

「さっき叫んでたことやこれまでのいきさつから、だいたいのことがわかったような気がするよ。ドミートリーがおまえに彼女のところへ行ってくれって頼んだのは、たぶん……まあ、手っとり早く言えば、『さよなら』しますってことを伝えるためなんだろう？」

「兄さん、お父さんとドミートリーのあの恐ろしい事件、どんなふうに片がつくんです？」アリョーシャは叫んだ。

「確かなことは何もいえない。きっと何もおこらないさ。そのうちまあ、落ち着くところに落ち着くってことさ。あの女、ケダモノだよ。いずれにしたって、あの爺さんを外には出さないで、ドミートリーは家に通さないようにしなけりゃあ」

「兄さん、もうひとつ聞かせてください。ほんとうにどんな人間でも、だれそれは生きる資格があって、だれそれは生きる資格がないってことを、自分以外の人間について決める権利があるんですか？」

「なんだっておまえは、こんな問題に資格がどうのなんて話を持ちこむ？　この問題は、第一に人間の心のなかで決められるものなんで、資格がどうのって問題じゃまったくない、別の、はるかに自然な原因にもとづいているのさ。でも、権利ってことでいえば、何かを願望する権利をもたない人間なんて、はたしているもんかね？」

「でも、それは他人の死を願うことじゃないでしょう?」

「他人の死だってかまわんさ。みんながそんなふうに生きてるし、っていうか、ほかに生きようがないんだったら、自分に嘘をつく必要なんてどこにもないのさ。そうか、おまえはさっきおれが言った『毒蛇が毒蛇と食いあう』っていう言葉にひっかかってるんだな。それならこちらからも聞くよ。おまえはこのおれが、ドミートリー同様、イソップ爺さんの血を流すっていうか、殺すことができると思ってるのか、ええ?」

「なんてことをいうんです、イワン! そんなこと、一度だって考えたことなんかありません。そう、ドミートリーにしたって、ぼくはそうは思ってません……」

「まあ、それならありがたいが」イワンはふっと薄笑いを浮かべた。「いいか、おれはいつも親父を守ってやるよ。とはいっても、おれはこの場合も、自分の望みに完全な自由を留保しておくからな。じゃあ、明日またな。おれを責めたり悪人扱いしないでくれよ」イワンは笑みを浮かべながら、言い添えた。

二人は、かつてなかったほどたがいに固く握手をかわしあった。アリョーシャは、兄が自分から先に歩みよってきたのにはわけがある、いや、かならずや何かもくろみがあるにちがいないと感じた。

10　二人の女

父親の家をでたアリョーシャはうちひしがれ、さっき父親の家に入ったときよりも一段とうちのめされたような気分になっていた。頭のなかはもう千々にみだれ、ばらばらに砕けていたが、そのくせばらばらになった頭をひとつにつなぎあわせ、この日一日に経験したいくつもの重苦しい矛盾から、ひとつのまとまった考えを引きだすのを恐れているような気もした。

アリョーシャの心がこれまで一度も経験したことのないなにかが、絶望とほとんど隣り合わせにあった。ひとつの大事な、宿命的で解決できない問いが、すべてを見下ろすようにして立ちはだかっていた。あの恐ろしい女をめぐる父と兄ドミートリーの争いはどう決着するのか。今ではもう自分がその争いの目撃者だった。その現場に居あわせ、にらみ合う二人の姿を目《ま》のあたりにしたのだ。とはいえ不幸なのは、ほんとうに恐ろしいばかりに不幸なのは、兄のドミートリーひとりだった。だれの目にもあきらかな不幸が彼を待ち受けていた。

この事件にかかわっている人たちは他にもいて、その数はアリョーシャがこれまで考えていたよりはるかに多いようだった。なにかしら謎めいた感じになってきた。兄のイワンが一歩自分に歩み寄ってきた。それはアリョーシャが前々から願っていたことではあったが、しかし今となっては、なぜか自分のほうがその歩み寄りに怖気づいているような気もした。

では、あの二人の女たちはどうなのか？　不思議なのは、さっきカテリーナの家に向かっているとき異様ともいえるほどとまどいを覚えていた自分が、いまはもう何も感じていないことだった。それどころか、カテリーナの家でなんらかの指示があるのをあてにするかのように彼女の家へ急いでいた。しかしいま、兄の頼みごとを伝えるのは、さっきよりはどうみてもむずかしかった。三千ルーブルの件は最終的にだめと決まって、ドミートリーはいまや自分を恥知らずと感じ、絶望している。どんな堕落を前にしても、躊躇《ちゅうちょ》し踏みとどまることはないだろう。おまけに今しがた父の家で起こった騒ぎについても、カテリーナに伝えてくれと言いつかっている。

アリョーシャがカテリーナの家に入ったときは、すでに七時を過ぎていて、あたりは夕闇が迫っていた。カテリーナは、ボリショイ通りにあるたいそう広々として住みよさそうな一軒家を借りていた。彼女が二人の叔母と同居していることも、アリョーシャは知っていた。

叔母といっても、うち一人は姉のアガーフィヤだけの叔母にあたり、父の家に暮らし、カテリーナがモスクワの女学校から帰ってくるときには姉と一緒に面倒をみてくれた、例の無口な女だった。もう一人の叔母は、出は貧しいながらとりすました感じの、妙に格式ばったモスクワの貴婦人だった。もれ聞くところでは、二人とも何事につけカテリーナのいうなりだったが、そうして姪に仕えるのはもっぱら世間体を考えてのことらしかった。他方、カテリーナが言うことをきく相手は、病気でモスクワに残っている恩人の将軍夫人だけで、彼女は自分の近況をくわしくつづった手紙を毎週二通ずつ、その夫人に書き送る約束になっていた。

アリョーシャが控えの間に入り、扉を開けてくれた小間使いに取り次ぎを頼んだとき、広間ではもう彼の来訪がわかっていたらしかった（どうやら彼がやってくるのを窓から見て知ったらしい）。アリョーシャは不意に何かの物音を聞きつけたが、それは部屋を走りまわる女の足音や衣擦《きぬず》れの音だった。どうやら、二人か三人の女が広間から走りでていったらしかった。アリョーシャは奇異な感じがした。自分のやってくることで、人がそんなふうに慌てふためくなど思いもよらなかったからだ。しかし、彼はすぐ広間に案内された。上品な家具を惜しげもなく飾り立てた、田舎臭いところなどまったくない大きな部屋で、ソファ、寝椅子、腰かけ、大小のテーブルなどがところ狭しと並べてあった。壁には絵がかかり、テーブルには花瓶やランプが置かれ、たくさんの花がいけられ、窓際には水槽まであった。夕闇が迫っていたせいで部屋のなかはいくぶんうす暗かった。

アリョーシャはソファの上をしげしげと見やった。さっきまでだれかが腰をかけていたらしく、そこには絹のケープがかかっていた。また、ソファの前のテーブルには、飲みかけのココアのカップがふたつとビスケット、それに青い乾しブドウとお菓子を載せたクリスタルのトレーが置いてあった。だれか客が来ていたらしかった。運悪く来客中にぶつかったらしいことを察して、アリョーシャは眉をひそめた。が、そのとき、ドア口のカーテンがさっと持ちあがり、カテリーナがつかつかと急ぎ足で入ってきた。彼女は心から嬉しそうににこやかな笑みを浮かべ、両手をアリョーシャに差しのべた。と同時に、二人の女中が火のともった蠟燭を二本運び込んできて、テーブルに置いた。

「ああ、よかった、やっと来てくれたわ！　今日は一日中、神さまにあなたのことだけをお祈りしていたのよ！　さあ、お掛けなさいな！」

カテリーナの美貌には、アリョーシャはこれまでにも、つよく心をうたれたことがある。三週間前、彼女のたっての願いで兄ドミートリーにここに連れてこられ、はじめて紹介されて挨拶を交わしたときのことだ。しかし初対面のさい、二人のあいだではうまく話がはずまなかった。アリョーシャがひどくどぎまぎしているのを察したカテリーナが、まるで彼をいたわるかのように、終始ドミートリーとばかり口をきいていたのだ。

アリョーシャはずっと無言のままでいたが、いろんなことがよく観察できた。そのとき彼が何よりも驚いたのは、このプライドの高い娘の高圧的な態度や、打ちとけた感じはするがどことなく傲慢さがすけてみえるところや、自信の強さだった。それらはどこをみても明らかで、けっして自分が誇張しているわけではないとアリョーシャは感じていた。

燃えるような黒い目は美しく、いくぶん黄ばんだ感じのする青白いうりざね顔にとくに似合っているとアリョーシャは思った。だが、魅力的な唇のラインと同様その目には、たしかに兄が恐ろしいほどほれ込みはしても、たぶんそう長くは好きでいられないような何かがあった。この訪問のあと、自分のフィアンセに会ってどんな印象を受けたか包みかくさず言ってほしいとしつこく迫ったドミートリーに、アリョーシャは自分の感想をほとんどありのままに伝えた。

「あの人となら幸せになれるでしょうね、でも、もしかしたら……穏やかな幸せではないかもしれません」

「そうそう、そこなんだ、アリョーシャ、ああいう女ってのは、どこまでいってもあのままで、なんというか、天命に素直に従うっていうことがないんだな。ってことは、おまえは、このおれが彼女を永遠に愛しつづけることはない、と考えているわけだな」

「いや、もしかしたら、永遠に愛しつづけるかもしれません。でも、つねに幸せというわけにはいかないかもしれません……」

アリョーシャはそのとき、顔を真っ赤にして感想を述べたのだが、そのじつ兄の頼みに屈して、こんな「愚かしい」ことを述べたことが自分でも腹立たしかった。というのも、自分の感想を口に出したとたん、われながらひどく「愚かしい」ものに思えたからだ。おまけに、女性についてさも偉そうな口ぶりで意見を述べたてたことが恥ずかしくなった。

それだけに、彼はいま、走りよってきたカテリーナをひと目見て大きな驚きを覚え、自分はあのときとんでもない間違いをおかしてしまったかもしれないと感じたのだった。あらためて見ると、その顔は偽りのない素朴な善良さと、率直で燃えるような誠実さに輝いていた。あのときアリョーシャをあれほど驚かせた「プライドの高さや傲慢さ」は嘘のように消えて、今は勇敢で気だかいエネルギーと、どこか晴ればれとした力づよい自信ばかりが目立っていた。

彼女をひと目見、ひとこと耳にしただけで、アリョーシャはこう理解した。あれほど好きな男のせいで彼女がいま置かれている悲劇的な立場は、当人にとってはまるで秘密どころか、ことによると彼女はもうすべてを、完全になにもかも承知しているかもしれないと。にもかかわらず、彼女の顔が光と未来への大きな信念に満ちあふれていたので、アリョーシャは、彼女に対し、そんなふうに意識したのをとても悪いことのように感じたのだった。

こうして彼は征服され、たちまちのうちに魅了された。しかし、それにもまして最初の言葉を耳にしただけで、アリョーシャは彼女がなにか強い興奮に、ことによると当人にとってもきわめて異様な、ほとんど熱狂といってもよい興奮にかられていることを見てとった。

「こうしてあなたを待っていたのは、ほんとうに真実を聞きだせるのがあなたしかいないからなんです。ほかのだれにも聞けないからなんです！」

「ぼくがうかがったのは……」アリョーシャはしどろもどろになって答えた。「ぼくが……兄に行ってくれって頼まれたもので……」

「そう、お兄さまのお使いでいらしたの。わたしもそんなことかなって予感してましたわ。これでなにもかもわかりました。なにもかもね！」カテリーナはそう叫びながら、急に目を輝かせた。

「ちょっと待ってくださいね、アレクセイさん、あなたに前もってお話ししておきたいことがあるんです。わたしがなぜこんなにあなたを心待ちしていたか、ってことです。じつをいうと、わたしきっと、あなたよりもはるかにいろんなことを知っていると思うの。ですからわたしに必要なのは、あなたが持ってらした知らせじゃないんです。わたしに必要なのはこういうことなんです。わたし、あなたがいまあの人について、個人的に最近どういう印象をおもちか、それをどうしてもお聞きしたいんですの。飾らずありのままに、大雑把でもかまいませんから（ええ、どんなに大雑把でもいいんです！）お話しいただきたいんです。今日あの人とお会いになって、あの人のことを、あの人の状態をいまどんなふうにごらんになっているか？　あの人と個人的にじかにお話をするより、あなたにうかがうほうがきっといいでしょう。だってあの人、ここにはもう来たがってないんですから。あなたにわたしが何を望んでいるか、これでおわかりになりました？　じゃあ、どうしてあの人があなたをここによこしたか

(わたし、あなたをここに使いに寄こすと思ってました)、ひとことでかんたんにおっしゃってくださいな！……」

「あなたによろしくと伝えるように、こちらにはもう二度とうかがうことはないので

……よろしくって、伝えるように言われました」

「よろしくですって？　あの人、そう言ったの？　そういう言い方をしたの？」

「そうです」

「きっと何かのちょっとしたはずみで言い違えたのね、適当な言葉が見つからなくって、そう言ったんでしょう？」

「いや、兄はこの『よろしく』って言葉を、ちゃんと伝えるよう申してました。忘れずに伝えるよう、三度もぼくに念を押したんです」

カテリーナの顔がさっと赤味を帯びた。

「アレクセイさん、だったらわたしを助けてほしいの。いま、わたしにはあなたの助けが必要なの。これからわたしの意見を言うわね、でもあなたは、わたしの考えていることが正しいか間違っているか、どちらかを答えてくれるだけでいいわ。もしあの人が、なんの気なしによろしく伝えてくれってことづけたのなら、つまりこの言葉にとくに力をこめず、ただなんかの拍子で言ったのだとしたなら、おしまいでしょうね

……これですべておしまいです！　でも、もしもあの人がこの言葉に力をこめて、『あなたによろしく』っていう挨拶を忘れず伝えるように、特別にことづけたとしたら、……あの人は興奮してわれを忘れただけかもしれません。一度は決断したけれど、その決断に怖気づいてしまったということです！　しゃんとした足どりでわたしから去ったのではなく、山からころげ落ちたってことです。その言葉に力をこめたってことは、たんに強がりを意味しているだけかもしれません……」

「そうなんです、その通りなんです！」アリョーシャは熱くなってうなずいた。「ぼくもいまはそんな気がしてるんです」

「もしもそうなら彼はまだだめになっていないわ！　絶望しきっているけど、まだ救うことができる。でもちょっと待って。あの人、あなたに何かお金の話してませんでした？　三千ルーブルがどうのという話を？」

「話したなんてもんじゃありません。兄をいちばん打ちのめしてきたのは、たぶんその話なんです。話してました。おれにはもう名誉もへったくれもない、今となってはもうどうでもいいことだって」アリョーシャは熱くなって言った。彼は胸いっぱいに希望の光が満ちてくるのを感じ、ことによると兄に出口と救いがあるのかもしれないと思った。「でも、ほんとうにあのお金のことをご存知なんですか？」そう言い添えると、彼はそのまま黙りこんだ。

「前から知ってます、たぶん知っていると思います。電報でモスクワに問い合わせましたから、お金がまだ送られていないことは前から分かっていました。お兄さまは、お金を送らなかったのです。でもわたし、黙っていました。先週になってわたし、あの人がどんなにお金を必要としていたか、そして今も必要としているかということを知ったんです……わたし、こんどのことでひとつだけ目標を立てたんですよ。あの人がだれのもとに帰ったらよいか、だれがいちばん信頼できる友だちかを悟ってもらうことです。

でもあの人、信じようとしないんです。わたしがあの人の、いちばん信頼できる友だちなんだってことを。わたしという人間を知りたがらず、わたしを、たんに女としてしか見ていないんです。わたし、この一週間というもの、それこそ胸が苦しくなるくらい心配でした。使い込んだ三千ルーブルのことを、あの人に恥と思わせないようにするにはどうすればよいかと。つまり、いろんな人や自分のことを恥ずかしく思うのはかまいません。でも、わたしに対しては気がねしてほしくないのです。だって、神さまに対してなら何もかも恥ずかしがらずに話をするわけでしょう。

あの人のためなら、わたしがどれだけ耐えることができるか、どうして今になってもお分かりにならないんでしょう。どうして、どうしてあの人は、わたしのことがお分かりにならないんでしょう。あんなことがあったのに、よくもまあわたしのことを分かろうとせずにいられるものですわ。わたし、あの人をどんなことがあっても救ってあげたいんです。わたしがフィアンセであることなんて、忘れてくれていいのに！

それなのに、あの人、わたしに対するご自分の名誉のことばかり心配してるんです！　だってアレクセイさん、あなたに対しては恐れずに打ちあけたんでしょう？どうしていまになっても、わたしはそれに値しないのかしら？」

最後のひとことを彼女は涙を浮かべながら語った。彼女の目から涙がほとばしった。「あなたにお伝えしておかなくてはいけないことがあります」アリョーシャも声を震わせていた。「兄と父とのあいだで今日起こったことです」彼はそういって一部始終を物語った。お金を受けとりに兄の使いで出かけていったところ、兄が乱入してきて父をなぐり、そのあとでもう一度、こんどはくどいほど「よろしく」を伝えにいくよう自分にしつこく頼みこんだこと……「で、兄はあの人のところへ出かけていったんです」アリョーシャは低い声でつけ加えた。

「で、あなたはこのわたしが、そのひとを嫌っていると思ってらっしゃるのね？　お兄さんもわたしが嫌っていると思っているのね？　でもあなたのお兄さんは、そのひとと結婚なさいませんわ」カテリーナが急に神経質そうに笑い出した。「カラマーゾフともあろう男が、いつまでもそんな情熱に身をこがしていられるかしら？　あれは欲望ではあっても、愛ではないわ。お兄さんは結婚なさいません。だって、相手の方が結婚できないんですもの」カテリーナはまたしても奇妙な笑いを浮かべた。

「たぶん結婚すると思います」アリョーシャは目をふせ、悲しそうにつぶやいた。

「いえ、結婚しません。そういってるでしょう！　あのお嬢さんは天使ですよ。そのことをご存知？　ご存知でしょ！」

カテリーナはふいに異様なぐらい熱をこめて叫んだ。「あのひとはもう、ほかのどんな女性にも負けないくらい、とっても現実離れした方なの！　わたし、あのひとがどんなに蠱惑《こわく》的か知ってます。でも、彼女がどんなによい人でしっかりもので、けだかい心の持ち主かも分かってるんです。ねえ、どうしてそんな目でわたしをごらんになるの、アレクセイさん？　きっと驚いていらっしゃるのね、わたしの言っていることに。きっと信じてらっしゃらないのね？　アグラフェーナさん、どうぞ！」

彼女はとつぜん、次の間を見やりながらだれかに向かって叫んだ。「どうぞいらっしゃって。かわいらしい方がここにみえられてるわ。アレクセイさんよ。わたしたちのことなんでも知っておられるの、さあ、お顔を見せてあげてくださいな！」

「お声がかかるの、カーテンの陰でずっとお待ちしてましたわ」やさしい、やや甘ったるい感じの女の声が聞こえた。

カーテンが上がった、すると……当のグルーシェニカが、うれしそうににこにこしながらテーブルに近づいてきた。アリョーシャのなかで、なにかがひきつったような気がした。彼は視線を釘づけにされ、彼女からもう目を離すことができなかった。これがあの人なのだ、あの、恐ろしい女、半時間前にイワンの口からふいにすべりでた「ケダモノ」――。

ところが目の前に立っていたのは、ひと目見たかぎりではごく世間なみの、平凡な女だった――気の良さそうなかわいらしい女、たしかに美人ではあるが、世間一般の美人さんたちとさして変わらない、要するに「世間なみ」の女だった!

たしかに、彼女はとても美しかった。非常にといってもよいくらい美しい、どんな男からもはげしく愛されてやまないロシア美人だった。かなり上背があったが、それでもカテリーナよりはいくぶん低く(カテリーナはもうとびぬけて背が高かった)、肉づきがよく、物腰はやわらかく静かでその声音と同じように洗練され、なにか特別のわざとらしい甘ったるさを感じさせた。近づいてくる足どりも、カテリーナのつかつかと元気のいい足どりとはちがって、彼女は逆に音を立てなかった。床にふれても足音はまったく聞こえなかった。黒い豪華な絹のドレスを柔らかくざわつかせ、泡のように白くふくよかな首とゆたかな肩を、ウール地の高価な黒いショールに優しくくるみながら、彼女は肘掛椅子に腰をうずめた。

彼女は二十二歳だったが、顔の感じもちょうどその年恰好にふさわしかった。ぬけるような色白の顔をしていて、頬にはほんのりと上品な赤みがさしていた。顔のラインは大きすぎるといってもよいほどで、下あごが心もち前に出ていた。上唇は薄かったが、ややせりだした下唇は二倍ほどふっくらし、いくぶん腫れあがったような感じがあった。

だが、ひとことすばらしいとしかいいようのない、ゆたかに波うたせた栗色の髪や、テンのようにつややかな黒い眉毛、まつ毛の長い魅惑的で灰色がかった青い目をひと目見れば、たとえ人ごみや祭りや雑踏のなかで、どんなに無関心でぼんやりした男でさえ、必ずその前でおもわず足をとめ、いつまでも記憶にとどめるにちがいなかった。

その顔のなかでアリョーシャがもっとも心をうたれたのは、子どもっぽい、無邪気な表情だった。彼女はまるで子どものような目をして、子どものように何かを喜び、テーブルに近づいてくるときも「嬉しそう」だったが、それはまるで子どもみたいにがまんしきれず、好奇心まるだしで、今か今かとなにかを待ち受けているような風情だった。彼女のまなざしには、人の心をうきうきさせるなにかがあった……アリョーシャもそれを感じとった。彼女には他にもなにか自分の理解のおよばない、いや理解しようにもできない何かがあったが、しかし彼がおそらく無意識のうちに感じとっていたのは、やはりその柔らかさであり、身のこなしの優しさであり、猫のような静かな動きだった。

しかしそれでいて、押しだしのいい豊満な体つきだった。ショールの下には、幅のあるゆたかな肩や、高く盛りあがったまだまったく若々しい乳房をうかがうことができるようだった。その体つきはもしかすると、ゆくゆくはミロのヴィーナスのスタイルを約束するものであったかもしれない。もっとも、そのことはすでにいまも間違いなく、少しばかり誇張されたプロポーションに予感されることではあった。

ロシア女の美しさに通じている男なら、グルーシェニカをひと目見ただけでまちがいなく、こう予言することができたろう。その新鮮なまだ若々しい美しさも、三十歳が近づくころには調和を失い、線も崩れて顔の皮膚はゆるみ、目じりや額には恐ろしいほどすみやかに小じわがきざまれ、顔色はくすんで赤茶けた色に変わってしまうかもしれないと。端的にいってこれは、とくにロシア女にしばしば見かける、つかのまのはかない美しさというものなのだと。

アリョーシャは、もちろんそんなことは考えもしなかったが、たとえ美しさに魅せられているとはいえ、彼は、内心なにか不快な感じをいだきながら、妙に残念な思いで自問していた。彼女はなぜ、あんなふうにずるずるひきずるようなしゃべり方をするんだろう、どうして自然な話し方ができないんだろう？　あんなふうなしゃべり方をするのは、きっと言葉やひびきを間のびさせて、わざと甘ったるい調子にするのをかっこいいと思っているからにちがいない。しかし、それはむろん悪趣味で下品な習慣で、彼女が受けた教育の低さや、子どもの頃から染みついた礼儀一般についての、俗っぽい理解を物語るものでしかない。それにしても、その発音の仕方や言葉のイントネーションは、アリョーシャにとっては、彼女の子どものように素朴で嬉しそうな顔の表情や、おだやかでまるで赤ん坊のような目の輝きとはおよそ相容れない、なにかありうべからざるもののように思えたのだった！

カテリーナはすぐ、彼女をアリョーシャの向かいの肘掛椅子に座らせると、笑みをふくんだその唇に感きわまってなんどかキスをした。まるで彼女に恋をしているようだった。

「わたしたち、はじめてお会いしたんです、アレクセイさん」酔ったような口ぶりでカテリーナは言った。「わたし、この人のことが知りたかったし、お会いしたかったし、こちらから出向いていこうと思ってましたの。でも、わたしがそうお願いしたら、すぐに快く応じてくださって、この方のほうから来てくださったんです。この方と一緒なら、何もかもぜんぶ自分たちで解決できるって思ってました！　心がそう予感していたんですわ……ここは思いとどまるように、人から説得もされましたが、結果はちゃんと予想できてましたし、やっぱり間違ってませんでしたわ。グルーシェニカさん、わたしに洗いざらい打ち明けてくださったんです。お考えになっていることをなにもかも。この方、まるで天使みたいに飛んできてくださって、平和と喜びをもたらしてくださったんですよ……」

「わたしのこと、軽蔑なさらなかったんですからね、ほんとうに、立派なお嬢さまですわ」相変わらず愛らしいうれしそうな笑みを浮かべ、歌うようなゆっくりした口調でグルーシェニカが言った。

「冗談にもそんなことおっしゃらないで。魔法使いみたいにチャーミングなあなたをどうして軽蔑なんかできるもんですか！　それならもう一度、下唇にキスしてさしあげます。あなたの唇、まるで腫れあがってるみたい、でももっと腫れぼったくさせてあげたいの、もっと、もっと……ねえアレクセイさん、この笑顔ごらんになって、天使みたいなこの方を見ていると、もう心が浮き浮きしてきますの……」

アリョーシャは顔を赤くし、人に気づかれないぐらい体を小刻みに震わせていた。

「お嬢さま、ずいぶん優しくしてくださいますが、わたしもしかしたら、そんな優しさにはぜんぜん値しない女かもしれませんよ」

「値しないですって！　これだけの人が値しないなんて！」カテリーナはまたしても熱くなって叫んだ。「あのね、アレクセイさん、この方って、ほんとうに現実離れしている人なんです。たしかにわがままですけど、でも誇り高い、とっても誇り高い心をもってらっしゃるの！　アレクセイさん、この人、とっても高潔でおおらかなんです。それがお分かりになります？　この人、たんに不幸せなだけだったの。この人、きっとそんな価値のないつまらない男に、あまりに急いでなにもかも捧げる気持ちになってしまったんです。やはり同じ将校だったその男の人を好きになってしまい、すべてを捧げてしまったんです。ずっと昔、五年前の話です。でもその男の人はこの人のことを忘れて結婚してしまったの。ところがいま奥さんに先立たれて、近くこちらに来ると書いて寄こしました。いいですか、この人、これまでその男の人だけを、その男の人だけを、ひたすら愛してきました。ずっと愛しつづけてきたんです！　その人がやってくるんです。グルーシェニカさんはまた幸せになれるんです。でも、この五年間、この人はほんとうに不幸せでした。といって、だれがこの人を責められるっていうんです。どこのだれが、この方の好意を受けたって自慢できるんです？　あの足の悪い老人だけです。あの商人だけなんです。でもあの老人、この人の父親とも、友だちとも、保護者とでもいったほうがよい人でした。あの老人は、当時この方があんなに好きだった人に捨てられ絶望して苦しみあえいでいたとき、この人に出会ったんです……そう、この人、あのときはもう身投げしようとまで思ってらしたんですもの。それをあの老人が救ってくれたんです。助けだしてくれたんです！」

「ずいぶんかばってくださいますのね、お嬢さま、なにもかも、ずいぶんとお急ぎになるのね」グルーシェニカがまた間のびした口ぶりで言った。

「かばうですって？　かばう理由がどこにあるんです、そんな権利がこのわたしにありまして？　ねえ、グルーシェニカさん、あなたの手にキスさせてくださいな。アレクセイさん、ごらんになって。この小さくてふっくらした美しい手。おわかりになります？　この手がわたしに幸せをもたらしてくださったんですよ。わたしを生きかえらせてくれたの。ほら、これからわたし、この手にキスします。手の甲にも手のひらにも。ほらね！」そして彼女はまるで陶酔したような感じで、ほんとうに美しい、あまりにふっくらした感じのグルーシェニカの手に、三度キスをしてみせた。いっぽうグルーシェニカは、手をさしのべたまま、神経質ではずむようなかわいらしい笑い声を立てながら「お嬢さま」のふるまいを見守っていたが、どうやら自分の手にそんなふうにキスされるのがいかにも気持ちよさそうだった。《ひょっとしたらあまりに夢中になりすぎているかもしれない》――そんな思いがアリョーシャの頭をちらりとかすめた。彼の顔が赤くなった。そのあいだ、彼の気持ちはなぜかずっとひどく落ちつかなかった。

「どうかわたしに恥をかかせないでください、お嬢さま、アレクセイさんの前でわたしの手にそんなふうにキスしたりして」

「あら、こんなことであなたに恥をかかせるだなんて！」カテリーナがいくらか驚いた様子でいった。「あなたったら、わたしをなんて誤解なさってるのかしら！」

「いいえ、お嬢さま。あなたのほうこそ、このわたしのことをちゃんと理解なさってらっしゃらないわ、わたし、あなたがごらんになっているよりずうっと悪い女かもしれないんですから。わたしって、心のねじれたわがまま女なんです。あのときだってかわいそうなドミートリーさんを、冗談半分でその気にさせただけなんですから」

「でも、そのあなたがあの人を救おうとなさっているじゃありませんか。そう約束なさったでしょう。あの人の迷いを覚ましてあげるって。自分は前からほかの人を愛していて、その人がいま自分にプロポーズしていることを率直に打ちあけるって……」

「いいえ、そんな約束してませんよ。それはぜんぶ、あなたがご自分で、勝手におっしゃったことで、わたし、約束なんかしてません」

「じゃあわたし、思い違いしていたんですわ」カテリーナは顔色を心もち青くし、小声でいった。「あなた、たしかそう約束したはずじゃ……」

「いいえ、いいえ、お嬢さま、ひとことも約束なんかしませんでした」相変わらず陽気で無邪気な表情を浮かべて、グルーシェニカはなめらかな小声でさえぎった。「これでおわかりになったでしょう、お嬢さま。あなたとくらべたら、わたしがどんなにいやらしい身勝手な女かってことが。わたしって、何かこうしたくなるとそのとおりにしなければ気がすまないたちなんです。さっきあなたになにか約束をしたかもしれませんが、今またあのドミートリーさんを好きになりそう、なあんて考えてるしまつですからね……だって前にも一度、あの人のことをとても好きになったことがあるんです、ほとんどまる一時間、好きだったんです。わたし、ひょっとするとこれから出かけていって、今日から一緒に暮らしてって言ってしまうかもしれない……ほら、わたしってこんなふうに気まぐれな女なんです……」

「さっきあなたがおっしゃったことと……まるで違うじゃないですか……」カテリーナはやっとそう口にできただけだった。

「ええ、さっきはね！　でも、わたしって気の弱いおバカさんなの。あの人がわたしのために苦しんできたことを思っただけで、もう！　でも家に戻ってから、急にあの人のことがかわいそうになったら、どうしましょう？」

「まさか、そんなこと……」

「まあ、お嬢さま、わたしにくらべたら、あなたはなんて親切で立派な方なんでしょう。こんな性質《たち》の悪いバカには、もう、ほとほと愛想もつきはてたでしょうに。お嬢さま、どうかあなたのかわいいお手をくださいな」優しい声で彼女はそういい、うやうやしげにカテリーナの手をとった。「ほうら、こうしてあなたのお手をとって、あなたがしてくださったように、わたしもキスしてさしあげます。あなたは三回なさいましたから、こちらからは三百回しなければ帳尻があいませんわね。ぜひそうでなければいけませんわ。そのあとは神さまのお心しだい、あなたの奴隷になりきって、どんなことでもやみくもにお仕えしたいって思うかもしれない。おたがい、相談や約束なんかしなくたって、神さまの決めたとおりになるんですから。まあ、あなたの手ってなんてかわいらしいんでしょう！　かわいいお嬢さま！　わたしなんて足もとにもおよびませんわ！」

グルーシェニカは、たしかに「帳尻あわせ」という奇妙な目的からその手をしずかに唇に近づけていった。カテリーナはその手を引っ込めなかった。彼女は一縷《いちる》の望みにすがって、グルーシェニカが最後に言った「やみくもにお仕えする」というたいそう妙な言いまわしを耳にした。彼女は張りつめた様子でグルーシェニカの目を見つめていた。彼女がその目に見ていたのは、あいかわらず相手を信じきったような無邪気な表情であり、朗らかな明るさだった……《ひょっとするとこの人は無邪気すぎるのかもしれない》カテリーナの心に一瞬、希望の光のようなものが閃《ひらめ》いた。いっぽう、グルーシェニカは、「かわいい手」に感動しきった様子で、ゆっくりとその手を唇のほうへと持ち上げていった。

ところが、その手が唇のまぢかに来たとき、彼女はなにか思案しはじめたような様子でふいに二、三秒その手をとめた。

「あの、です、ねえ、お嬢さま」彼女は、おそろしくしとやかな、甘ったるい声で、ゆっくりと話しだした。「ねえ、わたし、こうしてあなたの手をおとりしましたが、キスはやめとこうと思いますの」そういって彼女は、ひどく愉快そうにくっくっと笑い声を立てた。

「結構よ……でも、いったいどうなさったの？」そう言って、カテリーナはぎくりと身をふるわせた。

「そう、記憶にこう留めておいてくださいね。あなたはわたしの手にキスをした、でも、わたしはしなかったと」グルーシェニカの目のなかで、なにかがふいに光った。彼女は穴があくほどカテリーナを見すえた。

「なまいきな！」なにかを察したかのように、カテリーナはふいにそう口走り、顔を真っ赤にして席を立った。グルーシェニカは慌てずにゆっくりと立ち上がった。

「じゃあ、わたし、さっそくミーチャに伝えてあげますわ。あなたはわたしの手にキスしたけど、わたしは全然しなかったって。それを聞いたらあの人、どんなに笑うかしら！」

「この人でなし、出てって！」

「あら、まあ、なんて恥ずかしい、お嬢さま、なんて恥ずかしい、そんなはしたない言葉、あなたに全然似合いませんわ、お嬢さま」

「出てって！　淫売！」カテリーナは喚きたてた。ゆがみきったその顔のすべての輪郭が震えていた。

「ええ、淫売でもなんでも結構よ。でもそういうあなただって、生娘のくせに、お金目当てで若い男の家に、闇にまぎれて忍んでったじゃないですか。ご自分の美しさをえさにね。わたし、ちゃんと知ってるんですから」

カテリーナは叫び声をあげ、彼女に飛びかかろうとしたが、アリョーシャが全力で彼女を抑え込んだ。

「動かないで！　しゃべっちゃだめ！　何もしゃべらないで、何も相手にしないで、あの人は帰ります。すぐに帰ります！」

その瞬間、叫び声を聞きつけた二人の叔母と小間使いが広間に駆け込んできた。三人とも彼女に走り寄った。

「じゃあ、これで失礼しますわ」ソファの上からケープを手にとりながらグルーシェニカは言った。「アリョーシャさん、いい子だから送ってちょうだい！」

「帰ってください、早く帰って！」アリョーシャは、祈るように彼女の前で手を合わせた。

「アリョーシャさん、送ってったら！　帰り道、それはそれはすてきなことを教えてあげるから！　アリョーシャさん、わたしがひと芝居うったの、みんなあなたのためよ。ねえ送ってよ、あとでとってもいいことしてあげるから」

アリョーシャは両手をもみしだきながら背を向けた。グルーシェニカはけらけらと笑いながら家から走り出て行った。

カテリーナは激情に見舞われていた。泣きじゃくり、痙攣で息をつまらせていた。

彼女のまわりでみんなが慌てふためいていた。「ほうら言わないこっちゃない」上の叔母が言った。「やめておきなさいって言ったでしょ……思いこみがつよすぎるんです……あんな無茶なこと、よくできたものですね！　あの手の女たちの本性をご存じないからですよ。最低の女ってもっぱらのうわさなんですよ……いいえ、あなたがわがままずぎるんです！」

「あれはトラよ！」カテリーナはわめきたてた。「どうしてわたしを止めたの、アレクセイさん、もう思いっきりひっぱたいて、ひっぱたいてやりたかったのに！」

彼女はアリョーシャの前でも抑えがきかなくなっていた、いや、抑えたくもなかったのだろう。

「あんな女は、鞭でひっぱたいてやらなきゃだめ、断頭台にあげて首をちょんぎってやるの、みんなの見てる前で！」アリョーシャは思わずドアのほうに後ずさりした。

「でも、ああ！」カテリーナはふいに両手を叩いて叫び声をあげた。「あの人だ！　あの人があんなに恥知らずだなんて！　あんなに恥知らずだなんて！　あの人があの淫売に話したんだ。あのときのことを、あの恐ろしい、呪っても呪っても呪いきれないあの日のことを！『ご自分の美しさをえさに』とは！　知ってるんだ！　アレクセイさん、あなたのお兄さまって、ほんとうに卑怯者よ！」

アリョーシャは何か言いたかったが、ひとことも出てこなかった。彼は締めつけられるような胸の痛みを覚えていた。

「お帰りになって、アレクセイさん、わたし恥ずかしくて、恐ろしくて！　明日……一生のお願いですから来てくださいませんか、明日。どうか悪く思わないでください、許してくださいい、わたし、自分がどうしたらよいかわからないんです！」

アリョーシャはよろめくようにして通りに出た。カテリーナと同じように、自分も泣きたかった。そこへとつぜん、小間使いが後ろから追いかけてきた。

「ホフラコーワさまからことづかった手紙です。お嬢さまがお渡しするのをお忘れでしたので。昼のお食事のときからお預かりしていました」

アリョーシャは、バラ色の小さな封筒を機械的に受けとると、ほとんど無意識にポケットに押しこんだ。

11　もうひとつ、地に落ちた評判

町から修道院までは、一キロと少しばかりしかなかった。この時刻になると人通りの消える夜道を、アリョーシャは急ぎ足で歩いていった。すでに夜の帳《とばり》もおりて、三十歩先になるともはや何ひとつ見分けがつかなかった。道の半ばまで来たところに十字路があった。そこにぽつんと立つ柳の下に、なにやら人影らしいものが見えた。アリョーシャが十字路に足を踏み入れると、人影はさっとその場を離れ、彼をめがけて駆け寄ってきた。人影がドスのきいた声で叫んだ。

「さあ、命が惜しけりゃ、金を出すんだ！」

「なあんだ、兄さんか！」アリョーシャは、震えあがったが、それでも驚きのほうが強かった。

「は、は、は！　驚いたかい？　どこでおまえを待ってようかと考えてな。彼女の家のそばとも思ったよ。でもあそこは道が三つに分かれるから、ひょっとしたら見逃してしまうかもしれない。で、最後はここで待つことに決めたんだ。ここなら必ず通るし、なんたって修道院に行く道はほかにないからな。さあ、ほんとうのことを話せ。油虫みたいにおれを踏みつぶすんだ……おや、おまえ、どうした？」

「べつになんでもありません、兄さん……ただ、あんまりびっくりして。ああ、ドミートリー！　さっきお父さんの血を見たばかりで」（アリョーシャは泣き出した。さっきから泣きたい気分だったが、いまになって急に心の堰が切れた感じだった）、「あやうくお父さんを殺すところだったでしょう……しかも、呪いたおして……なのにまた……こんなところで……もう……冗談いったりして……命が惜しけりゃ、金を出せ、だなんて！」

「でもそれがどうした？　不謹慎だっていうのか？　いまのおれに合わないってか？」

「いいえ、そうじゃなくて……ぼくはただ……」

「まあ、待て。この夜を見てみろ。ああ、なんて陰惨な夜だ、空一面の雲、風がひどくなってきた！　あの柳の下に隠れておまえを待っているとき、おれはふと思ったんだ（嘘じゃない！）。いったいこれ以上何を迷うことがある、何を待つことがあるってな。ここに柳の木がある。ハンカチがある、シャツもある。これですぐにも縄はなえるし、おまけにズボン吊りまであるじゃないか――これでもうこの大地は厄介ばらいできるし、おれみたいな卑しい男に汚されずにすむとな！

　すると、ちょうど聞こえてきたんだ。おまえの歩いてくる足音がな――ああ、なんだかおれの頭の上に、なにかがふいに舞いおりてきたみたいな感じがしたよ。そうか、おれにも愛している人間がいるんだ、ほら、あそこを歩いてくる男がそうだ、あの男こそ、あのかわいい弟こそ、世界でおれがだれよりも愛し、たったひとり愛している男じゃないか！ってな。で、おまえのことが急にかわいくなった。で、おまえがあんまりかわいくなって、こう思った。よし、あいつの首にかじりついてやろうってな！ところが、そこでくだらん考えが浮かんだものさ。『ちょっと驚かして面白がらせてやるか』ってさ。で、バカみたいに叫んだんだ。『金を出すんだ』なんて！　バカなまねして、かんべんしてくれ――さっきのはほんの冗談だったが、おれの心は……やっぱり大まじめなんだ……でもまあ、どうでもいいさ、そんなこと、それよりか、なにがあったか話してくれ。あの女なんて言ってた？　さあ、おれを踏みつぶしてくれ、叩きのめしてくれ、容赦はするなよ！　で、あの女、おっそろしく逆上してたろう？」

「いいえ、そんなんじゃないんです……まったくそれどころじゃなかったんです、兄さん。あそこで……あそこでぼくはさっき二人に会ってきたんです」

「だれだい、その二人って？」

「カテリーナさんの家に、グルーシェニカさんが来てたんです」

ドミートリーは棒立ちになった。

「そんなばかな！」彼は声をあげた。「なに寝言いってる！　グルーシェニカがあの女の家に来てただなんて！」

アリョーシャは、カテリーナの家に足を踏み入れた瞬間から、自分の身に起こった一部始終を話して聞かせた。話していたのは十分ほどで、整然と淀みなくとはいかなかったが、肝心な言葉や肝心なしぐさを的確にとらえ、しばしば自分の気持ちをひとことでぴたりと言いあらわし、その場の雰囲気をはっきりと伝えた。

兄のドミートリーは何もいわず話に聞き入り、体をぴくりとも動かさず、相手の目を一心に見つめていた。だが、兄がすべてを察し、すべての事実を把握していることがアリョーシャにはわかった。話が進むにつれ、兄の顔は陰鬱というより、なにか険しいものに変わっていった。眉を寄せ歯をくいしばり、目はすわったまま、いよいよ動かなくなり、執拗な感じの恐ろしい表情に変わっていった……ところが、それにもまして意外だったのは、怒ったような凄まじい顔つきが、理解しがたい早さでみるみる変化し、きつく閉じられた唇が大きくほころんで、ドミートリーがふいに、どうにも抑えきれず腹の底から笑いくずれたことだった。文字どおり笑いくずれ、その笑いのせいで彼はしばし口もきけないほどだった。

「じゃ、結局、手にキスをしなかったんだな！　キスせずにそのまま逃げ帰ったってわけだ！」どこか病的ともおもえる喜びの色を浮かべて、ドミートリーは叫んだ。もしもその喜びようがこれほど素直な感じのものでなかったなら、恥知らずな、とすらいうことができたかもしれない。

「で、相手は、あの女はトラだって吼《ほ》えたわけだ！　そう、まさに言いえて妙だよ、あれはトラなんだ！　で、なに、断頭台に送るだって？　そうさ、絶対にそうするべきなんだ、これはおれも同意見さ、そうすべきなんだ、とっくの昔にそうすべきだったんだ！　いいか、アリョーシャ、断頭台送りも悪くないが、それよりも先に、病気を治すべきなんだよ。あの恥知らずな女王さまの気持ちが、おれにはようくわかる、あの女の本性ってのは、あの女の正体ってのが、さっきの手の話に表れているんだ。極道女の本性だよ！　あれはこの世で想像できるあらゆる極道女たちの女王なんだ！　これは一種の歓喜だよ！　で、そのあとやつは家に走って帰ってったってわけだな？　これからおれは……そう……あいつのところへ駆けつけるよ！　アリョーシャ、おまえ、おれを責めるなよ、おれだって同感さ、あいつは、絞め殺しても飽き足りんやつだってな……」

「でもカテリーナさんは？」アリョーシャは悲しそうに叫んだ。

「彼女のこともわかったよ、すみずみまでわかった、これまで一度もなかったくらいよくわかった！　これはもう、世界の四大州をまるごと発見したようなもんさ。いや五大州だったな！　大いなる一歩さ！　それがあの、女学校出のカテリーナってわけさ。父親を救うっていう義俠心で、それこそこっぴどく辱められる危険も覚悟で、このバカで粗暴な士官の家に駆けつけてきたんだ！　でもああいうのって、おれたちがもってる誇りそのものじゃないか。やむにやまれず危険を冒すってことがあるだろう、運命への挑戦、無限への挑戦ってものが！

で、なに、あの叔母さんが彼女をとめようとしただって？　あの叔母さんてのも、これがたいそう身勝手な女なのさ。モスクワにいる例の将軍夫人の実の妹なんだが、これがまた、あれに輪をかけて鼻っ柱が強かったよ。ところがその亭主が公金横領でふんづかまって、それこそ領地からなにから全部剝ぎとられてしまったもんだから、さすがの鼻っ柱も急にしおらしくなってな、それからはもうちっちゃくなったままさ。そうか、あの叔母さんがカテリーナをとめようとした、なのに、カテリーナはきかなかったんだ。『わたしに征服できないものなんてないんです、どんなことも支配できるんです、その気になりさえすれば、グルーシェニカだって手なずけてみせます』そういう鼻息なんだよ。で、そんなふうに自分の力を過信して大見得切って見せたとなりゃ、もうどっちが悪いってことにはならんな。

で、おまえ、彼女がわざわざ自分からグルーシェニカの手にキスしたのは、なにかずるい腹づもりがあったからって思うのか？　ちがうね、あいつは本気でグルーシェニカが好きになった、本気でさ。いや、グルーシェニカじゃない、自分の夢かまぼろしかだ。だって、この人こそわたしの夢、わたしのまぼろしってわけだからな！ アリョーシャ、で、おまえどうやって、あの女たちのとこから逃げ出してこれた？ 僧服のすそひっからげて、逃げ出したってわけか？ はっ、はっ、はっ！」

「兄さん、兄さんはどうもカテリーナさんをどんなに傷つけているか、少しも気にかけてらっしゃらないようですね。あの日のできごと、グルーシェニカさんに話したでしょう。だってグルーシェニカさん、カテリーナさんに面とむかってこう言ったんですよ。『あなたこそ若い男性の家にこっそり忍んでったじゃありませんか、ご自分の美しさをえさに』って。兄さん、これ以上ひどい侮辱はありませんよ」アリョーシャを何よりも苦しめていたのは、兄がカテリーナを貶めたことをまるで喜んでいるのではないか、という不安な思いだった。むろん、そんなことはあるはずもなかったのだが……。

「そうだった！」ドミートリーは急に顔をしかめ、手のひらで額をぴしゃりと打った。アリョーシャがさっきすべてを一度に話してくれたのに、彼はカテリーナが受けた辱めや「あなたのお兄さんって、ほんとうに卑怯者よ！」と叫んだことに、今ようやく思いいたったのだ。「カテリーナのいうとおり、たしかにおれはあの『宿命的な一日』

のことをグルーシェニカにしゃべった。そう、そのとおり、しゃべった、思い出したよ！　あれは、あのモークロエのことで、おれは酔っ払ってた、ジプシーが歌ってた……でもじつのところ、おれは泣いてたんだ。あのときおれは声をあげて泣いていたのさ。ひざまずいてカテリーナの面影に祈ってたんだ。グルーシェニカも、それがわかっていた。彼女はあのときすべてを察して、そう、思い出した、彼女も泣いていた……なのにちくしょう！　そうさ、こうなるしかなかったんだ！　あのときは泣いた、でもそれが……それがいまは『短剣で心臓をぐさり』か！　女ってのは、そういうもんなんだ」

ドミートリーは目を伏せてしばらく考えこんだ。

「そうなのさ、おれは卑怯者なんだ！　どこからみても卑怯者なんだよ！」急に暗い声で彼は言った。「泣いたって泣かなくたって同じさ、どうせ卑怯者なんだから！　彼女の家にいったらこう伝えてくれ、もしそれで気がすむなら、卑怯者呼ばわり、つつしんで受け入れますってな。いやもういい、じゃあな、もう何も話すことなんてない！　とにかく楽しいことが何ひとつないんだ。さあ、おまえは自分の道を行くんだ、おれはおれの道を行くから。おまえとはもうこれっきり会わないでいい、いつかなにか、いよいよってときまではな。じゃあな、アリョーシャ！」

そういって彼はアリョーシャの手を固くにぎると、目を落としたまま顔をあげず、身を翻すようにして足早に町のほうへ歩き出した。アリョーシャは、兄がこんなにも急に立ち去っていってしまったことが信じられない思いで、その後ろ姿を見守っていた……。

「ちょっと待った、アレクセイ、もうひとつ言っておくことがあった、おまえだけに！」ドミートリーがとつぜん引き返してきた。「おれをみろ、じっと見るんだ。見えるか、ほら、ここだ、ここだよ、ほら、ここで……恐ろしい破廉恥《はれんち》が行われようとしてるんだ」（「ほら、ここだ」と言ったとき、ドミートリーは、拳骨で自分の胸のうえをたたいた。それがあまりに奇妙なしぐさだったので、どこか彼の胸のあたりか、ひょっとしたらポケットにその破廉恥が隠され、あるいは何かに縫いこまれて首にぶらさがっているという感じがした）

「おまえはもうおれのことがわかっている。卑怯者でも、名うての卑怯者だってことが！　だがいいか、過去、現在、そして未来、おれがどんなまねをしてきたにしてもだ、破廉恥っていう点で、この破廉恥にかなうものはないんだ。そうさ、いままさにこの瞬間に、ほらここに、この胸にぶらさげている破廉恥さ、ほら、ここさ、現にここでその破廉恥が行われようとしているんだ。で、この行われようとしている破廉恥にかなうものはないんだ。でもな、おれはこの破廉恥を、指一本で完全に思いとどまることもできる、思いとどまることも実行することも、おれの気持ちひとつなんだ。このことを覚えておけよ！　だがまあ、おれは思いとどまらない、実行に移すって思っておけ。おれはさっき洗いざらい話したが、このことだけはしゃべらなかった。いくらなんでも、そこまでずぶとくはないからな。まだやめられる。やめれば失った名誉の半分をそっくり取り戻せる、でもおれはやめない、おれはこの卑劣なたくらみを実行する。で、おまえには前もって証人になってもらう。ドミートリーは何もかも承知のうえでこの話をした、っていう証人にさ。行くさきは破滅と闇さ！　何も説明することはない。いずれわかるときがくるよ。悪臭ふんぷんたる裏町と極道女！　じゃあな！　おれのことなんて祈らなくっていい、そんな価値なんてない。そうさ、全然そんなことする必要なんてないんだ。まったくないんだ……それに、まったく要らんことさ！　さあ、行け！……」

そうして彼はふいに遠ざかり、今度はほんとうに行ってしまった。アリョーシャは修道院に向かって歩き出した。《兄さんに二度と会えないなんて、いったいどうしてなんだ、兄さんは何を言ってるんだ？》彼には不思議だった。《そうだ、明日かならず会ってぜひとも聞き出してやろう、いったい何のことを言っているのか……》

修道院をぐるりと迂回し、松林をぬけてまっすぐ僧庵に向かった。この時刻にはだれも通さないしきたりだったが、彼は戸を開けてもらえた。長老の庵室に入ると、胸がふるえた。《なぜ、なぜ、ぼくは出ていったんだ、長老はなぜぼくを『俗世』に遣わしたのか？　ここは静寂と神聖さに満ち満ちているのに、向こうは混乱と闇が支配し、そこに入ったが最後、たちまち自分を見失い、道に迷ってしまう……》

庵室には、見習い修道僧のポルフィーリーとパイーシー神父の二人が居あわせていた。神父はまる一日、一時間ごとにゾシマ長老の様子を訊ねにきたが、容態は目に見えて悪くなるいっぽうとのことだった。

アリョーシャはそれを知って愕然となった。修道僧を相手におこなう夕方の談話会も、今日ばかりはとりやめになった。夕方になるとふつう、毎日のように、勤めを終えた修道僧たちが就寝前に長老の庵室に集まり、各人が声に出して、その日おかした罪、罪深い夢想や考え、誘惑、かりにそうしたことが起こった場合は修道僧同士のいさかいなども長老に懺悔する。なかにはひざまずいて懺悔する者もいた。長老はそれらひとつひとつを解決し、仲直りさせ、訓戒し、懺悔刑を科し、最後は祝福を与えて退出させるのである。

長老制の反対者たちが異を唱えたのが、まさにこの修道僧たちによる「懺悔」だった。反対派はそれを、機密としての懺悔の世俗化であるとし、冒瀆にひとしいなどとまるで見当ちがいのことを言っていた。こういうたぐいの懺悔はよい目的を達成できないばかりか、罪と誘惑へ故意にみちびくものだと、管区庁にまで訴えでるものがいた。修道僧の多くは長老のもとに通うのを重荷に感じているが、みんなが行くし、自分だけ傲慢な反乱分子とみられるのを恐れて仕方なしに集まっている、という言い分だった。またこんなことを言うものもいた。修道僧の何人かは夕方の懺悔に向かうさい、仲間内であらかじめ「おれは今朝おまえに腹を立てたっていうから、それに合わせろ」といった具合に取り決めをしている、それというのも、話のたねをこしらえて早々と事をすませるためだ、と。

それに類したことがじっさいにしばしば行われていることは、アリョーシャも承知していた。また、彼らのなかには、修道僧が受けとる肉親からの手紙でさえ、しきたりによってまずは長老のもとに届けられ、長老がそれを開封し受取人より先に読んでいることに、たいそう憤慨しているものがいることも知っていた。本来そういうことは、自発的な服従とか救済の教えのため、自由かつ真摯に誠心誠意おこなうことが建前なのだが、時としてきわめて不まじめに、それどころかわざと偽善的に行われているというのが実情だった。

しかし、修道僧のなかでも経験ゆたかな年長者たちは、こんなふうに自説を主張していた。《魂を救うために、真摯な思いで壁のこちら側に入ってきたものにたいして、こうした義務や献身はまぎれもなく救済の手助けとなるものであり、大きな利益をもたらすだろう。それとはうらはらに、重荷を感じ不平をこぼすものは修道僧でないも同然であって、修道院にやってきたことそれ自体がまったくもって無益であり、彼らのいるべき場所は俗世間にしかない。俗世間ばかりか寺院のなかであっても、罪はおろか悪魔からもじぶんを守ることはできない、だから罪を見のがす理由などどこにもない》

「すっかり弱って昏睡状態に入っておられる」アリョーシャを祝福したあと、パイーシー神父が小声で彼に伝えた。「起こすのもむずかしいぐらいだ。といって、起こす理由はないがね。先ほど五分ほど目を覚まされて、みなさんに祝福を伝えるように言われ、自分のために夜の祈りを求められた。明日の朝、もう一度聖体を受けるおつもりのようだ。アレクセイ、おまえのことも思い出されてな、あの子はもう出ていったかとお聞きになったので、いま町に行っておりますと答えておいた。するとな、『わたしが祝福を与えたのはそのためだ。あれのいるべきところは向こうで、当分のあいだここにはおらんほうがよい』と、おまえについておっしゃった。たいそう愛おしげに心配そうにおまえを思い出しておられたが、それがどんなに身にあまる光栄かは、おまえも心得ておるな？　ただ、長老がどうしておまえがしばらく俗世に出ることを決められたかということだ。つまり、なにかおまえの行く末に予見されていることがあるのだろう！　だがな、アレクセイ、おまえがもし俗世に戻るにしても、それは長老がおまえに課した務めが目的なのであって、浮世の軽はずみや俗的な快楽のためではないのだぞ……」

パイーシー神父は出て行った。たとえ一日二日延びることがあるにせよ、長老がこの世を去ろうとしていることは、アリョーシャにとって疑う余地のない事実だった。明日は父親やホフラコーワ親子や兄や、カテリーナと会う約束があったが、修道院の外にはいっさい出ず、長老が息をひきとるまでおそばに付きそっていようとアリョーシャは熱烈な思いで堅く心に決めた。胸のなかで愛が燃えさかっていた。

彼は今さらながら、苦々《にがにが》しい自責の念にかられていた。自分がこの世でほかのだれよりも敬愛する長老が、修道院で臨終のときを迎えようとしている。にもかかわらず、たとえいっときとはいえその長老のことを忘れることがあったからだ。長老の寝室に入った彼はひざまずき、眠っている長老に向かって、床に額がつくほど深くお辞儀をした。長老は身じろぎひとつせず、ほとんど気づかれないぐらいかすかな寝息を立てて静かに眠っていた。顔の表情も穏やかだった。

長老が今朝、客人たちを迎えた例の別室にもどると、アリョーシャは長靴を脱いだだけでろくに着替えもせず、革張りの堅くて長細いソファに横たわった。だいぶ前から彼は、毎晩枕だけをもってきてそこで寝ることにしていた。昼に父親が大声で叫んだ例の布団は、かなり久しい前から敷くのを忘れてしまっていた。脱ぐのは僧服だけで、彼はそれを毛布がわりにかけていた。

だが眠りに就くまえ、彼はいきなりひざまずき、長いことを祈りをささげた。熱い祈りを捧げながら彼は、自分がいま感じている不安を解いてくれるよう神に乞うのではなく、ひたすら喜びに満ちた感動、ふつう就寝前の祈りの中心となる神への讃美と賞賛のあとに、いつも彼の心を訪れてきたかつての感動を熱望していた。心に訪れてくるこの喜びに導かれて、彼は軽やかで安らかな眠りに就くことができるのだった。

ところが祈りをささげているうち、彼は偶然にもふと、ポケットのなかに何か触れるものがあるのを感じた。それは帰り道、追いかけてきたカテリーナの小間使いから手渡されたバラ色の小さな封筒だった。彼はどぎまぎしたが、とにかく最後まで祈りをつづけた。それからしばしためらったあと、封筒を開いた。そこにはリーズと署名のある手紙が入っていた。今朝、長老のまえでさんざん自分をからかった、例のホフラコーワ夫人の若い娘である。

「アレクセイさま」と彼女は書いていた。「だれにも内緒でこの手紙を書いています。ママにも内緒ですし、それがどんなにいけないことかは、わたしもわかっているつもりです。でも、わたしの心に生まれたこの気持ちを告げずに、わたしはもう生きられないんです。このことはわたしたち二人以外、その時期が来るまでだれにも知られてはいけません。でもわたしの気持ち、どうやってあなたにお伝えしたらいいでしょう? 便箋は赤くならないっていいますよね。でも本当をいうと、それって嘘なんです。便箋だって、わたしとほんとうに同じように赤くなるんです。

大好きなアリョーシャ、あなたを愛しています。小さいときから、ずっと好きでした。あなたが今とはまるでちがっていたモスクワ時代から、ずっと好きでした。わたし、あなたを心の友って決めたんです。あなたと一緒になって、年をとって、一生をともに終えると。もちろん、修道院から出ていただくことが条件ですわ。年齢のことをいうと、わたしたち、法律で許されるときまで待ちましょう。それまでにはわたしも必ずよくなって、ちゃんと歩けるようになるし、ダンスもできるようになります。そんなこと当然ですよね。

これで、わたしがずっとなにを考えていたかおわかりになったでしょう。ただひとつだけ、わからないことがあります。この手紙を読んだら、あなたはわたしのことをどう思うのかしら。わたしはいつも笑ったり、ふざけてばかりいるんですもの。今朝もあなたを怒らせたでしょう。でもほんとうをいうと、こうしてペンをとるまえ、わたし聖母さまの像にお祈りしたんです。そしていまもお祈りをしながら、ほとんど泣き出しそうなんです。

わたしの秘密はもうあなたの手に握られてしまいました。明日おいでになったとき、どんなふうにあなたにお目にかかったらよいか、わたしにはわかりません。ああ、アレクセイさま、わたし、またバカみたいに自分が抑えられなくなって、今朝みたいにあなたを見つめるうち、ぷっと吹き出したりしたらどうしよう。だってあなたはわたしのことを、いやらしい冷やかし屋って思うでしょうし、この手紙だってまともには受けとってくださらないでしょうから。ですから、お願いしてるんです。もしこのわたしをかわいそうって思ってくださるなら、明日、わたしの家にいらっしたとき、どうかわたしの目をあんまりまっすぐに見つめないでください。だってわたし、あなたと目があったらぜったいに笑い出してしまうし、おまけにあなたはあんな長い服着てるし……今でもそのことを考えると、体が冷たくなってしまうくらいなの。ですから家に入ってくるときは、わたしのことはしばらくぜんぜん見ないでくださいね。ママか窓のほうを見てくださいね……。

わたし、とうとう、ラブレターを書いてしまいました。ああ、なんてことをしてしまったのかしら！　アリョーシャ、どうか軽蔑しないでくださいね。なにかひどくバカなことをしてあなたを怒らせても、どうか許してくださいね。こうしてわたしの秘密はあなたに握られてしまったのです。わたしの評判は、もしかしたら永久に地に落ちてしまったのかもしれません。

わたし、今日はきっと泣いてしまうでしょう。さようなら、次の恐ろしい出会いまで。リーズ

P・S　アレクセイ、ただ、ぜったいに、ぜったいに、ぜったいに来てくださいね！　リーズ」

アリョーシャは、驚きの思いとともに手紙を読み終えた。二度読み返し、しばらく考え込んでから、ふいに静かに甘い笑いをもらした。しかし彼はそこで、びくりと体を震わせた。その笑いが罪深いものに思えたのだ。

だが一瞬ののち、彼はもういちど同じように、静かに幸せそうに笑った。彼はゆっくりと手紙を封筒にしまい、十字を切って横になった。心の動揺はたちまちのうちに

消えていった。

《神よ、どうか今日出あったすべての人々を憐れんでください、心の安らぎを知らない、あの幸薄い人たちをお守りくださり、どうか正しい道をお示しください。あなたにはすべての道があります。あの人たちを救う道をご存知です。あなたは愛です。あなたは、すべての人々に喜びを授けてください！》

アリョーシャは、十字を切りながらそうつぶやき、やがて、穏やかな眠りへ落ちていった。

読書ガイド

亀山郁夫

十九世紀ロシアの文豪フョードル・ドストエフスキーの最高傑作『カラマーゾフの兄弟』は、「著者より」とエピローグをもつ四部十二編からなっており、読者の皆さんにここにお届けするのは、その「著者より」と第1部である。残りの三部は、小説上の構成にしたがい、一部ごとに順を追って刊行される。

ドストエフスキーの伝記、本作品の詳しい成立および主題などについては、最終巻の巻末で詳しく解説する予定であり、読後の楽しみにしていただくとして、ここでは、本書を読み進めていくうえで参考となる最小限の知識を提供するにとどめたい。

1 「著者より」に、なにが予告されているのか

『カラマーゾフの兄弟』の全体像を解く鍵は、なによりも「著者より」と名づけられた短い序文にある。「わたしの主人公、アレクセイ・カラマーゾフの……」と書き出されたこの文章のもつ一種独特のあいまいさは、はやる気持ちを抑え、本書を手にさ

れた読者の多くに肩すかしを食わせるかもしれない。語り手自身が「愚にもつかない御託」と書いた内容の真意とは何なのか。わずか五ページの短さながら、この文章はまさに鬼門と呼べるほど、微妙な難解さをはらんでいる。

しかしここは、がまんのしどころでもある。読者のみなさんにはむしろそのあいまいさを楽しむつもりで熟読玩味し、作者の真意を自分なりに読みとっていただきたい。さしあたり、読者に注意を促しておきたいと思うのは、次のような点である。

第一に、「著者より」の冒頭で作者が、本書の主人公アレクセイを「けっして偉大な人物ではない」と明言している点――。この冒頭の断り書きが意味するものによって、読者のみなさんは、ついには書かれずに終わる「第二の小説」の中身にまで、ある程度想像力を働かせることになる。また、アリョーシャについて「実践家」とあいまいな呼び方がなされている事実にも注目していただこう。みなさんは、いずれこの言葉が、第1部のキーワードの一つをなし、本書の重要なテーマがそこに隠されていることに気づくはずである。

次に問題となるのは、作者が「わたしの主人公」を「変人」であると規定し、そうした「変人」こそがしばしば全体の核心をはらむ、と書いている点である。アリョーシャは、その人間的資質の面で、あとで触れる「神がかり」の一人とみなすことができる。作者はこの「神がかり」に、世界の現象の核心を見通すもっとも大事な資質を感じとっていたのである。みなさんには、ぜひともそのところを念頭において本書を読み進めていただきたい。

最後は、『カラマーゾフの兄弟』全体が二つの小説から想定されていて、いまわたしたちが手にしているのが、その「第一の小説」にすぎないという点である（「伝記はひとつなのに、小説がふたつある」）。作者はしかも、「肝心なのはふたつ目」とまで書いている。事実、作者はこの「第一の小説」の舞台を十三年前に設定している。

そうなると、十三年後の現在とはいつなのか、という厄介な問題が生まれてくる。現在とは、果たして、この小説の最初の読者が本書を手にした一八七九年を意味するのか、あるいは「第二の小説」が終わった段階における現在なのか……。いずれにしても、この「くそ面白くもない」「著者より」は、いくつもの多重的な謎をはらみ、読みようによっては、じつに味わいのある序文ということになる。

2　人名と呼称に関わる問題

ロシア文学は名前が複雑でいやだ、という人が少なからずいる。そこで、簡単にその仕組みについて説明しておこう。カラマーゾフ家の父親を例にとると、フョードドル・パーヴロヴィチ・カラマーゾフが正式の名前で、フョードルが名前(ファースト・ネーム)、パーヴロヴィチが父称(ミドル・ネーム)、カラマーゾフが姓(セカンド・ネーム)ということになる。

父称とは、当人の父親の名前が何であったかを示すもので、この場合、フョードルの父親はパーヴェルだったことが示されている。ちなみに作者ドストエフスキーの正式の名前は、フョードル・ミハイロヴィチ・ドストエフスキーで、父親の名前はミハイル。女性を例にとると、ドストエフスキーがこの小説を献げた二度目の妻アンナ・グリゴーリエヴナ・ドストエフスカヤは、父親の名前がグリゴーリーだった。

次に、人の呼び方だが、通常、親しい間柄では、いわゆる愛称を用い、相手が目上の人や初対面の改まった感じの場合は、名前と父称で呼ぶのがならわしである。

愛称についていうと、ドミートリー↓ミーチャ、イワン↓ワーニャ、アレクセイ↓アリョーシャ、カテリーナ↓カーチャ、アグラフェーナ↓グルーシェニカという形になる。小説中、この愛称をさらに強調する、より愛着のこもった形が用いられる場合があるが(例、アリョーシャ↓アリョーシェニカ)、本書では、読者の混乱を避けるため、すべて第一段階の呼称で統一することにした。

ここで一つ注意すべき点は、小説の語り手が主人公アレクセイを、地の文でアレクセイと呼ばず、アリョーシャとつねに愛称形を用い、親愛感を醸し出していることである。「著者より」の冒頭で、語り手が「わたしの主人公」という言い方をしているのはまさにそれが理由である。

3　正教会と呼称の問題

ロシア正教会は、「東方正教会」の一派で、一般的に日本人が考える「西方教会」（カトリック、プロテスタント）とは礼拝の仕方、祭日、慣習が異なっている。

東方正教会が西方教会と分裂したのは一〇五四年のことで、その後さらにギリシャ正教会から独立し、ロシア正教会が生まれた。信者は主に聖像（イコンないし聖像画）への敬いを重視する。また、礼拝上の日本語表記は他のカトリック、プロテスタントと区別するために呼称が異なっている。

キリストが定めた神の恩恵にあずかる儀式（サクラメント）は、正教会では「機《き》密《みつ》」と呼ばれ（カトリックでは「秘《ひ》蹟《せき》」）、聖体礼儀、洗礼、聖体、通《つう》悔《かい》などと合わせて七つある。

本書では、たとえば、機密の一つにあたる通悔は、一般読者の理解を考慮し、懺《ざん》悔《げ》と訳してある。また、日本の正教会では、イエス・キリストをイイスス・ハリストス、聖母マリアを生神女《しょうしんじょ》と呼ぶ慣わしだが、こちらも慣例にしたがい、イエス・キリスト、聖母マリアとした。

4　分離派、異端派への関心

正教会の歴史で、ドストエフスキーがもっとも重大な関心を払ったのが、十七世紀半ばに起こった教会分裂（ラスコール）である。ロシア正教会独自の典礼のあり方を、あえてギリシャ正教会のそれに改めようとしたニコン大主教の施策に抵抗し、独立した宗派を作りあげた人々を、分離派（旧教徒派、古儀式派）と呼ぶ。また、在来のロシア正教とは異なる独自の信仰システムを切り開いた人々は、異端派と呼ばれ、その中には、鞭身《べんしん》派、去勢派、逃亡派などのセクトがあった。

ドストエフスキーは、正教会から独立した人々を小説の中に取り込むことで、ロシア人の精神生活にひそむ、本質的にラディカルな特異性を明らかにしようとした。分離派、異端派ともに、農村に独立した共同体を営むこともあれば、都市の生活に入り込み、ひそかに共同体を築いていた例もある。

ドストエフスキーがとくに注意を払ったのは、鞭身派と去勢派の二派で、『カラマーゾフの兄弟』でも、物語の進行をつかさどる重大なモメントをなしている。

鞭身派は、十七世紀に起こった新宗教の一つで、通例、風呂場を拠点に、文字通り、たがいに鞭やタオルで身体を打ちあうことで体内の悪霊を追い出し、聖霊を宿すことができると考えた。他方、去勢派は、性器を切断したり、それに焼きごてをあてたりする自罰的行為をとおして、神との一体性を求めた。ドストエフスキーは、この分離派や異端派の人々に時として現れるファナティックなまでの観念癖や聖性の希求に、ロシア的なるものの精神の根源を見ていた。

ちなみに、カラマーゾフ家の下男グリゴーリーが、妻マルファの不幸な出産ののちに読みはじめる『われらが神の体得者イサーク・シーリン』（シーリンはエジプトの砂漠に隠棲したニネヴェの隠者）は、鞭身派、去勢派にとって「バイブル」とみなされた書物である。

5　ドストエフスキーのカトリック嫌い

後年のドストエフスキーは、深くロシア正教に傾斜していた。第2編「場違いな会合」の章では、教会と国家のどちらが優位とされるべきかをめぐって熱心に議論されるが、教会が裁判など国家の任務を代行し、国家の上位に立つべきだとの考えは、ドストエフスキー自身の晩年の思想と共通する。また、ドストエフスキーは総じてカトリックにつよい違和感を覚え、「反キリストの宗教」とまで考えていたとされる。なかでも、目的至上主義的な傾向のつよいイエズス会に対する嫌悪は、並々ならぬものがあった。ただイエズス会に対しては、逆に、観念癖のつよい去勢派のラディカリズムと共通する何かを見ていたことも否定できない。

その点で、読者の皆さんにとくに注意していただきたいのは、カラマーゾフ家の料理人スメルジャコフである。父親フョードルがスメルジャコフを、しきりにイエズス会士呼ばわりしているのを不思議に思った読者もいるだろうが、ここは今後、本書を読み進めていく上で重要なポイントとなる。この人物を描くドストエフスキーの筆使いには、ぜひとも細心の注意を払っていただこう。

また、スメルジャコフの父親はだれか、という問題も、読者のそれぞれが自分なりに答えを見いだす努力をしていただきたい。

6　「神がかり」とは何か？

次に「神がかり」、ロシア語でユロージヴィ（女性の場合はユロージヴァヤ）と呼ばれる存在にも触れておこう。これはロシアにあまねく見られる愚者崇拝の一形態であり、これまで日本では「神がかり行者」「瘋癲《ふうてん》行者」「聖痴愚《せいちぐ》」「佯狂者《ようきょうしゃ》」「聖愚《せいぐ》者《しゃ》」などの訳があてられてきたが、本書ではすっぱり「神がかり」で統一している。「神がかり」の特徴として挙げられるのは、何よりも社会的ルールや通念から自由である点、財産を持たず、半裸や裸足の姿で歩き回り、常軌を逸した言動を見せ、時には権力者に歯向かうこと、などがある。極端になると、苦行のため鉄の首輪・鎖を身につけるなど、特異な姿で生活する者もあったとされる。

権力者も、通常の人々より神に近いとされ、人々から深く敬われる「神がかり」に手をかけることはできなかった。ドストエフスキーはこの「神がかり」をこよなく愛し、多くの小説で、これに近い人物を登場させている。

7　登場人物たちの教養

本書を読まれる読者は、主人公たちの教養の高さに、驚かれる向きもあるだろう。とくに第1部第3編中の「熱い心の告白」では、ドミートリーが、ドイツの古典主義詩人フリードリヒ・フォン・シラーの詩を朗々と謳いあげる。日本の読者にとってシラーといえば、多くの場合、ベートーヴェンの交響曲第九番に用いた「歓喜に寄す」が何よりも知られるが、シラーは、青春時代のドストエフスキーがほかのどの作家にもまして熱中した作家であり、彼の精神形成に重大な役割を果たした。

また、当時のロシアの上流社会ではフランス語が公用語として用いられ、多くの貴族が家庭教師を雇うなどして子どもの教育にあたった。ロシア貴族におけるフランス語使用の例をもっとも端的に示しているのが、トルストイの『戦争と平和』だが、ドストエフスキー自身もフランス語を大の得意としており、若い時代にはバルザックの長編『ウージェニー・グランデ』の翻訳を試みたことがある。

ところで、先の「熱い心の告白」でドミートリーがアリョーシャに聞かせる「裸の人慣れない穴居の民は……」と、それに続く一連の詩は、シラーの「エレウシースの祭」からの引用である。冥界の王に拉致されたプロセルピナを探しに、農耕と豊穣の神ケレースが、古代ギリシャの土地エレウシースに降り立つ話がテーマとなっている。ケレースが「深い恥辱にまみれた」原始の民たちを見て嘆くすがたは、第2部の「プロとコントラ」の章に現れる、聖母マリアの地獄めぐりのエピソードとも呼応して、小説全体の重要なライトモチーフの一つを形づくることになる。ちなみに、プロセルピナはギリシャ名がペルセポネー、ケレースはそのギリシャ名デーメーテールで、ドミートリーと同じ語源をもっていることも指摘しておこう。

8　小説の舞台、モデルとなった事件

『カラマーゾフの兄弟』の舞台についても言及しておきたい。第1部の段階ではまだ明らかにされていないが、小説の舞台となるこの町は「スコトプリゴニエフスク」と呼ばれている。翻訳すると「家畜追い込み町」といったところになる。

小説の中で言及されるオプチナ修道院が一つのヒントになる。具体的にはモスクワの南二百二十キロにあるカルーガ州コゼリスクの町が想定されるが、しかしスコトプリゴニエフスクは完全に想像上の町であり、ドストエフスキーがこの小説の執筆にあたったスターラヤ・ルッサ（ロシア北西部の古都ノヴゴロドの南、約六十キロ、イリメニ湖の南）との親近性を指摘する研究者もいる。

最後に、読者の多くがおそらく興味をそそられていると思われる、フォン・ゾーン事件についても述べておきたい。十九世紀のロシア犯罪史に知られる猟奇殺人事件で、一八六九年十一月に首都サンクトペテルブルグで起こった。

高齢の元役人フォン・ゾーンは、市内のとある売春宿で豪遊中に拉致され、犯人の自宅で毒入りワインを飲まされて絞殺されたあげく、トランク詰めにされて列車でモスクワに送られた。事前にモスクワの駅には、宛名だけで住所のないトランクを発送した旨の電報が送られており、開封され、事件が発覚した。

フォン・ゾーン事件のモチーフは、前作『未成年』にも使用されるが、この悲惨な最期を遂げた好色な老人のイメージは、本書でフョードル自身の運命にも微妙に重ねあわされている。

この本の一部には、現在の観点からみて、差別的とされる表現があります。
これは、古典としての歴史的な、また文学的な価値という点から、原文に
忠実な翻訳を心がけた結果であることをご了解ください。

kobunsha classics
光文社古典新訳文庫

カラマーゾフの兄弟《きょうだい》1

著者　ドストエフスキー
訳者　亀山《かめやま》 郁夫《いくお》

2006年9月20日　初版第1刷発行

発行者　篠原睦子
印刷　萩原印刷
製本　ナショナル製本

発行所　株式会社光文社
〒112-8011東京都文京区音羽1-16-6
電話　03（5395）8162（編集部）
03（5395）8114（販売部）
03（5395）8125（業務部）
www.kobunsha.com

落丁本・乱丁本は業務部へご連絡くだされば、お取り替えいたします。
ISBN4-334-75106-7 Printed in Japan

いま、息をしている言葉で、もういちど古典を

長い年月を生き抜いてきた古典作品には、現代の人々を導く叡智や、生きるヒント、本物の喜びがあるはずだ。私たちはそう考えました。とっつきにくい、面白くない、難解だ、などと思われてきた古典の世界に、私たちは「新訳」という新しい光を投げかけていきます。

いま、息をしている言葉で訳された古典は、面白い。この翻訳なら楽しく読める。それが、私たちの目指すところです。

困難な時代を生きている現代人は、読書に何を求めているのか。その答えがここに！シリーズの中心は、ヨーロッパやアメリカなどの、文学作品。もちろん、アジア系やラテン系の古典も、視野に入れています。

さらに哲学や思想など、人文・社会科学の著作も、ラインナップされます。じつは翻訳の質の向上がいちばん望まれているのは、このジャンルなのです。

これまでの「名作全集」の枠にとらわれない、自由でフレッシュな作品選びと翻訳。時空、分野を超えた知恵の宝庫の扉を、いっしょに開けてみませんか。

古典新訳文庫は、感動と知的興奮の世界に、読者を誘います。

リア王

シェイクスピア／安西徹雄・訳

訳者あとがきより——一つの芝居を創りあげてゆく時、少なくとも私たちの集団では、ほぼ一ヵ月半稽古を続ける。上演が十日あまり。私の訳したリア王は、合計して何十回、時には百回を超えて、役者の口にかかることになる。私の書いた言葉は、それだけの長い期間、苛酷な使用に耐える力を備えていなくてはならない。

作品について——絶大な力を誇ったリア王が三人の娘に国を譲ろうとして始まった、血塗られた愛憎劇。王は、誰が王国継承にふさわしいか、娘たちの愛情をテストする。しかし結果はすべて、彼の希望を打ち砕くものだった。最愛の三女コーディリアにまで裏切られたと思い込んだ王は、疑心暗鬼の果てに心を深く病み、荒野をさまよう。　定価：本体価格533円＋税

初恋

トゥルゲーネフ／沼野恭子・訳

訳者あとがきより——主人公の手記のところにさしかかったとき、手記の中身を「です・ます調」で訳したいという気持ちにかられました。最初の場面で三人が互いに丁寧な言葉遣いで話していて、一人が、手記に書いてきたものをあとで二人に読みあげるという設定です。手記は話して聞かせるような調子で書いてくるのではないか……。

作品について——十六歳の少年ウラジーミルは、ある日、隣に引っ越してきた公爵令嬢ジナイーダに一目惚れする。年上の女性への思慕の念は日増しに募り、取り巻きの青年たちとの、恋のさや当てが始まる。しかし、あるとき彼は、ジナイーダが恋に落ちたことを知る。はたして、いったい誰と？　定価：本体価格419円＋税

ちいさな王子

サン＝テグジュペリ／野崎歓・訳

訳者あとがきより――ぼく自身は、「小さい」という形容詞がタイトルから消えているのはまずい、とも考えてきた。なぜなら、「望遠鏡でも見えないくらいの」小さな星からやってきた、小さな王子の、小さな物語、それが本書だからだ。「大きな人」つまり大人の考え方や発想の彼方で、子どもの心と再会することが本書のテーマである。

作品について――危険な任務をこなす、経験豊かな飛行士にしか描きえなかった世界である。砂漠に不時着したぼくに、とつぜん話しかけてきた王子は、ヒツジの絵を描いてくれとせがむ。わかりあい、やがてかけがえのない友人になったとき、王子は自分の星に帰ることをぼくに告げるが……。

定価：本体価格552円＋税

光文社古典新訳文庫

永遠平和のために／啓蒙とは何か 他3編

カント／中山元・訳

訳者あとがきより――現代にいたってカントの政治哲学が真の意味でアクチュアルなものとなり始めたと言えるだろう。そのアクチュアルな意味を読み取っていただくために、あえてカントの哲学用語を使わずに翻訳することにした。カントが教えるように、何よりも必要なことは知識ではなく、「自分の頭で考える」ことである。

作品について――本書収録の「永遠平和のために」では、常備軍の廃止、国家の連合について唱える。「啓蒙とは何か」は、他人の意見をあたかも自分のもののように思いこむ弊害を指摘している。他の三編を含め、現在でもなお輝きを失わない、カントの現実的な問題意識に貫かれた論文集。

定価：本体価格648円＋税